G000292760

La communauté

Raphaëlle Bacqué
Ariane Chemin

La communauté

Albin Michel

« Trappes, c'est de l'autre côté du monde. »

Jamel Debbouze

Par ordre d'apparition

Bernard Hugo, *maire communiste de Trappes de 1966 à 1996.*
Jamel Debbouze, *acteur, auteur, producteur.*
Omar Sy, *comédien.*
Faïza, *fonctionnaire.*
Laouni Mouhid, dit « La Fouine », *rappeur.*
Nicolas Anelka, *footballeur.*
Alain Degois dit « Papy », *prof d'improvisation.*
Rachid Benzine, *prof d'économie, spécialiste du Coran.*
John Fitzgerald Airès, alias « Ibrahim », *libraire.*
M'hamed Benyamina, *boucher aux Merisiers, sympathisant du GIA algérien.*
Jaouad Alkhaliki, *ingénieur en informatique, initiateur de la Grande Mosquée.*
Slimane Bousanna, *directeur du collège musulman de la ville nouvelle.*
Guy Malandain, *maire socialiste de la ville depuis 2001.*
Marie-Laure Ségal, *prof de philo au lycée de la Plaine-de-Neauphle.*
Kaci Ouarab, *comptable, artificier du groupe terroriste « Les partisans de la victoire ».*

La communauté

Mourad Dali, *prof au collège Gagarine, « imam ».*
Alain Lambert, *gardien du lycée, mort lors des émeutes de 2005.*
Mustapha Larbaoui, *pharmacien, président du club de foot de Trappes.*
Benoît Hamon, *député des Yvelines, candidat socialiste à la présidentielle de 2017.*
Bilal Taghi, *djihadiste.*
Oumar, *migrant malien, lycéen.*
Nadia Hai, *députée En Marche ! des Yvelines.*

L'action se passe à Trappes, avec quelques détours par Oujda, Berkane et Marrakech, Los Angeles, Bamako, Tripoli, Beyrouth, Gazantiep, Le Caire, Raqqa et Bruxelles.

Du quai, les voyageurs ont senti le souffle du rapide Paris-Nantes fouetter leur visage et perçu le cri aigu des freins actionnés en urgence. Puis plus rien. Ni plainte ni hurlement. En se penchant un peu, ils pourraient presque apercevoir le direct qui filait tout à l'heure vers la Bretagne, immobilisé à quelques centaines de mètres, pétrifié par la catastrophe. Une clameur les fige soudain, déchirant le silence qui enveloppe les voies ferrées : « *Vite, vite ! Des enfants ont été happés par le train !* »

Le maire Bernard Hugo vient de quitter son bureau et il n'a pas mis cinq minutes pour atteindre la gare, plus fiable boussole de la ville depuis 1849. C'est un grand type dégingandé, cheveux plaqués en arrière, qui distribue la bise aux dames et serre la main de tous ses électeurs. Un communiste de toujours, encarté au Parti à dix-neuf ans, sorte de sauveur laïque vers lequel on se tourne en cas de coup dur, comme autrefois dans les villages. Il a couru dès l'alerte, et tente maintenant de reprendre son souffle pendant que les voyageurs se pressent autour des voies de chemin de fer.

La ligne a fondé la mémoire des cheminots et des

millions de touristes l'empruntent chaque jour. Un quart d'heure après Paris, une fois effacés les pavillons en meulière de Clamart et le bois de Chaville, surgit Versailles, la splendeur du Grand Siècle français, que la moitié des voyageurs, aussi polyglottes qu'à bord de l'Eurostar, descendent visiter. Seuls quelques cadres en costume et cravate poussent jusqu'à Rambouillet, évitant l'arrêt de Trappes, étrange enclave de pauvreté au cœur du si bourgeois département des Yvelines.

Les directs y passent en hachant l'air, une longue minute affolante qui fait toujours tressauter un ou deux distraits sur le quai, surtout lorsque, comme ce 17 janvier 1990, ils ont aperçu deux gamins bondir du 20 h 06 quelques secondes avant l'arrivée du Nantes-Paris. « *Ils couraient l'un derrière l'autre et le train a déboulé sur eux !* » C'est depuis toujours le cauchemar du chef de gare, malgré le passage souterrain sous les quais.

Les wagons continuent à s'ouvrir des deux côtés, et les plus pressés s'amusent à sauter sur les voies. Les jeunes, surtout. Ils courent parfois sur le ballast à hauteur de locomotive, pour briller devant les filles et tromper la mort. « *Il faudrait un employé à chaque arrivée pour les empêcher de traverser* », soupire régulièrement le cheminot en les voyant jouer avec la mort, comme James Dean avec sa Mercury dans *La Fureur de vivre.*

La nuit est tombée depuis deux heures et il gèle. Les pompiers de la caserne de Saint-Quentin sont déjà sur le quai, ainsi que deux ambulances, des policiers venus de Saint-Cyr-l'École et quelques dizaines de voyageurs frissonnant dans la nuit, hébétés. Bleu, orange, bleu… Devant la gare en meulière, l'éclat des gyrophares balaie des visages catastrophés. Tout est glacé dans le paysage, hormis les vapeurs d'haleine qui s'échappent des bouches.

« *Suite à un accident de voyageurs, le trafic est momentanément interrompu sur toute la ligne* », annoncent à quelques gares de là les haut-parleurs de la SNCF. Sur le quai de Trappes, les pompiers ont improvisé un hôpital de fortune. Les policiers recensent les témoins du drame, qui n'ont pas plus de quinze ans. « *Il y avait notre copain Jamel, l'autre on sait pas...* », expliquent les collégiens qui reviennent tous d'un mercredi après-midi passé à la dalle de Saint-Quentin, la grande sortie des Trappistes. Jamel gît allongé sur une civière, groggy mais conscient. Il n'a pas encore bien saisi ce qui s'était passé, mais son épaule et son bras droits paraissent sacrément amochés.

« *Ils étaient au moins deux, on a un blessé, ici* », crachote un talkie-walkie. Les pompiers remontent les rails, éclairant de leurs torches les glissières de la voie ferrée, à la recherche du gamin disparu. Le maire, pâle et sonné, a tout de suite reconnu la silhouette de lutin et les yeux noirs sous les boucles brunes. Il a déjà croisé les parents, qui partent tôt le matin travailler à Paris, et les six enfants, tous scolarisés dans sa ville. Dans son souvenir, Jamel est l'aîné des Debbouze, il doit avoir quatorze ans. Après les cours, il traîne comme tant d'autres, chaparde dans les caddies des magasins de la place des Merisiers, « zone » dans les halls d'immeubles avec les bandes d'ados de la ville, mais ce n'est pas un mauvais garçon.

La chance, « *inch Allah !* » dit Fatima Debbouze à chaque fois qu'elle repense au terrible accident de son fils, a voulu que Jamel ait franchi la voie le premier. Le train l'a simplement frôlé, mais en l'effleurant, les dizaines de tonnes lancées comme une furie, à 130 kilomètres à l'heure, ont fait des dégâts. Pour l'instant, les pompiers essaient d'évaluer si la colonne vertébrale est touchée. Le bras, lui, pend comme un chiffon, sans force, sans vie.

Bernard Hugo a fait prévenir les parents. La famille vit dans l'un des petits pavillons de la rue du Moulin-de-la-Galette, un quartier plus agréable et coquet que les barres et les tours, fraîchement baptisées du nom de vieilles barbes piochées dans *Le Maitron*, ce fameux dictionnaire du mouvement ouvrier : « *Maurice Thorez* », « *Paul Langevin* », « *Jean Jaurès* »... De son copain d'infortune, Jamel n'a pu donner que le surnom, « Popaul », et monsieur le maire doit maintenant aider la police à identifier cette seconde victime.

Dans les faisceaux de leurs torches, les pompiers ont repéré des vêtements lacérés et bientôt un corps déchiqueté. Le pauvre Bernard Hugo est horrifié. Le choc a été tel que ni lui ni aucun passager ne parviennent encore à reconnaître la dépouille mortelle du jeune accidenté, quoique la nouvelle ait déjà gagné la moitié de Trappes, cette ville toute plate et si facile à parcourir à pied.

À Guyancourt, qui jouxte la ville, les Admette vivent leurs derniers moments d'insouciance. Leur fils, Jean-Paul, n'est pas encore rentré à la maison, mais, ces derniers jours, ils lui ont autorisé quelques libertés. Comme tant d'enfants de son âge, le jeune Réunionnais rêve de devenir footballeur, et lui-même a franchi un sacré palier : « Popaul » vient d'apprendre son admission au centre de formation du PSG. Une magnifique nouvelle, qui va tout changer, espère la famille. À quinze ans et demi, il tient désormais sa chance de sortir du lot, et tout le monde s'est mis à regarder ses parents avec envie et admiration.

Sept kilomètres, quinze minutes, une seule station sur la ligne de train, c'est ce qui sépare Trappes de Guyancourt, la ville où habitent les Admette. Pour la famille, qui a emménagé il y a quatre ans dans les Yvelines, c'est assez pour se tenir loin des cités. Michel et Marlène ont élu domicile au Pont-du-Routoir, un des quartiers de Guyancourt. À La Réunion, Michel était une vedette locale. On l'appelait le « *prince du sega* », une des musiques traditionnelles des îles de l'océan Indien, et il était invité à se produire partout. Dans cette banlieue des Yvelines, il occupe un emploi d'agent technique à la mairie ; sa femme, elle, travaille à la cantine des écoles.

Ils ont élevé leur fils dans la méfiance des bandes qui se font la guerre entre squares et, si Jamel n'avait pas fréquenté la MJC de Guyancourt, jamais il n'aurait rencontré Jean-Paul, né un an avant lui, et nettement plus réservé. Depuis quatre ans que le talent de leur fils s'est révélé, Michel et Marlène s'échinent à lui éviter fâcheuses influences et « *mauvaises fréquentations* », et pour les habitants de Guyancourt les « mauvaises fréquentations » viennent forcément de Trappes, cette cité où rien ne se passe comme ailleurs.

1

Les Debbouze

La nouvelle s'est répandue en quelques heures. On sait tout des voisins dans ces villes où l'on vit souvent au pied des tours, loin d'appartements trop étroits. On partage les fins de mois difficiles, la solidarité des exilés et tout ce qui façonne le sentiment d'appartenir à une même communauté.

La classe de troisième du collège Gustave-Courbet est partie en délégation à l'hôpital rendre visite à Jamel, quelques semaines après l'accident. L'adolescent est allongé sur le ventre, torse nu. Bouleversés de découvrir la mascotte de la classe ainsi terrassée sur son lit, les élèvent doivent s'accroupir à sa hauteur pour lui parler. Ils peinent à reconnaître dans cette petite chose brisée, fragile, ce chahuteur qui les faisait tant rigoler.

Personne n'a encore osé annoncer au blessé la mort de « Popaul », dont les pages locales du *Parisien* se sont évidemment fait l'écho – on attend qu'il sorte de l'hôpital. La grande tragédie surgit dans la vie de ces enfants qui n'ont pas encore quitté leur famille et souvent leur ville. « *On va en France ?* » Voilà comment, à leur âge, ils ironisent sur ce trajet en train pour la capitale. Le billet « *pour passer le périph'* » coûte 27 francs aller-retour, une somme et une aventure. Alors ils restent à Trappes, comme dans une chrysalide.

Au retour de l'hôpital, certains élèves ont surpris les larmes de leur prof principale : « *Ils vont lui couper le bras...* » La phrase leur a glacé le sang. Elle se trompe, heureusement. Jamel, soutenu par ses parents, a refusé l'amputation et s'est déjà mis à écrire de la main gauche. Pas de pleurnicheries, ni lamentations ou apitoiement, le gamin dit même que son écriture est plus jolie de cette main-là. Son bras inerte ne reviendra plus guère dans sa conversation, sauf pour parler d'un « *accident très très con* » ou dans une pirouette, plus tard, au milieu d'un spectacle : « *Les gens se demandent : "Pourquoi il a toujours sa main dans sa poche ?" Mais qu'est-ce que ça peut te faire, du moment qu'elle est pas dans la tienne ?* »

Les voisins défilent chez les Debbouze pour prendre des nouvelles, offrir un peu de réconfort : ils savent que les Admette, déchirés par le chagrin, se sont convaincus que Jamel a poussé leur fils Jean-Paul sur la voie, après avoir tenté de lui voler son blouson. Ils se torturent en faisant défiler dans leur mémoire chaque minute de ce mercredi fatal où trois copains, dont Jamel, sont venus chercher Jean-Paul, à 17 heures, pour une virée sur la dalle de Saint-Quentin-en-Yvelines. Ils se revoient tordre le nez, puis céder à la petite bande, en se disant que leur fils sera bientôt au camp des Loges, à Saint-Germain-en-Laye, et qu'ils peuvent quand même autoriser quelques entorses à un emploi du temps bien huilé.

Le couple a fini par déposer plainte pour homicide et il a fallu entendre de nouveau les témoins, le maire, le chef de gare. Des mois d'enquête, avant que le parquet ne conclue définitivement à la seule imprudence des deux garçons. L'affaire a été classée, la famille Debbouze respire, mais la rumeur continue à hanter les squares de Trappes, comme souvent dans les entre-soi confortables mais confinés. Ici, tout le monde se connaît. Avant d'atteindre à la boulangerie, il faut parfois serrer vingt personnes dans ses bras et « checker » dix mains, poing contre poing.

La plupart des parents des copains de Jamel viennent, comme les siens, de l'autre côté de la Méditerranée – Maroc, Algérie, Tunisie, Afrique noire. À Trappes, entre 1968 et 1975, la population immigrée a progressé de 325 %. Dans les années 60, pour répondre au besoin de main-d'œuvre, les grandes firmes ont installé des bureaux de recrutement dans les villages du Maghreb les plus pauvres, ceux où des gamins jouent encore les bergers au lieu de se rendre à l'école. C'est le cas autour de Berkane et d'Oujda, cette ville du nord-est du Maroc bordée par le Rif.

À Trappes, les hommes taisent à leurs enfants ce terrible chemin de l'exil qui continue à charrier un parfum de souffrance et d'humiliation. Le petit Jamel et ses amis ignorent comment leurs pères, leurs grands-pères, leurs oncles, tous ceux qu'ils voient partir travailler la nuit ou au petit matin rejoindre Citroën ou Renault sont arrivés jusque-là. Comment dit Jamel, déjà, dans un de ses sketches ? « *Les Français ne connaissent pas leur immigration. C'est normal, puisque c'est TF1 qui a fait les présentations.* »

Les présentations, à Trappes, ce sont les vieux nonagénaires qui les font, mais souvent des années plus tard.

Hajj Moulay, burnous blanc et tarbouche de feutre rouge, est un Berbère arrivé en 1955 du Sud marocain pour travailler chez Renault. C'est aujourd'hui le doyen des musulmans ; les fidèles de Trappes l'appellent aussi « hamy Moulay », tonton Moulay, et lui se souvient bien des sourcils broussailleux de Félix Mora (il insiste sur le *r*, « Morrra »), un ancien sous-officier des Affaires indigènes, c'est ainsi qu'on disait alors dans le Maroc du protectorat, qui jouait les sergents recruteurs du patronat français.

Félix Mora sillonnait le royaume chérifien à la recherche de bras réputés dociles pour les Houillères du Nord, mais aussi pour l'automobile. L'envoyé spécial du patronat français promettait des salaires mirobolants, vus de ces campagnes arides. « *Pas de barbes blanches, pas d'éclopés, je veux du muscle* », expliquait Mora en tâtant les biceps des très jeunes hommes alignés pendant des heures sous un soleil brûlant. Le sous-off' français passait en revue les « élus », un tiers des postulants, inspectant les torses nus des jeunes Marocains immobiles face à lui, les oreilles, la bouche, la colonne vertébrale, les yeux, « *et les mains, c'est important les mains...* » : il les faut calleuses, des mains de travailleurs.

On recueillait ensuite le nom du village d'origine pour créer de toutes pièces des patronymes à ceux qui se désignent seulement par Ben ou Abou, « fils de ». « *Épelez !* » intimait l'administration française en entendant le nom paternel. « *Chez nous, ça ne s'écrit pas, ça se prononce* », répliquaient les plus audacieux comme dans *Les Boucs*, le beau roman de Driss Chraïbi publié pendant les Trente Glorieuses, alors que débute ce terrible marchandage. Pour la date de naissance, on s'arrangeait aussi.

À Trappes, la mairie le sait, des centaines d'hommes sont « *présumés nés le 1er janvier* », ce jour anniversaire arbitrairement attribué par l'état civil colonial à cette main-d'œuvre convoitée par les patrons.

Venait enfin le moment du fameux cachet vert, tamponné sur le bras ou la poitrine, comme pour des bêtes de somme : le visa pour « *Lafrance* », Eldorado prononcé d'un seul souffle. De Casablanca, les futurs ouvriers filaient jusqu'à Tanger ou Algésiras par le train de « l'Office de l'immigration ». C'était la dernière étape du voyage, une longue traversée en troisième classe jusqu'à Paris avec dans la poche l'adresse du meublé sur un boulevard périphérique et d'un lit à partager au rythme des « trois-huit » de l'usine. Parfois aussi celle du foyer de la Sonacotra inscrite sur une pancarte pendue autour de leur cou.

« *À Trappes, on sera entre Marocains.* » À Paris, des cousins venus d'Oujda ont conseillé à Ahmed Debbouze cette petite ville encore verdoyante, et le couple n'est pas dépaysé. Dans le Barbès populaire où ils s'étaient installés à leur arrivée en France et où Jamel est né, en 1975, se croisaient à l'épicerie des Algériens, des gitans, des Maliens et des Sénégalais, des Français de métropole et des Antilles. Dans la petite ville des Yvelines, les Marocains ont reformé un village, mieux, un quartier d'Oujda. Leur vie d'avant et leurs souvenirs sont là, sur le palier ou dans le pavillon d'à côté. Une même mémoire soude les habitants.

Les mamans font souvent « nounou » et papotent sur les bancs des squares en préparant la harira, la soupe épicée, pour plus qu'il n'en faut. Chaque matin, un car passe ramasser les ouvriers de Peugeot, Renault ou de l'ancienne Simca pour les conduire jusqu'aux usines de Poissy, Flins ou l'île Seguin, à Boulogne-Billancourt. Quand arrive la fête de l'Aïd-el-Kebir, les pères partent ensemble acheter le mouton dans une ferme de Coignières. En France, l'immigration est à majorité algérienne ; à Trappes, elle est essentiellement marocaine.

La rue des Debbouze, celle du Moulin-de-la-Galette, est l'une des plus agréables de ces quartiers construits à la va-vite pour répondre à l'afflux des ouvriers de l'automobile. Ses petites maisons donnent sur un rond-point planté d'arbustes, un peu à l'écart des barres et des tours qui, dans les années 60, se sont posées au milieu des champs. Au printemps, on se croirait à la campagne. Après l'école, les enfants chassent les taupes dans les champs de blé d'à côté, chipent les cerises ou les fraises des jardins ouvriers de la SNCF, galopent entre les plantations de patates et de betteraves.

Le dimanche, les familles ramassent des châtaignes dans les bois ou pique-niquent au bord de l'étang de Saint-Quentin. Vu de la Nationale 10 qui file vers Rambouillet, on dirait un concours de calumets : c'est à qui fera monter le plus haut la fumée de son barbecue. Même ceux qui vivent dans les cités vont chercher leurs œufs à la ferme Cuypers, vaste propriété de hobereaux flamands qui met en conserve des petits pois et les vend sous l'étiquette « Le Trappiste », un moine replet à la bouille joviale.

La première fois qu'ils ont franchi le pas de porte de leur pavillon, en 1983, Ahmed et Fatima Debbouze ont d'abord aperçu le living ouvrant sur un petit jardin. Puis l'évier en inox dans la cuisine, les dalles en Gerflex, le chauffage central. Et aussi les chambres moquettées à l'étage – on peut y mettre des lits « *triperposés* » – et la salle de bains. Une baignoire ! La maison qu'ils ont découverte, avec ses cent mètres carrés bien agencés et son garage sous la maison, ressemble à une publicité de la télé des Trente Glorieuses. Au sous-sol, ils pourront même installer un salon marocain, avec des banquettes mordorées le long des murs.

À Paris, leur appartement était étroit et incommode, avec ses toilettes sur le palier. À Trappes, on vit plus à l'aise, dans un curieux mélange de campagne, charmante, et de banlieue grise. Dans son cœur historique, de petits pavillons en meulière d'après guerre donnent à cette ville des Yvelines des airs de village, mais des tours de béton dans la nouvelle extension de la cité signent les catastrophes architecturales des années de Gaulle et Pompidou.

En ce début des années 90, lorsque les ministres et les invités de François Mitterrand survolent la région en hélicoptère pour gagner les chasses présidentielles à Rambouillet, ils distinguent parfaitement les jardins au cordeau de Le Nôtre et l'équilibre harmonieux de la pierre blonde du château de Versailles. Et puis, comme surgie de la forêt, cette anarchie moderne que le pilote, dans son micro, désigne d'une voix grésillante : « *Sur votre droite, la ville nouvelle de Saint-Quentin-en-Yvelines.* » Sans dire un mot de Trappes.

Du ciel, avec une bonne vue, les invités des parties de chasse présidentielles peuvent apercevoir les quatorze kilomètres carrés divisés en deux mondes, de chaque côté de la Nationale 10 : d'un côté, la mairie et les pavillons de cheminots, de l'autre, les nouveaux quartiers construits entre 1958 et 1968 pour accueillir les immigrés. Il est rare qu'une quatre-voies incise ainsi une ville comme c'est le cas à Trappes, depuis 1953. Avec la voie ferrée, le bourg est deux fois balafré. Avant que Bernard Hugo ne fasse construire le pont Marcel-Cachin, qui enjambe désormais la N 10, il n'y avait ni passage protégé ni feu rouge, rien. Les petits élèves qui vont à l'école, comme Jamel, traversaient la route à pied. Un jour, le coiffeur le plus populaire de la ville, monsieur Thauvin, que tout le monde appelait « Toto », y a été retrouvé, mort. Une dizaine de voitures lui avaient roulé sur le corps.

« *C'est la banlieue de Moscou avec des paraboles !* » commentent les jeunes fonctionnaires lorsqu'ils sont parachutés à Trappes. « *C'est la Terre du milieu du* Seigneur des anneaux *!* » s'étonnent ceux qui ont grandi dans les cités du « 9-3 » ou du « 9-1 » en déboulant dans ces « squares » posés au milieu des bois. Pas des cités, à Trappes, le mot n'existe pas. Les HLM forment des carrés et des rectangles autour de petites aires de jeux, des bacs à sable avec des araignées en corde, des tape-fesses, des cages à poules, parfois quelques massifs fleuris et des fontaines peuplées de poissons rouges. Le square est un rêve communiste, une bouffée d'utopie radieuse dans le moule français des « grands ensembles » imposés par l'État.

Les Debbouze habitent du mauvais côté de la ville, mais ont pourtant le sentiment d'être des privilégiés. Au collège Gustave-Courbet, Jamel prend toujours soin de souligner qu'il est « *des pavillons* ». Ceux des squares croient d'ailleurs que « *ce sont les riches qui habitent les maisons* ». En vérité, le couple a fait ses calculs. Ahmed est payé 6 500 francs par mois à balayer et lessiver, huit heures par jour, les rames et les couloirs du métro ; Fatima gagne 4 000 francs comme femme de ménage chez Bouygues. Avec les aides au logement, pour 450 000 francs le couple sera propriétaire dans vingt ans, si du moins ils rognent sur tout.

Il y a toujours chez les Debbouze des gâteaux préparés le week-end pour les tribus qui suivent Jamel et Momo, et du faux Nutella qu'on fabrique avec du beurre et du Benco. Ahmed est sujet à des colères et des sautes d'humeur, Fatima est plus piquante, malgré ses journées de mille heures et les trois boulots qu'elle enchaîne, levée à 4 heures du matin, rentrée à 20. C'est elle qui veille à ce que la maison tourne avec le petit pécule familial. Les garçons ont imaginé se lancer dans l'élevage de pitbulls, une activité rentable alors à la mode dans les cités de banlieue. Dans le jardin, ils ont aménagé une cage où les molosses aboient nuit et jour, mais ce n'est pas assez pour améliorer l'ordinaire.

« *Éteins la lumière* », « *ferme le robinet* »... Tous les jours, Fatima Debbouze reprend ses enfants pour éviter le gaspillage. Dans la ville, tout le monde compte ses sous. Les mères vont chercher des conserves aux Restos du cœur ou des vêtements chez Emmaüs. Quand il ne reste plus de tickets ni d'allocations familiales, on partage. On se repasse la poussette de la petite, le jean rapiécé du moyen, la paire d'Atemi en 38, les baskets les moins chères d'Euromarché, ou encore les chaussures à semelles de caoutchouc qui arrivent sur le marché par lots et que les gamins appellent les « splouch », comme le bruit qu'elles font lorsqu'ils marchent sous la pluie.

« *C'est ma mère qui a inventé l'écologie : un bain pour neuf. Le covoiturage : à douze dans une Renault 12. Le recyclage : un cartable pour tous* », rira Jamel. À Trappes, c'est un peu le Tom Pouce de son quartier, déjà une petite légende. Toujours une idée marrante, une plaisanterie qui désarme les profs. L'adolescent imite à la perfection le français hésitant de Fatima, lorsqu'elle fait la chasse au gaspillage : « *On "s'habite" pas à Versailles !* » Il a même trouvé un surnom à sa mère, « *Marie-Antoinette* », pioché lors d'une sortie scolaire au château, visite obligée de tous les écoliers de Trappes.

À la maison, elle porte une robe longue et noue un simple foulard lorsqu'elle sort. « *Quand on était gamins, notre religion, c'était le foot, on jouait cinq fois par jour en direction de La Mecque* », blague Jamel dans un de ses spectacles. Le matin, les familles endormies entendent à peine les pères dérouler le tapis de prière avant de filer au travail. Quand leurs voisins leur servent des plats *haram*, ces musulmans les bénissent d'un simple « *bismillah* », « *au nom de Dieu clément et miséricordieux* ». Comme les mères de sa génération, Fatima Debbouze répète à ses enfants qu'Allah est une affaire privée : « *Rahbi rahfi l'qalb el mouminin*, dit-elle. *Dieu est dans le cœur des croyants.* » Garde-le pour toi : dans les familles pieuses de la ville, la religion reste à la maison.

Dehors, c'est le vrai melting pot, dit Jamel : « *Melting pot, c'est quand tous tes potes, ils se melting.* » Au verlan, que François Mitterrand s'est mis à parler à la télé pour plaire aux jeunes, se mêlent de l'arabe dialectal, des idiomes africains, du portugais, des mots d'italien et plus de cinquante langues, formant un nouveau sabir bricolé de toutes pièces, où le « p », absent de la langue arabe, devient un « b ». Certains commencent à s'en moquer sur scène, comme Smaïn, le pionnier, qui fait rire le Casino de Paris avec *Comme ça se prononce*.

« *C'est l'ONU* », résument aussi les profs en entendant la novlangue de leurs élèves, dans la cour du collège. Sur le terrain vague devant les pavillons s'improvisent après l'école des matchs de foot « *Portugal/Maroc* » ou « *Algérie/Sénégal* » où toutes les fratries du quartier se font la passe. « *Lui, lui, lui, pas toi…* » Au moment de former les équipes, Jamel reste souvent sur le côté. Quand il court, il n'a plus tout à fait la même aisance. Avant son accident, il était très technique et rêvait d'ailleurs de devenir footballeur, mais son traumatisme nécessite une longue série d'opérations. Son rêve d'avant, il l'a définitivement rangé dans sa poche, celle où il enfouit cette main inerte qu'il a protégée de l'amputation, et patiente sur le banc de touche avec Omar, le meilleur copain de Karim Debbouze, son frère cadet.

« Il fut un temps où les hommes furent vendus à d'autres
Ô Mora le négrier, tu les as emmenés au fond de la terre
Mora est venu à l'étable d'Elkelaa
Il a choisi les béliers et il a laissé les brebis
Ô filles ! Mettons le voile du deuil
Mora nous a humiliés et est parti
Ceux de l'étranger que Dieu redouble vos peines
Celui qui est en France est un mort
Il part et abandonne ses enfants
La France est de la magie
Celui qui arrive appelle les autres. »

Mora le négrier, poème berbère.

2

Omar

Le quatrième gamin de la famille Sy est un sacré gaillard noir, presque deux fois plus haut et trois fois plus costaud que Jamel, quoique de trois ans son cadet. Il vient du square Auguste-Renoir, un ensemble de logements sociaux proche de chez les Debbouze, en bordure d'Élancourt. C'est un garçon tout en muscles, beau, élégant et baraqué, mais curieusement un brin maladroit sur le gazon. Prend-il d'ailleurs vraiment le foot au sérieux ? Du terrain, les joueurs l'entendent rire, un rire de gorge énorme, qui déchire l'air : Jamel est déjà le roi de la vanne, et Omar son meilleur public. Au bord du terrain, une amitié s'est forgée, une équipe est née.

Omar n'a ni la liberté ni l'audace de Jamel qui « zone » déjà à Saint-Quentin et aligne les boums de la MJC. Lui est né à Trappes et la première fois qu'il a posé un pied à Paris, en 1990, à l'âge de douze ans, il n'a pas dépassé le McDo de la rue de Rennes. La plupart des gamins de la ville ne se risquent guère au-delà de La Défense ou, les jours de réveillon, des Champs-Élysées. Ce doit être leur dégaine, mais à chaque virée ils se font contrôler, et les policiers de la capitale sont toujours étonnés de voir ces bandes de gamins poser les mains sur le capot, comme dans les films, alors qu'on ne leur a pas demandé.

« *Je ne veux pas aller vous chercher au commissariat !* » clame souvent Diariatou Sy devant ses huit enfants. Ce n'est pas le cas de toutes les familles qui occupent les logements sociaux de « Renoir », mais cette Mauritanienne qui fait des ménages pendant que son mari assemble à l'usine des pièces automobiles « tient » ses enfants, comme on dit. Le poste de police est sa hantise. Tant de voisins passent leur temps à aller y chercher leurs fils après une nuit en garde à vue et font, parfois de longs kilomètres à pied, car la voiture reste un luxe.

Comme beaucoup de femmes de Trappes, Diariatou a rejoint son mari en 1974, dans les prémices du regroupement familial, institutionnalisé deux ans plus tard par Giscard et son premier ministre Chirac sous la pression des associations d'immigrés et de grands industriels, soucieux de fixer leur main-d'œuvre ouvrière sur place. Des milliers de femmes attendaient jusque-là au village, retrouvant leurs maris une fois l'an, chargés de petits cadeaux et souvent d'une drôle d'odeur de fioul : c'étaient les papas, époux et pères un mois sur douze.

Désormais, elles traversent à leur tour la Méditerranée, et « *Lafrance* » qu'elles découvrent, au bidonville de Nanterre ou directement à Trappes, ne ressemble guère à l'eldorado raconté par leurs maris. En un jour, elles ont laissé derrière elles maison, parents, cousins, amies, confidences et habitudes. Le regroupement familial est pour elles un exil forcé, qu'elles acceptent contre la promesse d'un retour. Beaucoup de Marocaines venues d'Oujda, bien des Africaines venues de Bamako ou de villages perdus dans la vallée du Niger ne savent pas écrire ;

d'autres, plus éduquées, ont parfois laissé un travail qualifié pour se consacrer à la réussite de leurs enfants. Il leur faut tout apprendre : le français, les factures, la banlieue sans voiture – la vie avec leur mari, aussi.

Originaire de Bakel, une ville proche de la frontière malienne, le père d'Omar a longtemps cru en arrivant à Paris, en 1962, sans parler un mot de français, qu'il repartirait un jour « là-bas ». À Bakel, le long du fleuve Sénégal, le climat est étouffant et les paysages arides, mais il s'imaginait gagner en France les 2000 francs nécessaires pour ouvrir une boutique de tissage, comme ses parents, près du fort militaire construit au XIXe siècle, ou plus loin dans une grande ville. À Trappes, des milliers d'hommes ont rêvé comme lui d'un retour au pays. Dès qu'ils auraient réuni assez d'économies, ils achèteraient une maison, une épicerie, ou feraient le taxi au Maroc, en Algérie, au Mali ou au Sénégal. Dans le projet de départ s'inscrivait l'inéluctable retour.

Le père d'Omar avait enchaîné une série de travaux ingrats pour payer son premier voyage vers Paris. Une fois dans son pays d'accueil, il a continué à travailler dur comme magasinier chez le concessionnaire automobile Sonauto pour financer ses allers-retours et partager sa vie entre deux continents. Il a connu lui aussi ces longues attentes devant la cabine pour téléphoner au pays, entendu les autres hommes hurler dans le combiné, comme s'il fallait que leur voix porte au-delà de la Méditerranée.

Maintenant que les femmes les ont rejoints, les couples enfin reformés ont le souci d'offrir à leurs enfants, en France, une autre vie que la leur. Même le chèque

« offert » par le gouvernement, un an à peine après le regroupement familial, afin de pousser les immigrés à traverser de nouveau la Méditerranée, n'y a rien fait. C'était un soir de 1977, aux informations. Roger Gicquel est venu annoncer dans le poste de télévision qu'un million d'anciens francs, à peine plus qu'un Smic annuel, seraient offerts par le ministre de Giscard, Lionel Stoléru, à ceux qui accepteraient de rentrer au pays après avoir rendu leurs cartes de travail et de résident.

« *Le Parlement vient de voter la loi d'aide au retour des immigrés. Les accords ont été signés avec les différents gouvernements des pays du Maghreb. Chaque chef de famille pourra bénéficier d'une formation pour faciliter sa réinsertion au pays d'origine.* » Les travailleurs immigrés ont laissé leurs enfants traduire les mots du journaliste. « *Il a dit que c'était volontaire !* » ont rassuré les aînés, paniqués à l'idée de quitter leur vie, leur école, leurs copains. Leurs pères, eux, se sont surtout arrêtés au chiffre : 10 000 francs par tête, autour de 10 000 euros d'aujourd'hui, leur valeur aux yeux de la France.

Rares sont ceux qui, comme le grand-père maternel de Jamel, ont accepté le « million Stoléru ». Mohamed a revendu ses trois épiceries de Barbès et a emmené sa femme et ses plus jeunes enfants pour ouvrir de nouvelles boutiques au Maroc. Les autres ont compris que les cartes de séjour deviendraient plus rares et sont restés pour toujours. Peu à peu, dans les squares de Trappes, on a fini par sortir des malles les nappes, serviettes et vêtements qui encombraient les couloirs et les balcons des appartements, et par jeter le carton de la télévision, celui qui devait l'envelopper lors du dernier voyage vers le Maroc.

Désormais, on ne retourne plus « au bled » que pour les vacances. L'été, c'est comme si tous les squares de Trappes prenaient la N 10 ensemble, le premier jour des congés, à 2 heures du matin. Les Sy repartent un été sur deux en Afrique, car le billet d'avion est cher. Les autres prennent la route. Les petits Debbouze font leurs adieux à Omar, et la « *Bigeot* » 305 d'Ahmed file vers le Sud, suivie par les deux voitures des cousins, ventres au ras de la route, galeries surchargées de valises en carton et de sacs Tati.

Des expéditions, ces voyages. De longues nuits où les enfants dorment en « sardine » les uns sur les autres à l'arrière du « *break chargé* », comme dans le mythique *Tonton du bled* rappé par le groupe 113, avec quelques arrêts sur les aires d'autoroute, quand le moteur chauffe trop. Les enfants filent jouer avec d'autres petits Marocains pendant que leurs mères réchauffent sur le Butagaz des boîtes de thon à la catalane ou les baghrir, les crêpes mille trous conservées dans la glacière. « *C'est où la direction ? Tu demandes la route…* », presse le père de famille. Grâce à l'espagnol deuxième langue du collège Courbet ou Gagarine, les filles interrogent à sa place le douanier au péage de Burgos.

Les Debbouze s'arrêtent d'abord à Taza, entre le Rif et le Moyen Atlas, le berceau de la famille. Les parents d'Ahmed y tiennent un petit bazar qui vend de la vaisselle et des tas de bijoux aux paysans du coin, le plus souvent des producteurs d'huile d'olive. Il y fait chaud, sec, les maisons sont pauvres, il y a « *des mouches qui mordent* », comme dit le petit Jamel, mais on peut monter sur l'âne du voisin et on s'amuse bien. Fin juillet, la famille migre à Casablanca où le grand-père maternel, retourné au pays, a monté une fabrique de survêtements. Les « *Francaoui* » se moquent des panneaux déglingués sur le bord des routes, du *zit zitoun*, l'huile d'olive qui fait office de crème solaire à la plage, ou du Selecto, le faux Coca que boivent leurs cousins. Eux se moquent des « *poulets de batterie* » venus des cités mais lorgnent sur leurs fringues au moment du départ : « *Tu me laisses ton sweat, dis ?* »

Au retour, Omar rit de joie en voyant Karim et Jamel rôder à sa recherche au pied du grand immeuble du square Auguste-Renoir. Quand ils grimpent jusqu'à l'appartement, les aînés Debbouze trouvent parfois les parents Sy en boubou. La famille regarde des films de Bollywood achetés au marché de Château-Rouge, dans le nord de Paris : *Tarzan* en hindi ou, plus drôle, *Roméo et Juliette* joués par des comédiens qui roulent des yeux et dansent pendant les scènes d'amour. Le dimanche, Omar rejoint parfois la famille Debbouze dans son pavillon où tout le monde se retrouve autour de *Starsky et Hutch*, *Hip Hop* de Sidney qui parle déjà de rap, mais surtout de *L'École des fans* sur Antenne 2. Jamel et lui sont fascinés par Jacques Martin, ce monsieur en gilet et nœud papillon qui sourit à des enfants tout roses auxquels les mamans ont eu le temps d'apprendre des chansons entières, parce qu'elles parlent français et qu'elles ne travaillent pas.

« *C'était extraordinaire dans mon quartier. (...) Les cinq continents étaient représentés. Il y avait le continent algérien. Il y avait le continent marocain. Il y avait le continent tunisien. T'avais le continent portugais et le continent sénégalais...*

Et puis, évidemment, il y avait aussi dans mon quartier quelques Français. Mais ils sortaient la nuit.

Il y avait un vrai melting pot. Melting pot, c'est quand tous tes potes, ils se melting. (...) Un pote à moi s'appelait même Mamadou Paolo Kader... »

Jamel 100 % Debbouze, spectacle 2004.

3

Les « cocos »

Bernard Hugo veille comme il peut sur les sept squares qui forment le quartier des Merisiers et logent au centre de la ville 10 000 habitants. Lorsqu'il analyse le dernier recensement, celui de 1990, le maire doit admettre l'évidence : les deux tiers des adultes qui vivent dans les barres et les tours n'ont pas de qualification, près de la moitié ont moins de vingt ans, 15 % sont au chômage. Avec 10 % de loyers impayés, le bailleur d'origine a déposé le bilan. Il faut dire que le second choc pétrolier a fait des ravages. Peugeot a mangé Citroën, puis Chrysler, l'ex-Simca. Fin 1980, l'usine Talbot de Poissy a perdu un quart de ses effectifs. Même Renault perd de l'argent.

Le maire n'a pourtant jamais renoncé à aider ces familles qui comptent désormais pour un tiers de ses administrés. Quand il quitte les pavillons en meulière du vieux Trappes et rejoint ces squares dont il est si fier, Bernard Hugo se dit en riant qu'il lui faudrait « *un traducteur à plein temps* » pour l'accompagner. Dans les cages d'escalier, ce sont les enfants qui servent d'interprètes à leurs parents : « *Dis-loui, toi qui le parles, à monsieur le maire...* » Un autre ânonne devant l'élu, comme s'il parlait d'un autre que de lui-même : « *Tu sais, il faudrait dire à mon fils de bien travailler à l'école.* » Alors Hugo fait la grosse voix, comme autrefois devant sa classe, pour que l'homme qui tient son fils par l'épaule comprenne qu'il a bien fait la leçon au gamin.

Bernard Hugo se souvient encore très bien de ce jour de 1966 où, tout juste élu, le secrétaire de la section locale du PCF de Trappes l'avait pris à part. Il venait de passer son écharpe tricolore, et le responsable communiste avait osé lui faire cette discrète mise au point : « *Le maire, c'est moi.* » Bernard Hugo avait dû en appeler à la direction du Parti pour lever le malentendu, mais l'ordre du jour du conseil municipal reste systématiquement débattu au préalable en réunion de cellule.

Monsieur le maire a pourtant fini par s'imposer et règne désormais sur Trappes. Le Parti a compris qu'il n'y avait aucune raison de se méfier d'un homme qui, chaque été jusqu'en 1989 et la chute du Mur, a traversé en « combi » le Rideau de fer pour passer ses vacances dans des campings tchécoslovaques. Depuis la fin des démocraties populaires à l'Est, la Corée du Nord a ses faveurs. Pour preuve, ce trophée glorieux qui trône encore dans l'entrée de son appartement, une photo où il pose au côté du « grand leader » Kim Il-sung, et dédicacée « *avec amitié* » à l'ancien instituteur par « *ce professeur de l'humanité tout entière* ».

Les premières années suivant son élection, Trappes vivait encore dans un huis clos communiste et solidaire, se méfiant des corps étrangers, comme tant de banlieues « rouges ». La ville comptait moins de 10 000 habitants, mais un millier de militants, trois sections en centre-ville ainsi qu'une vingtaine de cellules. Une « contre-société », avait osé écrire dans sa thèse l'historienne Annie Kriegel, une « intellectuelle organique » qui a fui le Parti après les révélations du rapport Khrouchtchev sur les crimes de Staline : une petite communauté militante soudée et solidaire, avec ses codes et des tabous.

Les garçons se rendaient à l'école Marcel-Cachin, dirigée par Monique, la femme de Bernard Hugo, une institutrice rencontrée à l'École normale. Les vacances se passaient avec les Vaillants et les Vaillantes, ces organisations de jeunesse des « cocos », comme on disait. Le dimanche, pendant que les immigrés italiens et portugais priaient à la messe, les « rouges » vendaient *L'Humanité* en frappant aux portes des cages d'escalier – jusqu'à huit cents exemplaires – et presque autant de numéros de *Pif Gadget* aux enfants.

Bernard Hugo a gardé la nostalgie de ces fins d'après-midi des années 60 où l'ancien bourg de campagne se teintait soudain en bleu. De la gare, les cheminots remontaient par grappes la rue Jean-Jaurès, casquette sur les yeux, sacoche de cuir épais à l'épaule, celles que s'arrachent désormais, aux Puces, les bobos de la capitale. Il les revoit dans les fumées de leurs Gitanes et les effluves de Ricard, accoudés au bar de L'Étoile d'or ou de la section du Parti. Les quatre lettres luisaient au-dessus d'eux sur une plaque en métal : S, N, C, F, l'un de ces acronymes glorieux qui faisaient briller la France de l'après-guerre.

Comme monsieur le maire, Yolande Lietchi, son adjointe aux affaires sociales, passe régulièrement parmi les familles aider l'aînée, une bonne élève, à remplir les feuilles de Sécurité sociale, ou débrouiller les tracasseries qu'une caisse de retraite fait à un vieux chibani. Petite bonne femme vive, Yolande fait figure de super-assistante sociale auprès des immigrés fraîchement arrivés et de camarade modèle aux yeux des communistes locaux : elle est membre du Mouvement de la paix, cette organisation pacifiste créée après la guerre par des résistants de tous bords, notamment communistes, et tracte tous les dimanches sur les marchés de la ville.

Son mari Alban est une légende locale. Ancien réfractaire en Algérie, son refus de prendre les armes dans cette guerre « *férocement coloniale* », comme l'écrit *L'Huma,* lui a valu quatre années de prison. Dans le foyer Sonacotra de la ville, les Algériens le saluent avec respect. C'est lui que les camarades plaçaient au premier rang lorsqu'il fallait défiler devant l'ambassade des États-Unis contre la guerre du Vietnam, dans les années 70. C'est encore lui qu'on a vu manifester devant l'Assemblée nationale, en janvier 1991, lorsque le Parti a voté contre l'engagement militaire de la France en Irak.

Jusqu'à la fin des années 70, dans les réunions de cellule, on a peu parlé des immigrés, ou alors sous l'angle de la « question » coloniale, sur laquelle le PCF est intraitable. Jamais on ne dit « *les Arabes* », comme « *la droite* ». En réalité, c'est seulement au moment des élections professionnelles que ces travailleurs venus du Maghreb sont vraiment l'objet d'attention, et notamment depuis que la crise économique empoisonne le monde du travail. Les vieux « cocos » commencent à regarder de travers ces ouvriers immigrés qui « *aggravent le chômage et font baisser les salaires* », et que le syndicat « libre », c'est-à-dire maison, vient trouver à l'usine pour montrer le bulletin bleu qu'il faut glisser dans l'urne, plutôt que celui de la CGT.

Sortis de l'usine, c'est différent. À Trappes, les profs – souvent des camarades, eux aussi – poussent les gamins qui peinent en français à prendre de l'assurance au club de basket ou de volley-ball. Dans les classes, ils mettent un point d'honneur à ne pas faire de différence. Les gosses skient ensemble dans les colos du Parti, à Villard-de-Lans ou à Autrans, et se retrouvent l'été à Saint-Marc-sur-Mer, la plage de Monsieur Hulot, voire dans une ville tchèque avec laquelle Trappes a tissé un jumelage.

Yolande est comme chez elle dans les intérieurs modestes des squares de Trappes, à commencer par les salons marocains où, contre les murs en béton, on lui sert un thé à la menthe avec des gâteaux, cornes de gazelle, mkhabez au glaçage citronné et parfum de fleur d'oranger chez les Algériens, zalabyas moelleux chez les Tunisiens, ou encore ces serpentins collants saupoudrés de graines de sésame, chez les Marocains. « *Kifech nennsa biled el khir...* » « *Comment pourrais-je oublier le pays de l'abondance...* » La radiocassette est souvent allumée sur Dahmane El Harrachi et ses chansons d'exil déçu comme *Ya Rayah*, reprise plus tard par Rachid Taha et chantée à tue-tête dans les boîtes de nuit.

Quinze ans auparavant, le couple Lietchi a accueilli à Trappes, avec d'autres militants, une partie des 14 000 habitants du bidonville de Nanterre. Yolande a aidé les nouveaux venus à s'installer dans les HLM et à se déshabituer du champ de boue et des baraques en tôle où ils vivaient jusqu'à ce jour de 1973, quand Fiat a annoncé aux ouvriers entassés en bord de Seine que de confortables appartements les attendaient à la campagne. « *Ceux qui n'accepteront pas le logement proposé à Trappes devront se débrouiller seuls. Il n'y aura plus de bus pour vous emmener à l'usine.* » Pour les partants, en revanche, un camion de déménagement « maison » est gracieusement affrété.

Yolande a dû montrer aux familles que la baignoire-sabot du T3 du square Langevin servait à laver les gamins, non à faire la lessive : au bidonville, sans eau courante, sans gazinière, les mères avaient pris l'habitude de frotter les enfants au gant de crin et de les laver avec l'eau de la pompe. Longtemps, les assistantes sociales ont souri en voyant les gamins s'endormir sur le sol tiédi par le « chauffage au sol », la grande mode des années 70. L'adjointe aux affaires sociales de la mairie a aussi écouté ces mères de famille lui raconter comment, le 17 octobre 1961, elles avaient perdu un ami, ou un cousin, noyés dans la Seine par la police de Maurice Papon.

Distributions du Secours populaire, aide aux devoirs, cours d'alphabétisation… Les Lietchi sont de ces camarades qui laissent le militantisme grignoter leur vie et connaissent mieux que personne cette liturgie des incroyants qui, lors des enterrements, vante des vies de « sacrifice » dont les familles, deux pas derrière, ont fait les frais leur vie durant. Parfois, certains regimbent un peu, comme ce camarade qui, un jour d'élection, en a vu un autre bourrer les urnes pour assurer la réélection d'un « rouge ». « *Mais enfin, pourquoi faites-vous ça ?* »

La réponse a fusé en deux secondes : « *Tu veux un dispensaire à Trappes, ou pas ?* »

Tu veux un dispensaire, tu veux un gymnase, tu veux une Maison des jeunes et de la culture, tu veux des logements neufs ? L'ancien bourg campagnard a dressé sur plan son utopie urbaine. « *Trappes sera un laboratoire* », a décrété le Parti dès les années 50. Depuis, à chaque fête de *L'Huma*, la ville affrète des cars entiers pour les militants. La fédé des Yvelines n'est pas la plus importante, mais on se presse devant le stand où Trappes raconte qu'elle fut la première cité de la ceinture rouge à clignoter sur la carte de la modernité, illuminée dès les années 30 par l'électricité.

Lorsqu'il se rend à Paris, au siège du Parti, Bernard Hugo s'aperçoit que les autres maires de banlieue sont tiraillés comme lui entre leur souci d'élargir leur assise ouvrière et la difficulté à gérer les tensions naissantes. Le jour de Noël 1980, le maire de Vitry-sur-Seine a envoyé un bulldozer raser un foyer de travailleurs immigrés investi par 300 Maliens. « *J'approuve le refus du maire de laisser s'accroître dans sa commune le nombre, déjà élevé, de travailleurs immigrés* », a déclaré Georges Marchais. L'Algérien Hamza Boubakeur, le recteur de la Mosquée de Paris, s'en est ému, conscient qu'après les Maliens pourrait venir le tour des Algériens. Mais le secrétaire général du PC lui a répondu vertement dans *L'Humanité.*

Comme les élus de la petite couronne parisienne ou de Lyon, Bernard Hugo ne sait plus comment réagir. Par conviction autant que par intérêt politique, les communistes ont construit des HLM à tour de bras pour accueillir une population ouvrière qui votait « rouge » ou, lorsqu'elle était étrangère, fournissait de nouveaux bataillons à la CGT. Or, depuis la fin des années 70, les mairies n'ont plus la haute main sur les attributions de logements. À Vénissieux, dans la banlieue de Lyon, comme à La Courneuve, à proximité de Paris, l'État et les villes riches « parquent » les populations les plus pauvres. À Versailles, Saint-Cyr, Rambouillet – trois villes pimpantes où fait escale le train de Montparnasse –, on accueille les travailleurs modestes au compte-gouttes, sans construire de logements pour les faibles revenus. Trappes, en revanche, est devenue « le réservoir social » du sud des Yvelines. Des étymologistes soutiennent que le nom de la ville vient du mot gaulois *trebo*, le village, mais d'autres disent qu'il signifie nasse, comme ces réservoirs qui alimentaient Versailles en eau et en poissons, ou encore piège. Piège, monsieur le maire commence à se demander si ce n'est pas la meilleure traduction.

« La présence en France de près de quatre millions et demi de travailleurs immigrés et de membres de leurs familles, la poursuite de l'immigration posent aujourd'hui de graves problèmes. Cela crée des tensions, et parfois des heurts entre immigrés des divers pays. Cela rend difficiles leurs relations avec les Français. Quand la concentration devient très importante [...], la crise du logement s'aggrave ; les HLM font cruellement défaut et de nombreuses familles françaises ne peuvent y accéder. Les charges d'aide sociale nécessaire pour les familles immigrées plongées dans la misère deviennent insupportables pour les budgets des communes peuplées d'ouvriers et d'employés. L'enseignement est incapable de faire face [...] Il faut regarder [les problèmes] en face et prendre rapidement les mesures indispensables. »

Georges Marchais,
Lettre au recteur de la Mosquée de Paris
publiée le 6 janvier 1981 dans *L'Humanité*.

4

Le square de la Commune

Faïza s'est fait renvoyer du lycée, et son père est comme fou. Il hurle : « *Mais qu'est-ce que tu es allée dire à la sœur que Jésus n'est pas le fils de Dieu !* » D'habitude, sa fille aînée est irréprochable. On peut toujours compter sur elle pour s'occuper de ses trois frères et quatre sœurs, une deuxième maman, comme tant de ses copines à Trappes. Comme elle travaille bien en classe, Moussa a décidé qu'on l'inscrirait au lycée privé Marie-Curie, à Versailles. Au square de la Commune de Paris, où la famille habite dans cent vingt mètres carrés, c'est une rareté. « *Il faut que tu fasses de bonnes études !* » insiste son père avec fierté.

« *Le Français* », c'est ainsi que tout l'immeuble appelle le père de Faïza tant il maîtrise parfaitement la langue, sans aucune trace d'accent. Dans son autre vie, à Essaouira qui se nommait encore Mogador, Moussa était pharmacien. Sur la grand-place, juste en face du théâtre, il trônait devant son officine, à côté de son associé, Moshe. Un notable ! Il vivait dans une villa avec sa femme, une cousine épousée alors qu'elle avait quinze ans et qu'il avait à peine croisée avant le mariage. L'Arabe Moussa, le juif Moshe, un même prénom ou presque pour deux amis. Quand Moshe est parti en France, Moussa a vendu la villa et les meubles pour le suivre. Il a confié le berger allemand à un fermier qui a dû attacher le chien à son vélo par une corde, tant il hurlait à la mort.

Aux voisins, Moussa raconte volontiers ses premières années au Comptoir national des pharmacies françaises, à Paris. Il ne précise pas toujours qu'il a dû accepter un poste de simple préparateur, parce que son diplôme marocain n'était pas reconnu en France : éternel déclassement de l'immigration… En France, la famille a passé quelques années dans le Xe arrondissement. De la fenêtre, Faïza regardait des heures durant les embouteillages, elle n'en avait jamais vu, comme elle n'avait jamais senti le froid mordant de la neige. Mais avec huit enfants, impossible pour la famille de vivre dans la capitale.

Il a fallu se faire à une nouvelle vie, à Trappes, square de la Commune, le plus grand de la ville avec ses quarante-sept cages d'escalier et ses nuages peints sur les façades, comme dans un dessin de Folon. « *Par intérêt pratique* », Moussa a même pris une carte du Parti communiste, peu après son arrivée, participant – lui si pieux – aux réunions avec les « cocos » athées ou agnostiques. Il y a appris l'histoire de ces soixante-douze jours de 1871 durant lesquels les « Communards » avaient tenté une expérience d'autogestion, un épisode assez important dans l'imaginaire ouvrier pour devenir un siècle plus tard le nom de son quartier.

Et voilà que Faïza se fait renvoyer du lycée… « *Tu dois respecter la foi des autres, même si nous croyons en l'islam, l'important est que tu sois dans un bon lycée !* » Il tempête, bouscule sa fille. Déjà, quand elle racontait que les parents de son amie Sylvie l'avaient conviée à déjeuner et qu'elle avait dû refuser les petits pois aux lardons, Moussa levait les yeux au ciel : « *Mais tu n'as qu'à trier et les laisser de côté !* » Cette fois, c'est trop tard. Sœur Rose Boutonnet – « *cela ne s'invente pas !* » avait souri Moussa lors des inscriptions – a décidé que Faïza devait quitter l'établissement « *puisqu'elle conteste le catéchisme* ». Jusque-là, la direction du lycée catholique avait fermé les yeux sur cette unique élève musulmane. Moussa avait produit ses excellents bulletins, raconté la pharmacie, la villa abandonnée à Mogador, comme il fait toujours depuis qu'il est en France. Faïza avait été admise. Que va-t-elle devenir maintenant ?

Elle s'est inscrite au lycée des Sept-Mares à Maurepas et a réussi son bac sans mal. Son père a pu constater qu'elle était l'une des rares bachelières du square. Quelle belle fête dans l'immeuble ! Les Algériens sur le palier, les Portugais à l'étage au-dessus, les Espagnols du premier et tous les Marocains ont apporté des gâteaux et félicité Moussa, enfin rassuré sur son aînée. Pour son permis de conduire, tout l'escalier a de nouveau célébré l'exploit : elle était la première fille à obtenir le précieux papier rose. Dans l'escalier 6 où ils habitent et ailleurs dans le square, il y a de moins en moins de « Gaulois », comme on commence à dire, et les « Arabes » ont rarement les moyens de s'offrir un permis de conduire.

« *Les Français s'en vont de la Commune* », murmure-t-on depuis quelque temps lors des réunions de cellule où Moussa continue de se rendre. Dans les années 70 et 80, le Parti envoyait souvent en mission profs, contremaîtres et agents municipaux dans les squares de Trappes. « *On te donnera un logement et tu retrouveras des camarades* », disait le syndicat en expédiant ses militants.

Aux « Français » comme à la famille de Moussa et de Faïza, les vastes appartements avaient paru d'un luxe fou. « La Commune de Paris », le nom parlait aux militants d'un passé héroïque et glorieux. Mais dès le tournant des années 80, les « Gaulois » sont partis pour d'autres squares ou pour les pavillons alentour et tout le monde parle désormais de « la Commune », comme s'il s'agissait d'une ville dans la ville.

Il reste bien quelques familles françaises dans certaines cages d'escalier, du numéro 2 au numéro 7, souvent des cégétistes de chez Fiat, mais le gros des enseignants, des contremaîtres, des syndicalistes, ceux qu'on appelle les classes moyennes, ont abandonné le square phare de la ville. En 1983, la télévision avait montré les jeunes « *beurs* », comme on appelle désormais les enfants d'immigrés de la fameuse Marche pour l'égalité, expliquer que « *la France, c'est comme une mobylette. Pour qu'elle avance, il faut du mélange* ». Pourtant, à Trappes et ailleurs, se sont entassées dans les barres des familles venues de soixante-sept pays, langues et cultures différents, désormais sans aucun Français, ou presque.

François Galliot, l'ancien curé de Sartrouville installé dans le square depuis 1977, a pris la tête de l'Amicale des locataires du square. C'est un homme de Dieu, les musulmans lui font confiance. Lui peut entrer dans les intérieurs et discuter avec les femmes, même lorsque leurs maris sont absents. Quand les habitants ont voulu trouver un lieu pour écouter Jalal Kamalodine, un prêcheur venu d'Afghanistan, le prêtre a plaidé auprès de la mairie pour transformer le 15, square de la Commune en petite salle de prière où les parents de Faïza se rendent le vendredi.

L'imam est un sage, un homme de bien et un « *réfugié politique* », dit-on à la Commune, sans toujours saisir que les communistes de Trappes ont soutenu l'intervention soviétique en Afghanistan qui a pourtant chassé Kamalodine. Chaque vendredi, revêtu de son kamis blanc, il toque aux portes des immeubles pour la *salat*, la prière. Une bonne centaine d'hommes et quelques rares femmes, plus âgées, le rejoignent au local. Le dimanche matin, ce sont les gamins, filles d'un côté, garçons de l'autre, qui suivent pendant quatre heures l'école coranique, où l'on apprend à répéter les sourates sans les comprendre. Faïza y a passé des matinées, elle aussi, lorsqu'elle était plus jeune. Gare à ceux qui ne savent pas réciter leurs *douas* : Kamalodine tape sur les doigts ou la plante des pieds avec une baguette, comme au village.

Le Coran, c'est la manière que les parents ont trouvée pour que leurs enfants apprennent l'arabe hors de la maison et ainsi « *gardent le lien* » avec le pays. On pratique ici l'islam comme au Maroc ou en Algérie, sans réels interdits.

À mesure qu'on s'est retrouvé entre soi, les traditions sont pourtant revenues. Kafid, le coiffeur, coupe les cheveux et taille les barbes dans un appartement. Mehdi, le boucher des Merisiers, passe plusieurs fois par semaine en camionnette proposer de la viande halal. Les femmes du bidonville de Nanterre, auxquelles leurs maris avaient acheté des jupes plissées pour qu'elles se « *fondent avec les femmes de Lafrance* », portent désormais le saroual par-dessous. Même la femme du pharmacien, qui méprisait gentiment les « blédards », noue un foulard pour sortir, alors que « *quand tu es arrivée, tu étais en minijupe et les cheveux lâchés !* » remarque souvent Faïza. Comme sur les photos de la manifestation parisienne du FLN, le 17 octobre 1961, où les femmes ont les cheveux au vent et les jupes au-dessus du genou.

Le square est devenu un petit village en soi. Les caves lient les immeubles entre eux sans passer par la rue, un vrai labyrinthe que les gosses connaissent par cœur. Quand la police débarque après un chapardage, elle en sort rarement vainqueur. À la Commune, chacun ouvre sa porte au gamin qu'on course, comme Josiane Balasko dans le film *La Smala.* L'action se passe près de Lyon mais le cinéaste Jean-Loup Hubert a absolument voulu tourner à la Commune, en 1983, comme si on ne pouvait pas mieux raconter la banlieue qu'en filmant ce fameux square de Trappes. Bernard Hugo est venu à plusieurs reprises assister au tournage. Quelques jours avant la sortie en salles, le 29 août 1984, l'équipe du film a même organisé une projection en plein air.

Depuis, les choses se sont dégradées. Presque chaque semaine, désormais, des voitures brûlent devant les grands ensembles, comme dans les premières images du film. Nelly Robin, une sociologue réputée qui a choisi la Commune comme terrain de recherche, à la fin des années 80, a noté dans ses carnets que la cité est devenue « *un autre monde* ». Lorsqu'elle arrive de la gare et traverse le pont pour rejoindre les Merisiers, elle a le sentiment de « *passer dans un no man's land, une société qui n'a plus rien à voir avec ce passé cheminot glorieux que continuent de mythifier les communistes* ».

Bernard Hugo est bien conscient que sa ville se dégrade. Lorsqu'il voit ces façades qui se lézardent, des bandes de dealers qui investissent les halls d'immeubles, il comprend que le paradis imaginé par les communistes s'est évanoui. Les bâtiments construits vingt ans auparavant comme la promesse d'une vie nouvelle sont hérissés de paraboles. Le maire et les assistantes sociales découvrent que, dans les appartements aux cloisons trop minces, on échappe au bruit des voisins en laissant allumée toute la journée la télévision sur les chaînes du Maghreb, triste lien entre les familles et leurs racines.

Les années 50 et 60 avaient cru construire des « cités radieuses », « *l'ascenseur social est en panne* », dit-on désormais pour résumer les ratés de la modernité. « *Il est bloqué au sous-sol, et il pue la pisse* », ajoute Jamel.

Beaucoup reviennent de la logique des « grands ensembles ». Deux architectes, Roland Castro et Michel Cantal-Dupart, se sont mis en tête de mener « *une révolution en banlieue* ». Ces anciens soixante-huitards plaident pour la destruction des tours et les mairies communistes sont aux premières loges pour bâtir de nouveaux immeubles à échelle humaine. Aux Minguettes, cette cité de Vénissieux dirigée par Marcel Houël, que Bernard Hugo connaît bien, des tours ont déjà été rasées. Les barres de La Courneuve, à proximité de Paris, ont suivi à leur tour : James Marson, le maire de cette ville de Seine-Saint-Denis, est un camarade, sénateur comme Bernard Hugo.

Alors le maire de Trappes s'est mis sur les rangs. Des affichettes ont été collées dans le hall de la grande tour de la Commune : « *Opération de réhabilitation. Le bâtiment devra être évacué à la fin de l'automne.* » Les énormes barres voisines de la Commune, elles, seront détruites plus tard. Des assistantes sociales passent dans les escaliers proposer un relogement. On a désigné aux parents de Faïza un nouvel appartement, square Henri-Wallon, que sa mère déteste déjà, tant elle se sentait bien à la Commune. Chaque jour, elle entend désormais le battement sourd des masses éventrant les murs, escalier après escalier, et, la nuit, le bruit des pilleurs venus récupérer dans les appartements ouverts à tous vents les baignoires et la robinetterie. Au début de l'hiver 1989, il a fallu céder : il n'y a plus ni eau ni électricité et des maçons commencent à murer certains halls d'entrée.

Pour la destruction finale de la tour, une petite agence de communication parisienne a été enrôlée pour accompagner « *l'événement* », prévu quelques jours avant Noël. Une première. Tout cela rappelle les bulldozers venus écraser les baraques du bidonville de Nanterre, quinze ans plus tôt, mais les « créatifs » de l'agence, comme on dit en ces années de com' triomphante, ont expliqué aux anciens du bidonville la « *chance* » que représente au contraire cette expérience retransmise en direct à la télévision le 16 décembre à 20 heures, avant un grand feu d'artifice.

Nine, eight, seven... Des centaines d'habitants ont été installés derrière des barrières de sécurité, face à la tour éclairée au laser, et les artificiers ont lancé le compte à rebours en anglais, comme pour une fusée qui décollerait vers l'inconnu. « *Vous savez que cent soixante logements vont tomber en à peu près huit secondes,* commente doctement Bernard Hugo, cravate et trench beige, au micro d'Antenne 2. *Derrière nous se déroule en ce moment un spectacle audiovisuel qui raconte l'histoire de ces immeubles ne datant que de vingt ans. C'est devenu non pas une mode mais une pratique assez commune que l'on fasse exploser les tours HLM de quartiers un peu déshérités, avec une fête, comme pour exorciser le passé...* »

À trois pas, des reporters anglo-saxons, dépêchés pour la circonstance, filment les familles, les yeux braqués sur l'étage où elles ont vécu. Le souffle d'une corne de brume, le bruit de quatre explosions et la tour de la Commune s'effondre d'un coup dans un nuage de poussière grise. Quelques mains applaudissent avant qu'un long silence ne fige la foule tout entière. Dans la pénombre, les caméras oublient soigneusement de filmer ces femmes qui pleurent presque autant qu'à leur départ du « bled » ou de Nanterre, trente ans plus tôt.

« Dans deux minutes je vais partir, dit le fantôme.
– Pourquoi ?
– Je te le dirai tout à l'heure. Il est temps de se dire au revoir.
– Au revoir, fantôme.
– Petite fille ? Où es-tu maintenant ?
– Avec tout le monde, au milieu de la foule.
– Eh bien, regarde, c'est au tour des habitants de quitter l'immeuble, ceux qui ont habité ici depuis quinze ans et qui ont laissé les traces de leur passage, de leur mémoire, de leur esprit. Ils s'en vont aussi. Au revoir, petite fille, au revoir, le bateau va faire un dernier voyage… »

Spectacle son et lumière créé pour la destruction
de la tour du square de la Commune de Paris,
le 16 décembre 1989, et projeté au laser
sur la grande tour, avant l'explosion.

5

Fouiny baby

À l'école Jean-Macé, les enfants ont tous entendu parler de la chute de la Commune. Laouni Mouhid n'a pas encore huit ans, mais il connaît déjà sa ville par cœur. « *La petite fouine* », c'est ainsi qu'on l'appelle, tant il est curieux et furète partout. Il passe par un square, ressort par l'autre. Fouiny baby court les bosquets et les mares bordant le golf de Saint-Quentin, qui rachète aux gamins les balles tombées hors des greens, passe au-dessus du grillage de la piscine à vagues – sa manière d'entrer sans payer –, longe des heures entières la voie ferrée avec ses copains, comme les quatre gamins de l'Oregon dans *Stand by me*, ce beau film sur l'adolescence. Il fait toujours nuit quand il rentre chez lui, à Jean-Macé.

C'est un square si convivial que ses « kids » l'appellent *the ghetto paradise*, en américain dans le texte. Portes ouvertes sur le palier, doux fumets de cuisine dans l'escalier et gosses cavalant d'un étage à l'autre y coulent souvent une enfance joyeuse. Leurs mères se sont « *habituées* », comme elles disent, et roulent ensemble les graines de couscous dans des bassines coincées entre leurs cuisses. « *Allez, viens prendre une crêpe avec du miel* », crie-t-on d'un balcon à l'autre. S'il manque huile ou semoule, il suffit d'aller chez la famille d'à côté, la porte est rarement fermée à clé. Pour tout et rien, d'ailleurs, on peut frapper chez le voisin quand les fins de mois sont rudes.

La famille Mouhid vit à neuf dans un F4. Fatima, une fille de Casablanca, et Ahmed, menuisier venu de Laounet, dans la campagne des confins de Rabat, ont élevé leurs cinq premiers enfants au Maroc. Avec Hakim, le benjamin, Laouni est le seul de la famille né dans cette ville des Yvelines, quelques mois après la victoire de François Mitterrand à l'élection présidentielle, en 1981. Le Maroc est pour lui un pays étranger. À douze ans, il n'a jamais foulé la terre familiale, celle où ses aînés ont grandi, appris la tradition et surtout l'autorité.

Il est un « petit frère des beurs », comme on dit alors, benjamin de cette seconde génération d'immigrés qui ne parle que le français, n'a pas la mémoire du pays et regarde avec ses yeux d'enfant les aînés s'affronter avec leurs « darons » et « daronnes ». Les filles, de leur côté, ont du mal à comprendre ce qu'on attend d'elles. « *Comment mes parents se sont rencontrés ? Au mariage* », s'amuse Jamel. Leurs mères ont connu leurs pères suite à des unions arrangées. Mais à l'école, leurs copines « françaises » regardent *Hélène et les garçons* ou *Le miel et les abeilles*, et ce modèle leur plaît davantage.

L'une des sœurs de Laouni s'est vu interdire par son père d'épouser le garçon qu'elle aimait. Que dirait la famille, là-bas, au Maroc, si elle apprenait qu'il s'appelle Philippe ? tonne Ahmed. Un de ses frères aînés tombe à son tour amoureux d'une « Française », mais c'est non, de nouveau. Le père de la famille Mouhid impose sa loi, qui ne souffre pas d'entorse. S'il cède, on racontera au Maroc qu'il a mal élevé ses enfants et perdra la « *considération* » du « bled ».

Il n'est jamais question d'amour chez les Mouhid, la pudeur l'interdit ; juste d'usages et d'observance. Dès qu'à la télé la musique se fait plus romantique et annonce un premier baiser, on zappe ; au deuxième, tout le monde va dormir. C'est la même chose chez toutes les familles venues du Maghreb, comme les Debbouze. « *Mireille Darc et Miou-Miou, c'étaient les actrices maudites. On savait qu'elles allaient se foutre à poil. Y a Miou-Miou, y a Miou-Miou, vite la télécommande !* » rit Jamel dans un sketch. Un peu plus tard, les télés resteront allumées sur BFM, Canal Algérie ou 2M : avec une chaîne tout-info et une autre venue du monde arabe, on évite les mauvaises surprises.

À huit ans, Fouiny baby explique à sa maîtresse d'école qu'il déteste « *les films d'amour* » et traîne déjà dans les halls, avale des sandwichs grecs sur les escaliers et prend le train seul jusqu'à Saint-Quentin, briquet et paquet de cigarettes à la main, pour imiter les « grands ». Le keffieh (qu'on appelle « libanais ») jeté sur le blouson est déjà un peu passé de mode, comme les boucles dans le cou ou les bananes de rockers que portait le héros de *Prends 10 000 balles et casse-toi*, ce film si fin de Mahmoud Zemmouri. Le modèle, en ce début des années 90, ce sont les bandes new-yorkaises qui s'équipent de battes de base-ball et de coups-de-poing américains.

Black Spiders, Black Dragons Junior, Chats noirs... Toutes les bandes valent le détour. Avec ses punks arabes, celle des Décapsuleurs est même une curiosité trappiste.

Les noms empruntent tous au monde des bandes dessinées et de l'enfance, que ces grands ados quittent à peine. Comme dans tant d'autres cités de banlieue, c'est pourtant de guerre qu'il s'agit. En 1983, la victoire du Front national à Dreux, puis, trois ans plus tard, l'entrée de Jean-Marie Le Pen à l'Assemblée nationale ont frappé les esprits des parents, le soir aux informations, et dans les rues de Trappes, l'adversaire a pris le visage de ces crânes rasés qui chassent de l'Arabe et du Noir pendant que s'éveille la « conscience black » et que le mouvement hip-hop balbutie : les skinheads.

La gare de Trappes aimante les skins de Versailles, de Juvisy, du Chesnay. La bande la plus redoutée est la TCK, « *K pour Kill* », font savoir ces spécialistes de la ratonnade. Pour leurs expéditions punitives, Trappes ne ressemble à aucun terrain connu : une cité au milieu des champs, comme un village Playmobil ou un jeu de SimCity. La rumeur de leur descente du train, avec leurs crânes rasés et leurs rangers, court illico jusqu'aux squares, et la ville voit tout à coup des tas de garçons détaler en tous sens. « *Rendez vous Plaine-de-Neauphle !* » crient les chefs, organisant la contre-offensive, conscients que tout peut arriver.

On s'offre une bataille rangée, avec parfois jusqu'à soixante ou soixante-dix « soldats » aux deux bouts de la Plaine. D'un côté, des skins qui aiment torturer les Arabes et jouer au « *sourire de la mort* », en fendant d'une lame de couteau la commissure des lèvres et en l'accompagnant d'un « *grand coup dans le bide* » ; de l'autre, les bandes de Trappes qui copient avec les éperons de leurs santiags le coup de pied en marteau de Jean-Claude Van Damme

– sa spécialité, un talon sur le sommet du crâne. Parfois, les Requins vicieux, fameuse bande de jeunes chasseurs de skins, emmenés par un certain MC Jean Gab'1 et coiffés comme Maradona, viennent en renfort depuis d'autres banlieues.

Jamel n'a pas quinze ans, Laouni dix à peine. Ils sont tous les deux fascinés par les Black Spiders. C'est la plus grosse bande de la ville, celle des « Africains » du square de la Commune, des « grands » qui règlent d'un mot ou d'un regard des affaires d'hommes, de territoire, et font régner la terreur. Ils taguent leurs noms sur les murs et font bloc autour de leur chef, Dominique, « *à la vie à la mort* ». À la sortie du collège Gustave-Courbet, où Jamel est élève, ils rackettent les « petits » sans que la police s'en mêle, et lorsqu'ils se servent dans les étals du centre commercial des Merisiers, personne n'ose leur demander de régler la note.

Avec ses copains, Jamel est allé voir *Beat Street*, que projetait l'un des cinémas de Saint-Quentin. Entre deux démonstrations de hip-hop, le film met en scène les rivalités entre bandes de Manhattan et du Bronx. Jamel en a surtout retenu la bande de jeunes Noirs soudés face à l'adversité. Depuis, il veut la sienne. Ce sera TSA, pour *The Section Attack*, des grappes de gamins qui collectionnent bagarres et petits vols à la tire. Leurs rivaux de l'*Agence* – comme *L'Agence tous risques*, la série télé américaine qui a enthousiasmé leurs années 80 – les surnomment « *les sportifs* », car ils les trouvent bien amateurs quand ils les croisent aux Merisiers.

Le supermarché, au cœur de la ville, est devenu un centre d'apprentissage de l'arnaque au caddie : de la pièce qu'on pique dans le chariot d'un client, en vidant ses achats dans une allée, au vol pur et simple des courses qu'on embarque à la caisse en courant pendant que leur propriétaire paie la note : tout un art filmé au plus près dans *La Smala*, le long-métrage de Jean-Loup Hubert, bien avant Jean-François Richet dans *Ma 6-T va cra-cker*. Heureusement, les vigiles sont souvent qui le père d'un copain, qui le grand frère du petit voisin. Pas facile de dénoncer le gamin qui vit de rien ou qu'on connaît bien…

Le mercredi, le samedi, les gosses filent aussi jusqu'à Saint-Quentin, baskets sur les banquettes du train, pour faucher des consoles ou trafiquer eux aussi un peu de shit pour les « grands », qui les poussent au crime parce qu'ils risquent moins qu'eux : ils n'ont pas dix-huit ans. Avec de la chance, ça se termine au commissariat, avec une belle rouste des parents. Si on passe devant le juge pour enfants, il faut prier pour tomber sur madame Bagot, du tribunal de Versailles, « *la plus sympa* ».

C'est une belle femme élégante, dont tout Trappes se souvient, prévenus mais aussi « éducs spés ». Pour les gamins, Martine Bagot préfère en effet les foyers à la prison pour mineurs d'Osny, inaugurée en 1990, et les frères aînés de Fouiny baby, comme « Mouhid afternoon » (il n'arrive jamais à se réveiller pour suivre les cours le matin), y sont sensibles. Laouni aussi est toujours en retard. Un matin, il saute la grille fermée du collège Le Village et débarque en plein cours de sa troisième d'insertion. Le prof exige un billet d'excuse. « *Je baise le cul de ta mère, fils de pute* », lui répond son élève. Il est viré : le début de huit ans de délinquance et de séjours derrière les barreaux.

Madame Mouhid a quitté le *ghetto paradise* pour vivre square George-Sand avec ses deux benjamins. La Fouine, son nom d'artiste depuis qu'il écrit des morceaux de rap et bricole des freestyles dans la maison de quartier, y installe sa bande, la George Sand Primera. Une trentaine de lascars forment la GSP, mais, à quinze ans, il en est à la fois le chef et le plus jeune. Son CV a parlé pour lui : première arrestation à neuf ans, premières cigarettes à treize, à quatorze premier joint, puis, un an plus tard, expulsion du collège, donc garde à vue et placement en foyer à Versailles. Il s'en échappe illico et se lance avec sa bande dans des trafics en tout genre.

Jamel aussi « fait du biz » avec la sienne, mais plus modestement. Il arrive qu'il gagne 7 000 francs en une semaine, davantage que le salaire mensuel de son père. Pourquoi se tuer à la tâche, vivre au rythme de la maigre paye, suivre le calendrier des allocs et des tickets resto, attendre que l'antenne du Secours catholique puisse offrir, enfin, la paire de Reebok dont il rêvait depuis si longtemps ? Désormais, il dépense aussitôt son butin en herbe ou en coiffeur : il rêve de troquer ses « queues de rat » pour des cheveux lisses comme dans les pubs de shampooing. Il aime aussi les fringues et les boîtes, le Midnight et le Raï, à Paris, ou le fameux Pacific à La Défense. Le reste part en Air Max et en blousons, avec lesquels lui et sa bande friment en gloussant au passage des filles. Parfois, un voisin demande aux gamins de brûler une voiture trop vieille pour tenter une escroquerie à l'assurance. L'après-midi, les deux parties se retrouvent pour négocier au café des Merisiers.

« Han, c'est ça, La-La-La Fouine
G.S.P., han, animal likes it… la famille
C'est ça, 78, han, 190, Trappes
G.S.P., hein La Fouine
Parce qu'on est tous rongés par le manque d'argent.

[Refrain]
Le manque d'argent, le manque d'argent
Te fait faire des choses dont tu n'as pas conscience. »

« Manque d'argent », rap de La Fouine.

6

« Nico » Anelka

Certains sont plus rangés que La Fouine et Jamel. Avec le Bafa, qu'on passe à dix-huit ans pour devenir moniteur de colo et encadrer les gamins de la ville, comme Omar Sy dans *Nos jours heureux*, le foot est devenu un rite initiatique. Les terrains sont pris d'assaut. Un jour où aucun de ceux de la ville n'était libre, Fouiny baby et sa bande ont même passé par-dessus les barrières du collège Le Village les deux cages du gymnase de l'établissement pour se fabriquer un terrain de fortune. « *But !!!!!* » Les soirs de grosses rencontres, des squares entiers hurlent et vibrent comme la tribune Auteuil du Parc des Princes.

Ce qu'aurait pu devenir le copain de Jamel happé par le Paris-Nantes lancé à toute allure, Trappes l'a hélas imaginé sans trop de mal, après le terrible accident de train qui lui a coûté la vie. Popaul était un « espoir », comme disent les entraîneurs de foot, et depuis que les communistes ont créé l'Étoile sportive des cheminots de Trappes, ce titre représente le rêve de tous les garçons de la ville, ou presque. Chacun mesure la chance que représente un stage au Paris Saint-Germain.

Stade Gravaud, où s'entraînent les licenciés du club, les mères passent leurs après-midi et même leurs soirées à attendre les garçons au bord du terrain. L'hiver, elles s'enveloppent dans des duvets et se serrent les unes contre les autres jusqu'à la fin de l'entraînement. Les grandes sœurs, elles, accompagnent leurs frères lorsqu'ils jouent dehors ou que, par miracle, ils sont envoyés en stages de détection. À Trappes rôdent chaque année des recruteurs de clubs de province mais aussi ceux de l'Institut national du football, installé à Clairefontaine, à moins de trente minutes de la ville.

Passer les sélections, devenir professionnel, c'est l'assurance, si on fait carrière, de bien gagner sa vie dans un monde où la gloire ne s'embarrasse d'aucune barrière, d'aucun diplôme. À Trappes justement, grâce aux communistes, un gamin vient de croiser cette chance. Il est entré à l'INF en 1992 et depuis « *il vit au château !* », raconte-t-on dans les squares. La plupart des gosses ont vu à la télé le centre d'entraînement de Clairefontaine, ses équipements de musculation, ses terrains en tout genre, herbe ou synthétique. Chaque vendredi soir, au 25, rue des Champs-de-blé, à deux pas du pavillon des Debbouze, tout Van-Gogh guette le retour de Nicolas Anelka.

Les Merisiers se souviennent qu'il n'avait pas encore treize ans qu'il marquait déjà des buts d'anthologie lors de matchs improvisés rue du Moulin-de-la-Galette ou place de la Nuit-Étoilée, au bout de l'allée qui mène à sa maison. Depuis qu'à sept ans il est entré au FC Trappes, tout le monde le veut dans son équipe. Jamel, de quatre ans son aîné, vient toquer à la porte de son pavillon dès qu'il s'agit de lancer une partie à Van-Gogh. « *C'est Achille aux pieds légers* », a osé un jour un professeur du collège Gustave-Courbet en l'apercevant caresser le cuir du ballon dans la cour.

Pour passer professionnel, il faut du travail, de la rigueur, de la discipline. Depuis qu'ils sont arrivés de Martinique, en 1974, les parents de Nicolas veillent sur leurs trois garçons avec une vigilance peu fréquente aux Merisiers. Les deux aînés, Claude et Didier, nés onze et dix ans avant « Nico », jouent aussi au football. Claude tient le poste d'attaquant en 3e division au club de Trappes et Didier, qui pratique l'athlétisme, court souvent avec son petit frère. Mais « Nico », sa silhouette élancée, sa foulée souple et ses accélérations foudroyantes, c'est différent. Leur benjamin, né le 14 mars 1979, a un don.

Luc Miserey et Michel Martinez, les entraîneurs qui suivent le gamin, l'ont expliqué avec mille précautions à Jean-Philippe et Marguerite Anelka. Le garçon n'avait pas dix ans que Miserey avait déjà noté sa puissance athlétique et son incroyable rapidité, mais aussi cette façon de rester discret, si mutique parfois qu'on l'oublie sur le terrain avant qu'il ne plante un ou deux buts. « *Un reptile qui endort ses adversaires* », remarque Miserey, un attaquant invisible qui glisse sur le terrain et surgit soudain devant les buts adverses sans que batte un seul de ses cils.

Ancien joueur professionnel, Michel Martinez sait ce que représente le foot pour ces familles modestes. Au club, il est parfois assailli par des parents furieux de voir leur gamin relégué sur le banc de touche ou écarté des multiples sélections qu'organisent régulièrement les recruteurs des clubs pro. Il en a vu, des garçons, abandonner l'école et briser leurs rêves sur une blessure. Il ne veut pas que le couple s'emballe, même s'il y a peu de risques avec les Anelka. Lui est fonctionnaire au rectorat de Versailles, elle intendante au lycée public Louis-Bascan de Rambouillet. Du haut des tribunes du stade Gravaud, ils suivent chaque match de leur fils sans jamais contester les points ou l'arbitrage.

Habituellement, les familles sont tenues à une distance respectable des vestiaires. Jean-Philippe est le seul autorisé à monter dans le car affrété les week-ends par la ville pour emmener le FC Trappes jouer des matchs aux quatre coins du département. Le père et le fils se ressemblent, toujours fourrés ensemble, timides et parfois un brin inquiétants tant ils parlent peu. Le garçon a un talent inouï mais aussi le calme des personnes sûres de leur destin, s'est dit Michel Martinez en inscrivant « Nico », à douze ans, au concours de l'INF.

« *Trappes, soixante ans de communisme !* » disent encore les tee-shirts des équipes victorieuses du Trappes-Saint-Quentin-Football Club. Le club où joue Anelka épouse l'histoire de la ville. La SNCF, la mairie « rouge » et désormais la ville nouvelle l'ont régulièrement subventionné et Bernard Hugo le tient pour un des fleurons de sa politique jeunesse et sports, cette formule gagnante qui sent bon son Front populaire. « *Insertion et prévention par la pratique sportive et footballistique* », annoncent même les plaquettes de présentation du club, qui compte plusieurs centaines de licenciés. Jamais de dimanche à Trappes sans que le club ne joue une rencontre dans l'un des stades de la ville.

En ces années 90, il est pourtant bien plus qu'une dynamique association sportive locale. Avec les clubs de Brétigny-sur-Orge ou des Ulis, dans l'Essonne, c'est l'une des pépinières où l'on vient pêcher les futurs grands noms du foot « pro ». Chaque année, le club réussit à placer au moins un stagiaire, imposant sa réputation dans toute l'Île-de-France. « *Les gosses de banlieue ont faim de réussite* », lit-on régulièrement dans *L'Équipe*. « *Africains, Brésiliens, Slovaques, Portugais sont là, pourquoi chercher plus loin les pépites de demain ?* » écrivent les journalistes sportifs.

De Clairefontaine, les recruteurs viennent jeter un coup d'œil sur quelques matchs joués par les juniors de banlieue. On jauge les corps en devenir des adolescents, leur technique et leur vitesse. On discute avec l'entraîneur des caractères, de la famille, du mode de vie. Il faut avoir une belle maturité et de l'équilibre pour partir vivre en internat à treize ans. Dans cette retraite dorée, on a vu de grands dadais pleurer tous les soirs, en manque de leur famille, de leurs copains. Les recruteurs écoutent donc avec soin ces formateurs qui suivent leurs licenciés depuis l'école primaire.

André Merelle s'est rendu plusieurs fois à Trappes. Ce passionné apprécie les dirigeants d'un club qui tient « *très, très bien la route* ». Avant d'être chargé de la préformation des jeunes footballeurs à l'INF, il a longtemps fréquenté le fameux Red Star de Saint-Ouen, mais aussi le Billancourt Athletic Club, le club de la Régie Renault. Dès l'âge de onze ou douze ans, Nicolas Anelka s'est fait une petite réputation arrivée jusqu'aux oreilles du formateur. L'adolescent passe encore sous la toise des 1,65 mètre quand des garçons de son âge ont poussé jusqu'au mètre 80, mais Merelle a noté le

« *profil allongé* », la fine technique, la vivacité élégante de ce faux lent et cet art, donc, de se faire oublier sur le terrain. Il a aussi repéré les parents du jeune joueur, solides et structurés.

Quand Michel Martinez a présenté Nicolas au concours, André Merelle était l'un des membres du jury. Parmi les centaines de candidats, vingt-trois joueurs ont finalement été retenus, dont trois ou quatre gardiens de but. Jeu à deux, à sept, à neuf, tests techniques, course de vitesse, épreuve d'endurance, Anelka a tout réussi haut la main. Depuis 1992, il vit donc dans le magnifique parc arboré de Clairefontaine, ce temple du foot distant de moins de trente kilomètres de Trappes mais un tout autre univers.

Le château a été rénové cinq ans plus tôt, mais ce n'est pas seulement lui qui fait rêver les parents. C'est aussi la formation, dispensée gratuitement pendant les deux ans d'études au collège Les Molières des Essarts, puis au lycée Catherine-de-Vivonne, à Rambouillet, avec la quasi-assurance, pour les gamins, de rejoindre un club professionnel. Dans le bâtiment réservé à la troisième promotion, celle de Nicolas, ne vivent que des jeunes joueurs venus de la banlieue, hormis Saha et Christanval. Presque tous sont issus de familles immigrées ou de l'Outre-Mer. « Nico » partage sa chambre avec Alioune Touré, né dans le « 9-3 ». Dans la promotion précédente s'entraîne un certain Thierry Henry, jeune joueur d'origine antillaise, comme les Anelka, né aux Ulis et grandi à la cité des Bosquets, à Montfermeil.

Il a fallu une sacrée volonté à Nicolas pour passer le cap des premières semaines loin du regard vigilant de Jean-Philippe et de Marguerite. Fini les « chasses à l'homme » dans les rues, le monde merveilleux des *Chevaliers du zodiaque* et de *Dragon Ball Z*. Le soir, il passe un coup de fil de la cabine téléphonique au bas du bâtiment, mais, dans la journée, il ne décroche pas un mot. Le visage de « Nico » reste verrouillé, désespérément muet. Tout de même, après des vacances d'été familiales en Martinique, au pied de la montagne Pelée dont Marguerite garde la nostalgie, le gamin a pris dix kilos et grandi d'un coup : 1,84 mètre. Il paraissait jusque-là hésitant, timide, inquiet d'avoir quitté le cocon familial. Désormais, il ne pense plus qu'au foot.

À l'internat, il s'est habitué à la grosse voix de Claude Dusseau, chargé de superviser la vie au château et de recadrer les chahuteurs. Mais, scolairement, ce n'est pas ça. Toujours au fond de la classe, sans jamais lever le doigt, Nicolas n'a manifestement aucun goût pour les études. « *Vous venez de quel collège ? Ah oui, Trappes...* », ont lâché ses profs après les premiers devoirs, étonnés de ses lacunes. Déjà, lorsqu'il suivait sa sixième et sa cinquième en compagnie d'Omar Sy, ses notes étaient bien en deçà de celles de son copain. Ses amis ont beaucoup ri quand, en devoir d'anglais, on l'a autorisé à consulter son livre de classe, mais qu'il a quand même récolté un 2. Il s'est fait élire délégué de la promo mais ses fringues le préoccupent beaucoup plus que ses notes.

Dans sa piaule d'internat, Nicolas n'a emporté qu'un seul ouvrage, *Prolongations d'enfer*, l'autobiographie de José Touré, le champion de football nancéien qui a sombré dans l'alcool et la « coke » avant de devenir consultant pour Canal+. Ses frères se souviennent du jour où Nicolas a défoncé la porte d'une des chambres, de colère. Sa mère a prévenu que, depuis tout petit, « *il a sa tête* », et André Merelle s'en aperçoit chaque jour. Qu'importe, il ne se lasse pas du jeu de son protégé, un garçon « *très au-dessus des autres* », pour peu qu'il tienne bon.

Lorsqu'il revient à Trappes, le week-end, Marguerite continue de veiller à ce qu'il ne traîne pas dans le quartier. Le régime « pro » réclame une forme d'ascèse. « Nico » doit éviter pizzas et kebabs, et évidemment ne jamais toucher à un joint : le lundi matin, à Clairefontaine, on repère immédiatement incartades et virées en bandes. « *Madame, il peut sortir Nicolas ?* » Marguerite Anelka s'est toujours agacée des coups de sonnette de Jamel Debbouze, qui se tortille à la porte : il a besoin de son fils pour renforcer l'équipe d'un match de rue, « fusiller » un gardien ou casser les chevilles d'un joueur. Elle reçoit les copains d'un air revêche, paniquée à l'idée que son fils se blesse ou se perde avec « *ces bandits* » qui font les quatre cents coups aux Merisiers.

L'équipe d'éducateurs s'interroge en effet sur certaines influences que subit le jeune professionnel. Lors de la première sélection en équipe de France des moins de seize ans, il a fallu l'expulser du stage après qu'il eut brisé une vitre de rage. Sur le terrain, il peut sortir les poings contre un équipier qui aura raté sa passe, et joue volontiers les blasés : « *Ouais bon, Rai est pas mal* », lâche-t-il le jour où il a eu la chance de s'entraîner avec les stars du PSG, Rai, Leonardo, Roche. L'ambition d'Anelka est si grande qu'il en oublie le respect, cette valeur fièrement brandie dans les quartiers. À Clairefontaine, on rappelle qu'il vient de Trappes, comme si cela suffisait à tout expliquer, et on lui a trouvé un surnom : « Rat boy ».

« Dans mes récits toujours précis
comme un horloger du Ghana
Je suis affolant, un faux lent,
insolent comme Anelka
Mais en finale je peux te sortir
un coup de boule après une Panenka
Méfie-toi des apparences,
un arbre peut cacher une forêt. »

« Ça tourne pas rond », rap de Mokless,
Le poids des mots.

7

L'impro

Jamel, Nicolas, Fouiny baby, Omar… Ils ont tous évité Gagarine, « *le collège fou, fou, fou* », comme disent les profs et les élèves en plagiant le dessin animé japonais que diffuse le *Club Dorothée*, sur TF1. Ce surnom ne dit pourtant rien de ce qu'ils vivent chaque jour dans ce gros bloc de béton. Aline Peignault, qui y a été affectée en septembre 1990 comme proviseure, n'a jamais rien vu de pareil. C'est une femme engagée dans son métier, structurée et optimiste. Jusque-là, elle dirigeait le collège Le Rondeau, un établissement pour les enfants de la bourgeoisie à Rambouillet : rien à voir avec ces élèves installés square de la Commune, des familles pauvres, pour la plupart originaires du Maroc ou d'Algérie.

Un an et demi après l'arrivée de la proviseure, des bandes ont déboulé et mis à sac le complexe sportif du collège avant de saccager plusieurs salles de classe. Jack Lang, le ministre de l'Éducation nationale de Mitterrand, a ajouté au classement du collège en ZEP l'étiquette d'« *établissement sensible* » : en cas de nouvel incident, les forces de sécurité pourront être dépêchées pour protéger ces jeunes enseignants envoyés au front puisque, dit sans fard le syndicat, « *au début, dans l'Éduc Nat', tu as le choix entre la banlieue difficile ou le Nord-Pas-de-Calais* ».

Le collège est situé boulevard Martin-Luther-King, au 28. Gagarine, Luther King : c'est presque toujours la première leçon d'histoire de la rentrée. Même les plus fortes têtes et les moins concentrés accrochent au récit du cosmonaute soviétique qui vola le premier en orbite autour de la Terre. Les rêves du pasteur noir, champion de la lutte contre la ségrégation aux États-Unis, remportent encore plus de succès. « *I have a dream...* », c'est aussi la matière de la première leçon d'anglais.

Tout surprend Aline Peignault à Gagarine. Les premières semaines, elle s'étonnait qu'on ne lui rapporte jamais ces histoires d'amours adolescentes qui nourrissent habituellement la chronique des salles de profs. Dans son précédent collège, il fallait parfois rappeler gentiment à l'ordre les « p'tits couples » qui se tenaient par la main dans les couloirs jusqu'à l'heure de la sonnerie. Au collège de Trappes, les filles et les garçons gardent leurs distances. Même celles qui parlent fort et disent des gros mots ne fréquentent pas les « keums », et les « keums », eux, se cherchent des modèles qui ont surpris l'ancienne proviseure de Rambouillet.

Quelques mois après son arrivée a débuté la guerre du Golfe et ses frappes sur Bagdad. Pin's à l'effigie de Saddam Hussein et drapeaux irakiens ont aussitôt fleuri aux revers des sweats et sur les couvertures des cahiers des plus grands. « *Soldats de Saddam* » contre Américains et leurs alliés français, dans la cour, les « petits » rejouent inlassablement la guerre. Grâce à la forêt de paraboles sur les balcons, les appartements sont branchés sur les chaînes arabes ou sur

CNN – Al Jazeera n'existe pas encore. Sur les écrans, les femmes irakiennes encouragent des milliers d'hommes, moustachus comme leur leader, à leur départ au front.

Le vrai défi de la proviseure est ailleurs : c'est celui de la violence quotidienne. Chaque soir, sa secrétaire lui remet un rapport sur les incidents de la journée. Trimestre après trimestre, Aline Peignault a dressé une longue liste, un genre de catalogue à la Prévert dont elle pourrait presque sourire si, mis bout à bout, ils ne donnaient la mesure du défi posé. Le dossier où grossit chaque année la liste trône sur son bureau.

– *Bachir ponctue ses interventions en classe de bras d'honneur.*

– *Mody informe le professeur qu'un élève se « met un crayon dans le c... ».*

– *Founé somnole en suçant son pouce et communique avec ses voisins à coups de pied.*

– *Nasser déclare à son professeur : « Casse-toi, folle. »*

– *Chéref toise son professeur et déclare : « Elle a ses règles. » Il ajoute : « T'as qu'à mettre des tampax ! »*

– *Le frère de Yasmina fait irruption en salle des professeurs pour « casser la gueule d'un prof ».*

– *Corinne dit à son professeur d'anglais : « Je vais te la casser ta sale gueule. T'as vu ta sale gueule ? » Elle ajoute : « T'as peur, hein ? T'as vu comme tu trembles ? Je t'aurai la prochaine fois. »*

– *Fayçal enflamme les cheveux d'une fille dans la cour.*

– *Le père de Mahmoud demande : « T'as pas un cachot dans ton collège pour l'enfermer ? »*

– *Le frère de Fatou entre en classe et assomme Chaïr.*

– *Rachid plaque violemment Ahmed contre l'armoire, qui tombe sur eux.*
– *Nassera a été absente huit jours parce que son frère « s'est flingué tout seul ».*
– *Farid fait des moulinets avec un bâton et exige d'être affecté en troisième.*
– *Des jeunes cagoulés traversent la cour avec une hache à la main.*
– *Boubacar est devant le collège avec un couteau et deux bergers allemands. La police le plaque au sol et le menotte devant les élèves.*

Les fax envoyés après tel ou tel incident à l'inspecteur d'académie demeurent souvent sans réponse. Quand il décroche son téléphone, ses « *tenez bon, on vous soutient* » restent sans suite. Elle compte sur les doigts d'une main chacune de ses visites, et se souvient parfaitement de ce matin où, venu en voiture jusqu'à Trappes, monsieur l'inspecteur avait ouvert leur rendez-vous en s'inquiétant pour sa voiture, pourtant garée dans le parking privé du collège. Elle se rappelle aussi son salut ironique : « *Alors, comment vont les enfants des beaux quartiers ?* » Ce jour-là, Aline Peignault a compris qu'elle devrait se débrouiller seule avec son équipe, et la plupart des enseignants de Trappes ont pris le parti de ne pas se préoccuper des circulaires qui, depuis le ministère, fixent des directives inapplicables dans cette ville pourtant si proche de Paris.

Le niveau des élèves est faible, leur vocabulaire parfois très réduit et il faut déployer des trésors d'ingéniosité pour tirer une classe vers le haut. Une année, une jeune professeure de français est restée assommée par les résultats de sa classe de 3e au brevet des collèges, filière professionnelle. Aucun élève ne l'avait obtenu. « *0 % de réussite ! Est-ce possible ?* » Oui, c'est possible, quand une moitié des élèves ne se présente pas aux épreuves, qu'un quart se fait renvoyer pour chahut par l'examinateur et qu'un autre reste incapable de répondre correctement aux questions posées...

Dans les salles de profs, on se serre les coudes et on blague : « *Si c'est trop dur, il te reste Marcel-Rivière* », allusion à l'unité psychiatrique de la Mutuelle de l'éducation nationale où séjournent les enseignants dépressifs, installée justement dans la ville voisine de La Verrière. Jusqu'au jour où un collègue a conseillé plus sérieusement à la chef d'établissement, comme on recommande un psy : « *Tu devrais voir Papy...* »

Madame la proviseure s'attendait à rencontrer un vieux monsieur grisonnant, elle est tombée sur la bouille ronde d'un jeune éducateur. Papy s'appelle en réalité Alain Degois, il a tout juste trente ans, et près de six cents jeunes suivent les ateliers d'improvisation qu'il anime avec d'autres dans les collèges et lycées de la ville. Son interlocuteur lui semble un garçon généreux et gai, capable de deviner le talent sous un visage buté et de cerner le voyou derrière le sourire d'un beau parleur.

Ce n'est pas lui qui a inventé cette discipline à laquelle les journaux télévisés commencent à s'intéresser. À Saint-Quentin-en-Yvelines, depuis la fin des années 70, la troupe du Théâtre de l'Unité, fondée par Jacques Livchine, a ressuscité le spectacle populaire en montant ses premiers succès dans la rue. On rit beaucoup devant les mises en scène loufoques du *Bourgeois gentilhomme* et de *Cyrano*, jouées par la troupe sur les places de la ville. Même les élèves les plus grognons de Gagarine, emmenés par leurs profs, sont repartis enchantés.

En 1981, Livchine a rencontré à Aubervilliers le théâtre expérimental de Montréal, venu montrer aux Français ses matchs d'« impro ». Au Québec, les soirs où la compétition de hockey fait relâche, on s'affronte à coups de joute oratoire : deux équipes de cinq ou six joueurs se font face, menées chacune par un capitaine et un coach, sous l'autorité d'un arbitre et de deux assesseurs. Vingt secondes de préparation autour d'un mot ou d'un pitch, et c'est parti : que les plus inventifs l'emportent ! Livchine a été si enthousiasmé qu'il a monté cinq mois plus tard la ligue d'improvisation française qui doit fédérer les premiers ateliers lancés dans les Maisons des jeunes et de la culture, comme à Maurepas, Guyancourt ou dans les établissements scolaires de Trappes.

Au lycée de la Plaine-de-Neauphle, le seul lycée d'enseignement général de la ville, Jean Jourdan, un professeur d'éducation physique, a ouvert une option théâtre en seconde, première et terminale. En plus des danses folkloriques, polka, valse, gigue ou bourrée enseignées par un professeur breton, on y jouera désormais Molière et Beckett. Il a aussi convaincu Alain Degois, l'un de ses anciens élèves, de coordonner les ateliers de toute la ville : le prélude à Déclic Théâtre, la troupe de Papy à Trappes.

Degois connaît l'âme de la ville mieux que personne. Il a été élevé par un couple de cheminots auquel sa mère l'avait confié à deux mois, avant de revenir cinq ans plus tard se décharger d'une petite sœur, Marie-France, puis de purement et simplement « oublier » sa progéniture. Les enfants n'ont jamais manqué d'amour dans le pavillon du quartier de la Boissière. Alain sait ce que représente une enfance modeste, entièrement façonnée par la culture communiste. Au collège, on s'est mis à le surnommer « Papy », parce qu'il imitait à la perfection le « papy Mougeot » de Coluche dans le sketch du « Schmilblick ». Il a gardé ce nom et depuis, il est « Papy, le prof d'impro ».

Pas de texte à apprendre quand on improvise, l'imagination et les émotions suffisent, si l'aisance sur scène est au rendez-vous. L'éducateur a compris tout l'avantage de cette nouvelle discipline auprès d'un public hétérogène. La gestuelle, la tchatche, c'est l'un des points forts des gamins qui ont appris à jongler entre le français et la langue de leurs parents. Syntaxe scandée sur de nouveaux rythmes, tournures improvisées, jeu sur les mots et les accents, le tout baigné dans un sacré humour – l'une des échappatoires aux difficultés, aux mauvaises notes ou aux situations absurdes. Aline Peignault n'a pas renoncé à faire éclore des talents étouffés par des vies brinquebalantes et Papy fait des merveilles avec les enfants.

Alain Degois connaît bien mieux qu'elle ne l'imagine les problèmes que la proviseure détaille devant lui. Il a été lui-même élève à Gagarine, puis pion, et il a entendu parler de la fameuse liste d'incidents qui ont rythmé les débuts d'Aline Peignault. Et puis, dans chacun de ses ateliers, il a vu des gamins totalement empotés se révéler sur scène. L'un de ses meilleurs éléments, justement, son chouchou, est déjà une graine de star : Jamel.

La route de l'adolescent a croisé celle de Papy, quelques mois après l'accident qui a massacré son bras, et sa vie en a été transformée. Au CES Gustave-Courbet, les bulletins scolaires de l'élève Debbouze étaient catastrophiques,

« *jamais les encouragements, toujours les découragements* », rira-t-il, et il venait d'être renvoyé du cours de maths. Que fait un élève désœuvré abandonné dans les couloirs ? Des bêtises.

Papy tenait son atelier dans l'amphithéâtre du collège de l'avenue Salvador-Allende. Posté tout en haut, Jamel a embrassé d'un regard les élèves de « *la sixième d'élite* », comme les profs du collège nomment la 6ᵉ 1, tous « *plus blonds* », note Jamel, que ceux de sa 4ᵉ « pro ». « *Alors, les chouchous ? On se prend pour Molière ? On va bientôt manger son sandwich au camembert ?* » se moque le gamin. « *Dis-moi, gros malin, plutôt que de faire le kéké là-haut, montre-nous de quoi tu es capable !* répond Papy. *Tiens, fais-nous un paysan et sa vache…* »

Jamel descend les marches de l'amphi et se plante face à l'animateur. En vieillard édenté sorti de la bouse, faisant face à une vache bonne pour l'abattoir, il se montre irrésistible. Les chouchous de la 6ᵉ 1 rigolent en le voyant flatter de sa main valide la croupe du ruminant imaginaire. Le hasard de leur rencontre, raconte Papy à la proviseure, prouve que rien n'est jamais perdu. Au collège, quand son prof de français faisait étudier Balzac, Jamel se lançait volontiers dans une libre interprétation géniale du père Goriot, mais il séchait trop souvent les cours et distrayait ses voisins. Avec l'impro, il a trouvé sa voie.

Papy n'a pas son pareil pour repérer des espoirs. Dans les ateliers joue aussi une jeune fille étonnante, Sophia Aram, qui excelle dans l'art de combiner les mots. Au sein de l'équipe composée par Papy, Jamel est souvent le seul collégien parmi des lycéens, elle la seule fille au milieu des garçons. Elle brille lors des tournois mais préférerait faire les Langues O et parfaire son arabe pour devenir journaliste.

Jamel, lui, a goûté à l'ivresse de la scène et veut prendre la lumière. « *Pour la première fois,* raconte-t-il autour de lui, *on ne me dit plus : "Casse-toi, l'Arabe ! Interdit ! Touche pas !"* » Ça le change des conseillères de « *déso-rientation* », comme il dit, ces « madame Pavoshko » que chantera Black M, irréductibles bêtes noires des gamins de banlieue : elles proposent des BTS « *avec des noms flippants, comme bio-service* », et encouragent les rêves de chauffagiste que M. Debbouze nourrit pour son fils.

« *Le théâtre ? c'est un truc de pédés et de drogués !* » a répondu Ahmed, furieux, dès que Jamel a tenté d'évoquer son désir de scène. « *Tu seras dans le commerce* », a tranché le père. Voilà donc Jamel orienté vers un BEP « Vente action marchande » au lycée professionnel de la rue de Montfort, comme beaucoup de ses copains de 4e. Il est si peu motivé que ses profs demandent son redoublement. Mais il refuse de rejoindre les rangs de ces gamins en échec scolaire, égarés dans des stages de formation sans débouchés réels, et qui, les transformant en chômeurs, les empêchent de voler loin de Trappes. « *Devenir chef de rayon en grande surface, se payer un costard C&A et rouler en Ford Escort XR3* », il n'envisage pas la vie à ce régime.

« *Quand la prof' m'a dit petit, pour toi ce sera CAP.*
Quand ce keuf m'a dit bandit, pour toi c'est la GAV (...)
Quand l'intérim m'a dit Monsieur, pour vous ce sera la Sernam,
Vu votre livret scolaire, j'pense pas qu'vous êtes un superman (...)
Et quand la juge m'a dit chut, taisez-vous, monsieur Mouhid,
Ici vos phrases ne valent rien, encore moins que le vide.
J'transporte ces souvenirs ou plutôt ces cauchemars,
Toutes ces choses qui ont fait de moi un homme à part (...)
Je suis né en France, né à Trappes
J'oublierai jamais. »

« Je ne perds pas le Nord » de Canardo
(alias Hakim Mouhid, petit frère de La Fouine),
extrait de l'album *Papillon*, 2010.

8

Jamel chez Mitterrand

Jamais une voiture à cocarde ne s'est aventurée à Trappes. Un attroupement s'est formé pour deviner qui se cache derrière les vitres teintées. C'est un chauffeur de l'Élysée. François Mitterrand a invité Jamel Debbouze à la garden party présidentielle du 14 juillet 1993 et son cabinet a même proposé de venir le chercher. Le gamin a fixé lui-même le rendez-vous devant un des kebabs de la ville et rameuté toute sa bande, pour « *que personne ne manque la caisse officielle* ». Difficile de la rater, en effet.

Les présentations entre le chef de l'État et le protégé de Papy ont été faites un an plus tôt. « *Trouvez-moi des manifestations pour donner un autre visage des banlieues* », a demandé François Mitterrand à ses conseillers. Sa fille Mazarine porte la petite main jaune de SOS Racisme au lycée parisien Henri-IV, et il a compris qu'il lui fallait écouter la mauvaise humeur de cette nouvelle jeunesse née sur le sol français. À l'automne 1990, des voitures ont brûlé à Vaulx-en-Velin, dans les environs de Lyon. Les images des émeutes ont fait l'ouverture des journaux télévisés, doublées de ce rappel saisissant : sept ans plus tôt, c'était déjà dans la banlieue de Lyon, quartier des

Minguettes, qu'étaient partis à pied Toumi Djaïda et ses amis. De leur longue « marche » pour l'égalité, on n'a retenu qu'un mot, « *beurs* », qui installe durablement dans le paysage français ces enfants d'immigrés.

Jusque-là, lorsqu'il voulait s'adresser aux ouvriers, le président se rendait dans le bassin minier dont les puits ferment les uns après les autres. Mais la génération de jeunes socialistes arrivés au pouvoir dans son sillage a pris d'assaut des communes banlieusardes, dans l'Essonne ou le Val-d'Oise, et ce sont eux la relève. À la tête de SOS Racisme, Harlem Désir et Julien Dray forment des centaines de nouveaux militants. « *Les beurs continueront de voter pour nous,* ont-ils prédit, *à condition qu'on ne laisse pas s'installer des ghettos.* » C'est ainsi que Mitterrand a accepté de remettre, le 5 juin 1992, les trophées de Sport Insertion Jeunes, une association présidée depuis douze ans par un ancien champion de France, d'Europe et du monde de kick-boxing, Khalid El Quandili, sur lequel le président a demandé une note détaillée.

Né à Rabat et grandi au bidonville de Nanterre, comme tant de Trappistes du square de la Commune, El Quandili a exactement le profil recherché par le président : un type sobre et intelligent, qui n'a pas froid aux yeux. L'année précédente, lorsqu'une femme policier a été tuée lors d'un rodéo de voitures dans les rues de Mantes-la-Jolie, et qu'un jeune homme de vingt-trois ans est mort le même soir d'une balle dans la nuque au commissariat, c'est lui que le ministère de la Ville tout juste créé est allé chercher pour calmer la cité du Val-Fourré. Quatre jours durant, il a discuté avec les émeutiers et ramené le calme. Lors de ses vœux aux « forces vives », en janvier, le président, toujours à l'affût des nouveaux talents, l'a convié à l'Élysée. Et accepté de remettre les récompenses de sa Nuit des trophées, qui couronnent des acteurs de la société civile œuvrant dans les quartiers « difficiles ».

Quandili a vu grand. Chaque banlieue a envoyé son délégué au Palais des Lumières, à Épinay-sur-Seine – « *le gratin des cités* », rigolent dans les tribunes les supporters de Trappes, pas fâchés de voir qu'une ville de Seine-Saint-Denis les bat sur le sismographe des mauvaises réputations. Épinay semble en état de siège. Des hommes du GIGN ont pris position sur les toits des immeubles et, depuis plusieurs semaines, les téléphones des organisateurs de la cérémonie sont écoutés. Pour s'y rendre depuis Paris et l'Élysée, le président de la République a choisi l'hélicoptère, comme s'il explorait une terre hostile et extrême.

Six ministres accompagnent Mitterrand, dont Jack Lang, assis au côté du chef de l'État, au premier rang. Dans le carré VIP, on a aussi placé Rafik Haddaoui, le ministre d'Hassan II chargé des résidents marocains à l'étranger : ils sont 700 000 en France. Dans le public, beaucoup de Marocains d'origine, et une délégation de Trappes venue encourager son lauréat, Mouloud Ioulain, un Kabyle qui a lancé des ateliers d'impro et des concours de hip-hop dans les Yvelines. Derrière le rideau de la scène se trouve aussi Jamel. À la dernière minute, on a dû lui prêter une paire de baskets présentables et il n'en mène pas large : il doit improviser un petit sketch devant François Mitterrand.

C'est Rachid Benzine qui a présenté Jamel à El Quandili. Benzine, encore un de ces immigrés modèles, cette fois version intello, que la mitterrandie traque en banlieue : un gaillard de 1,90 mètre, brillant professeur d'économie, sympathique, ouvert et engagé. Son père, instituteur à Kénitra au Maroc, est devenu ferrailleur en arrivant en France où sa famille l'a rejoint grâce au regroupement familial. Rachid l'a toujours entendu se lever avant le jour, faire ses ablutions et ses invocations dans la cuisine, pour ne réveiller personne, comme si, avant de partir à l'usine, il bénissait silencieusement la maisonnée du square Louis-Pergaud.

Des années durant, l'ancien instituteur est parti travailler avec sa gamelle de riz aux olives, un Coran et *Nous Deux*, car c'est dans les romans-photos qu'il aime apprendre le français. À chacun sa méthode : Ahmed, le père de La Fouine qui vit quelques squares plus loin, avait choisi à son arrivée de Casablanca les chansons à texte de Brel et de Ferré. Contrairement à tant d'autres, Rachid a exaucé les rêves de son père : c'est à l'école un excellent élève. « *Il a le bac !* », « *il a le bac !* », quand il a décroché son examen, en 1989, le square Pergaud lui a réservé une fête bruyante et enthousiaste, comme neuf ans plus tôt pour Faïza, à la Commune.

Benzine raffole des cours d'économie de madame Surel, qui explique à ses terminales du lycée de Trappes les travaux du Franco-Égyptien Samir Amin, un altermondialiste communiste, sur « *l'échange et le développement inégal* ». Il est devenu prof d'éco dans le lycée même où il avait été élève, et s'est lancé dans la promotion des talents de banlieue. Ce n'est pas un novice en la matière. Il n'avait pas encore quatorze ans, en 1984, qu'il avait déjà créé Issue de secours, une association proposant aux enfants une « aide aux devoirs », organisant des entraînements de foot, de boxe, ou montant des boums à deux euros l'entrée. Un peu ce que les communistes font depuis des années, les boums en plus et la politique en moins…

Benzine a connu Jamel enfant, lorsqu'il le faisait entrer à la piscine Léo-Lagrange par un trou du grillage ou qu'il l'emmenait danser à l'Amadeus de Coignères. C'était la première fois que Jamel allait en boîte de nuit. Le jeune Benzine adore le break, cette chorégraphie au sol importée de New York, où l'on gagne le respect des autres danseurs en tournant sur la tête. Après la piscine et les boules à facettes de l'Amadeus, Jamel lui doit cette fois de se produire sur une vraie scène et… devant Mitterrand. « *Je vais faire romantique, pour le président* », a glissé Jamel à Rachid dans un clin d'œil. Le sketch n'a duré que cinq minutes, une romance sur un trottoir de banlieue, racontée comme toujours à toute berzingue, les mots se bousculant dans sa bouche. Mais le petit banlieusard qui bondit comme Michael Jackson a fait sourire le chef de l'État.

L'année suivante, la Nuit des trophées se tient à l'Institut du Monde arabe et Jamel est de nouveau invité. Smaïn, le premier comique venu d'Algérie, ce grand frère qui prenait pour modèles Jerry Lewis, Yves Montand et Coluche et auquel Jamel voudrait tant ressembler, joue les maîtres de cérémonie. Le président de la République est revenu, cette fois accompagné de ses ministres de cohabitation, Simone Veil et Michèle Alliot-Marie. Deux membres du gouvernement ! La droite vient de faire voter la réforme du code de la nationalité qui impose désormais aux jeunes étrangers nés en France de réclamer leur naturalisation, alors qu'ils étaient autrefois automatiquement français selon le droit du sol. Elle souhaite, ce soir, un geste d'apaisement.

Rachid Benzine et son association Issue de secours ont raflé un prix, et c'est Jamel qui, de nouveau, monte sur scène pour un sketch. Cette fois, il a eu droit à dix-sept minutes pour raconter une histoire de distribution de pastèques gratuites à l'Ed des Merisiers. Comme à la cour, tout le monde guette le visage marmoréen de Mitterrand. Le Prince a ri ! À la fin de la soirée, Mitterrand s'arrête devant le jeune stand-upeur, et ses parents, Ahmed et Fatima, venus accompagner leur fils aîné. « *Tu te rends compte, mon daron et ma reum face au président de la République ! T'as pas deux occases comme ça dans la vie.* » Il ose tendre au chef de l'État un flyer pour le prochain spectacle d'impro de Trappes, et c'est cette invitation qui lui vaut, en retour, d'être attendu par un chauffeur devant le kebab de Trappes, direction l'Élysée.

Pour la circonstance, son père lui a prêté une veste dont il a fallu raccommoder en catastrophe une poche avec une épingle à nourrice, car elle bâillait. Le comique en herbe remonte le tapis rouge de la cour. Le parc du palais présidentiel, les pelouses au cordeau, l'orchestre rutilant de la garde républicaine, une marée d'uniformes, de médailles et de barrettes, des mises en plis bourgeoises, de gauche et de droite, à l'image de la cohabitation... Il s'en met plein les mirettes pour raconter tout ça plus tard aux copains. Jamel a ce talent de repérer ce qui est invisible aux autres, le ridicule d'une situation. Ce qui retient aujourd'hui son attention, c'est « *la voracité morfale* » des invités devant les buffets, raconte-t-il le soir à Trappes. Et puis il y avait Bernard Tapie !

Jamel chez Mitterrand

« *Nanard ! Nanard !* » : les dames chapeautées et les officiers en tenue sont presque tombés dans les bacs à fleurs pour obtenir un autographe de l'ancien ministre de la Ville, encore auréolé de la victoire de l'OM en coupe d'Europe. Tapie, c'est le foot mais aussi la réussite éclatante d'un banlieusard fils d'ouvrier ajusteur. Jamel l'a vu passer sur le perron, au côté d'Alain Delon : il est à tu et à toi avec Mitterrand. Une fois, deux fois, le garçon tente lui aussi de se faufiler dans la file des courtisans jusqu'au chef de l'État. À la troisième tentative, Mitterrand, amaigri et malade, lui glisse quelques mots : Jamel a gagné son baptême dans le monde.

« *Que d'animateurs socio-culturels d'origine maghrébine en banlieue* », notait déjà en 1990 le journaliste du *Monde* Robert Solé, soulignant la difficulté des jeunes, malgré leur énergie, à crever le « plafond de verre » de l'ascension sociale. Ils sont de plus en plus nombreux, en ce mitan des années 90, à percer dans des associations sportives, des radios, des stand-up. Nacer Kettane a fondé Beur FM en 1992, entraînant dans son sillage des centaines de jeunes talents – Jamel y a passé le bout du nez. Kettane est un militant de l'association France Plus, concurrente de SOS Racisme. Le mot d'ordre des « potes », c'est « *le droit à la différence* », la France « Benetton ». Les militants de France Plus revendiquent, eux, « *le droit à l'indifférence* », poussant les jeunes « beurs » à s'inscrire sur les listes électorales et à se présenter aux élections municipales. Lorsque le proviseur de Creil a refusé deux élèves voilées dans son établissement, en 1989, Arezki Dahmani, président de France Plus, l'a soutenu : « *Nous voulons le droit à la ressemblance, l'égalité devant la justice, le logement et l'éducation.* »

La télé tente elle aussi timidement d'ouvrir ses lucarnes aux enfants d'immigrés. Quelques mois après la guerre du Golfe, c'est Amina, une jeune chanteuse franco-tunisienne, qui a été choisie pour représenter la France lors de l'édition 1991 de l'Eurovision. Le standard de France 2 a croulé sous les insultes, mais Amina a fait le tour des émissions de variétés. La Cinq a débauché de TF1 Nagui, né dans une famille d'intellectuels égyptiens en 1961, vite devenu la star des premières parties de soirée. Tout l'été 1992, surtout, France 2 a confié son 13 heures à Rachid Arhab, un jeune journaliste né en Kabylie et qui vient d'obtenir la nationalité française. Jamel adore ce nom, Arhab, presque un trop beau cadeau. Un jour que le présentateur le reçoit sur son plateau, il propose : « *La prochaine fois que vous présentez le journal, vous pouvez me faire un kiff, et dire : "Bonjour, vous êtes bien sur le journal télévisé français de France 2, c'est Rachid Arhab qui présente le journal, y a un problème ?"* »

La deuxième génération d'enfants d'immigrés née en France paraît hésiter entre deux avenirs : s'intégrer, ou affirmer ses origines. « *Qu'est-ce qu'on attend pour foutre le feu ?* » va chanter toute la banlieue parisienne en 1998 derrière NTM, le duo mythique du 9-3. 1998, c'est aussi l'année bénie où Zidane marque deux buts en finale de la Coupe du monde. Le jour de la victoire, à la gare de Trappes, un gamin de seize ans a arraché à la cabine arrière du Rambouillet-Paris un gros fumigène, qu'il brandit par la fenêtre d'une Renault Safrane tout autour de la ville. Certains défilent sur les Champs-Élysées en brandissant le drapeau algérien, d'autres celui de la France black-blanc-beur.

Les communistes tiennent toujours la mairie, malgré la fin de siècle qui s'annonce, mais ils voient la jeunesse leur échapper. Bernard Hugo avait pensé aux Vaillants, à l'économat, au soutien scolaire, aux colos, à subventionner le club de foot et l'impro de Papy, mais en grandissant les gamins, comme leurs petits frères, se montrent plus rebelles. Pour tenter de les retenir, les communistes ouvrent leurs MJC au rap. Cette nouvelle culture musicale venue du Bronx fait « rimer » le quotidien turbulent des cités et emballe les gamins. Meilleure vente en 1994, *Prose combat*, l'album du pionnier MC Solaar, résonne sur les ghetto-blasters, ces grosses radiocassettes américaines qu'on trimballe dans les squares.

Ahmed Mouhid, le père de La Fouine, un mélomane, avait inscrit ses six enfants au conservatoire de la ville : grâce à la mairie communiste, il était « *presque gratuit* ». Ilham a appris la contrebasse, Kamal, Adil et Naïma la guitare, Samira le piano, Fouiny baby, le solfège dès huit ans, la batterie, et mille autres instruments encore. Dès qu'il a pu prendre le train jusqu'à la dalle de Saint-Quentin, il a volé les CD de ses artistes préférés : les couplets de Kery James, cette « plume » de la banlieue française, le rap cru du duo de New York Mobb Deep, et la gangsta-funk de Snoop Dogg. Merci les communistes : à la maison de quartier, La Fouine peut désormais travailler ses free-styles avec un matériel de semi-pro et enregistrer des cassettes qu'il offre aux « grands frères ».

La communauté

Le rappeur en herbe se voit proposer des « premières parties » dans des petites MJC par d'autres amateurs qui l'inscrivent aussi à des « tremplins », comme celui de La Verrière. Le deuxième prix est pour lui, brève éclaircie dans une vie de dealer et de toxico qu'il aime à raconter lui-même. Sa bande écoute ses démos dans des voitures qui roulent à 20 à l'heure, vitres baissées, pour faire « *résonner leurs sons dans la street* ». Au printemps 1995, ils sont allés à Saint-Quentin voir *La Haine*, le film culte de Mathieu Kassovitz. Le réalisateur a installé son trio de copains, un juif, un Arabe et un Noir, dans les Yvelines, à Chanteloup-les-Vignes, l'une des rares villes organisées, comme Trappes, autour de squares : encore l'idéalisme d'un maire communiste soucieux de souder des quartiers, sans comprendre que ces blocs fermés sur eux-mêmes favorisent, davantage encore que les cités, le repli en mini-ghettos.

« J'm'appelle Slimane et j'ai quinze ans
J'vis chez mes vieux à La Courneuve
J'ai mon C.A.P. d'délinquant
J'suis pas un nul j'ai fait mes preuves
Dans la bande c'est moi qu'est l'plus grand
Sur l'bras j'ai tatoué une couleuvre.

J'suis pas encore allé en taule
Paraît qu'c'est à cause de mon âge
Paraît d'ailleurs qu'c'est pas Byzance
Que t'es un peu comme dans une cage. »

Renaud, « Deuxième génération ».

9

Les *shlags*

Béchir est mort ! Il a été retrouvé une seringue plantée dans l'avant-bras, un matin, dans une cave de Léo-Lagrange : overdose d'héro. Ses voisins avaient depuis longtemps remarqué son regard vitreux, sa démarche hésitante, mais la nouvelle secoue le square comme un électrochoc. Béchir vivait seul avec sa mère depuis la mort de son père. Chacun essayait à sa manière d'aider la famille à joindre les deux bouts. Si son décès, au début des années 90, bouleverse tant ses voisins, c'est parce que la drogue a tué un garçon qui était plus que d'autres un enfant-du-quartier.

Léo-Lagrange n'est plus le square d'il y a dix ans, quand les Algériens, les juifs d'Afrique du Nord et les Portugais se mélangeaient aux « Gaulois » et que leurs enfants jouaient ensemble au pied de l'immeuble. Le week-end, les Portugais dansaient sur la pelouse et leurs femmes distribuaient de délicieux pastels aux gamins. Depuis, juifs et Portugais semblent avoir fui. Les halls se sont déglingués, des bandes « biznessent » dans les escaliers et plus une boîte aux lettres ne ferme. Ce serait une folie de laisser, comme autrefois, une porte ouverte sans lui donner un tour de clé. Il a fallu murer les caves pour tenter de limiter les trafics et le local à poubelles est devenu un coupe-gorge. Au collège, les enfants des pavillons surnomment le square « Léo-la-jungle ».

Pas un mois désormais sans qu'à Trappes ne tombe un « grand ». Dans les banlieues françaises, l'héroïne est devenue un fléau, une catastrophe nationale qui se déploie en silence. À Camus, à George-Sand, à la Commune, cuillères et citrons jonchent les bosquets. On retrouve des seringues au milieu des balançoires et des bacs à sable où jouent les « petits ». Pour rejoindre son appartement, il faut regarder droit devant soi dans le hall, ne pas s'attarder sur les dealers qui le squattent, et parfois montrer patte blanche pour qu'ils déplacent les caddies barrant l'escalier.

Lorsqu'il ne s'agissait que de cannabis rapporté du Rif où il est cultivé par champs entiers, passait encore. « *C'est du haschisch, tout le monde fume ça au Maroc, c'est pour se détendre* », soupirait le père de La Fouine. Même les vieux, au bled, fumaient du kif mélangé à du tabac noir dans leur sabsa, ces pipes que les ados rapportent de leurs vacances. Mais l'héroïne, c'est autre chose. Les jeunes qui y touchent sont aussitôt accros et errent dans la ville à la recherche de leur dose.

On se pique dans les caves où tout le monde se repasse la même seringue et par la même occasion le « *das* » – le sida, en verlan – dont les banlieues continuent de croire qu'il ne touche que les « *pédés* ». C'est comme une bombe à retardement, ce virus. Les médecins qui se risquent encore dans les squares n'en finissent pas de voir défiler des toxicos à qui il faut en plus annoncer leur séropositivité. Dans les associations de lutte contre le sida,

Aides, Act Up, jamais on ne voit un garçon ou une fille des cités ; sur les affiches de prévention, pas un enfant d'immigrés. L'hécatombe se prépare sans bruit.

Les bagarres entre bandes ont pris un tour nouveau depuis que le trafic s'est construit des territoires. Les skins ont déserté et Trappes se déchire dans une véritable guerre civile entre gangs de dealers. Pour un regard, une phrase lâchée dans une cage d'escalier ou à la sortie du collège, plus souvent encore pour une dose ou une livraison non payée, on sort les couteaux et même des flingues, comme entre gangs new-yorkais. C'est un square contre un autre, Jean-Macé contre « *Chicago* », le surnom de la cité du Bois-de-l'Étang à La Verrière, celle où les pères travaillaient à l'île Seguin jusqu'à ce que Renault ferme le site, laissant pour seul souvenir à ses OS un beau livre sur l'entreprise.

La mort de Béchir paraît si folle que les mères de Léo-Lagrange se mettent en tête de trouver les responsables. En quelques jours, Trappes se lance dans une traque organisée. Le dealer est vite cerné. Le voilà tabassé, viré, une vraie expédition punitive. Mais très vite, le trafic reprend. Les squares de la Commune et d'Henri-Wallon imitent leurs voisins et se lancent sur le marché. Yves-Farge reste tranquille mais Albert-Camus, tout proche de l'école maternelle, est surnommé « *la petite Suisse* », parce qu'on y trouve la crème du shit.

Sa guerre contre George-Sand commence dans ces années-là, et ne s'est jamais éteinte depuis. Le square est en effet l'épicentre du trafic d'héroïne. La bande de La Fouine, la George Sand Primera, y fait la loi. Son chef ne touche pas lui-même à la dope. L'exemple de son aîné de quinze ans, et notamment de ses crises de manque, l'a vacciné. À Trappes, depuis qu'ils ont vu les « grands » tomber les uns après les autres, la plupart des « moyens » préfèrent la revendre. La Fouine reste un pur *shlag*, un accro du shit devenu expert dans l'art de couper des savonnettes. Puis, sur un petit Butagaz dans la chambre du F4 familial, de réchauffer les barrettes, mises ensuite sous cellophane.

Le marché de la drogue s'est d'abord installé loin de Trappes, au Kiss-Club à Paris, au Pacific à la Défense, deux boîtes de nuit où on laisse à dessein entrer les Arabes et les Antillais. Mais peu à peu la drogue a quitté la capitale et pris la clé des champs. Montigny, Rambouillet, Guyancourt, Élancourt… Les clients viennent de loin pour chercher leur marchandise à Trappes, plus exactement sur les quais de la gare – encore elle.

Avant et après la guerre, Trappes se résumait presque à son dépôt de triage, écheveau d'aiguillages et de rails en impasse. C'était l'un des nœuds les plus stratégiques de France et la direction de la SNCF s'était toujours entendue avec les syndicats pour limiter les retards, les grèves, et entretenir correctement les rames. La nuit, de sa chambre, le maire, Bernard Hugo, entend encore le roulement lourd des trains qui dorment dans la remise et les voix métalliques qui, dans les haut-parleurs, guident les locomotives sur les voies. Un autre ballet lui succède désormais, silencieux mais aussi codifié : celui des toxicos qui descendent d'un train pour vite remonter dans un autre, leur sachet de poudre dans la poche.

La Fouine a quinze ans et on l'entend déjà rapper sur quelques mixtapes confidentielles. Mais sur les quais, il gagne parfois jusqu'à 600 euros les bons jours. La drogue est devenue un univers. Le film dont on s'échange les cassettes VHS, c'est *Scarface* : Tony Montana noyé dans le soleil blanc de Floride et les nuages de coke. « *Dans ce pays, tu dois d'abord avoir de l'argent. Puis, quand tu as l'argent, tu as le pouvoir. Puis, quand tu as le pouvoir, alors tu as les femmes* », répètent les gamins en copiant le pas chaloupé d'Al Pacino. « *La vie de rêve* », entonnent aussi les petits dealers en forçant sur l'accent. Les lunettes de soleil miroirs, le costume crème, les mitraillettes, ils voudraient tout. L'irrésistible ascension d'une petite frappe cubaine aux États-Unis et sa baignoire de marbre géante, à Miami, font rêver ces gosses d'immigrés, tandis que leurs parents triment chaque jour pour payer leur loyer.

Leur jeunesse ressemble à un cendrier de joints. Ils les fument dans une cave éclairée par une ampoule qui pendouille du plafond, leur grotte. Des filles du quartier s'y prostituent parfois pour payer une dose ou financer celle de leur copain. La cave se réchauffe souvent de quelques tapis posés sur le sol, d'un canapé en skaï, d'un frigo et d'une console : le butin du dernier cambriolage ou des équipées sauvages à la dalle de Saint-Quentin, ce temple de la richesse. On ne vole pas seulement la boîte de Choco BN du Mammouth ou les canettes du Auchan de Maurepas, mais des Nike, des blousons, de la sape. Jamel en rira par la suite : enfant, il n'a jamais porté pour « *toute marque qu'un polo La Poste* ».

« À mon tour d'briller », le tube de Zoxea, rappeur tendance des Sages Poètes de la rue, est devenu le morceau préféré de La Fouine. Il a depuis longtemps troqué les habits collectés par sa mère chez Emmaüs pour s'offrir la panoplie de la parfaite racaille. En vrac, dans la banane Lacoste de ses envies, les montres et les chaînes en or, les coupés Ferrari ou l'abonnement à Canal+, la chaîne cryptée des années Mitterrand que les familles ne peuvent pas s'offrir alors qu'elle seule diffuse les matchs du PSG. C'est aussi celle des films pornos et des blockbusters pleins de guns, de bastons, de flics et de courses-poursuites en bagnole. La Fouine et sa bande conduisent celles qu'ils volent, évidemment sans permis.

La fin de ces aventures s'écrit forcément en prison. À Osny, dans le Val-d'Oise, on trouve toute la racaille de Sarcelles, Garges-lès-Gonesse et Villiers-le-Bel. À Nanterre mais surtout à Bois-d'Arcy, la maison d'arrêt du 7-8, défilent très vite les voyous et dealers de Trappes. La Fouine y est entré à dix-sept ans, quelques mois après un premier séjour à Osny. Il y retrouve un autre de ses frères, mais aussi des tas de copains qui « cellulent » au bâtiment F, celui qui donne sur la forêt. Un magnifique parloir sauvage, où les cris que s'échangent les détenus et leurs potes, dehors, se mêlent aux croassements des corbeaux. Les oiseaux de mauvais augure ont toujours tourné autour de « Bois-d'Ar ».

La petite communauté trappiste partage ses cigarettes, cantine en groupe, cuisine ensemble des gamelles pour échapper à l'infâme barquette. Pendant la promenade, « ceux de Trappes » font bande à part autour d'une partie de huit américain, sans se mélanger aux caïds de Plaisir ou aux délinquants de Chanteloup-les-Vignes. À la sortie, les équipes et les réseaux sont plus puissants encore, surtout si les séjours se doublent d'un passage par la prison de Nanterre, où se trouvent les plus gros trafiquants de stups de l'Île-de-France.

À George-Sand, les médecins quittent un à un le quartier. Ils sont fatigués d'être harcelés pour des ordonnances de Rohypnol, de Subutex et autres substituts à l'héroïne, ou braqués comme le docteur Chatelier par des toxicos en manque venus de Jean-Macé, que certains appellent désormais « *Ripnol city* ». Déçus par l'attentisme de la police, des pères de famille tentent de s'organiser dans plusieurs squares pour tourner dans les halls et chasser les dealers, mais ils sont souvent effarés par l'amoralité absolue d'adolescents prêts à tuer pour l'argent et la dope.

Plus personne ne paraît avoir prise sur ces « lascars », comme ils s'appellent. Mairie, maisons de quartier, MJC, qui veillent à occuper les gamins, sont désemparées. Secours catholique, MRAP, tous les bons cœurs se sont donné rendez-vous à Trappes. Une grande bourgeoise protestante, Colette Freychet, pharmacienne aux Merisiers, soutien de toutes les revendications syndicales ouvrières, a même ouvert en 1979 une antenne de la Mission populaire, la « Miss' pop' », qui organise pour les enfants des colos avec « Santé et soleil ».

Les militants communistes eux aussi sont dépassés par ces bandes d'adolescents qui narguent la génération de leurs pères, usés par une vie passée à la chaîne, avec des Mercedes qui valent plusieurs années de salaire. *Money, money !* Ceux qui quadrillaient si bien les quartiers dans les années 60 et 70 ne trouvent plus le mode d'emploi pour garder dans le rang ces adolescents du siècle qui s'amorce. C'est à peine si, dans les squares, ils prêtent attention à ces grappes d'hommes à longue barbe et djellaba qui tournent au pied des immeubles. Ils trouvent qu'ils ressemblent « *à des mormons, ou, tu sais, à ces témoins de Jéhovah très polis* » qui grimpaient les cages d'escalier et auxquels on fermait la porte au nez.

« C'était les inséparables, les trois frères, les trois mousquetaires
Les trois maillons d'une chaîne : la rage, la peine et la haine (…)
Contrebande, trafic, contre bandes
Peu d'eau, pièces d'ecsta, odeur d'fric nauséabonde
T'as plus trop l'choix quand l'vice t'a embauché
Soudain t'as d'grands projets, pour eux c'n'était plus question d'se reposer
J'sais pas si t'as r'marqué mais d'puis d't'à l'heure j'te parle au passé
C'était en 96, aujourd'hui beaucoup d'choses ont changé
Frank en voulait trop, il a mal tourné ;
Il purge une peine de séquestration et meurt dans un pénitencier
À force de trop d'femmes, Alain a l'sida ;
Dans un centre de soins palliatifs, il lui reste quelques mois
Christophe, quant à lui, a une femme, des enfants, un bon emploi, une barbe
Et s'fait appeler Abdullah. »

« Trois gars au ghetto », La Fouine.

10

La ronde des tablighis

« *Ne vous retournez pas, les voilà, ils vont encore nous demander de nous asseoir en rond et nous prendre la tête...* » En ce milieu des années 90, lorsqu'en pleine partie de foot – leurs sweats servent à délimiter les buts – les gamins aperçoivent cette grappe humaine toute de blanc vêtue, ils s'écrient, furieux : « *Putain, ils vont encore nous casser le match !* » Les jeunes footballeurs en herbe les surnomment en riant la « brigade des hadjs », les pèlerins de La Mecque.

Ce sont des disciples du Tabligh, un mouvement musulman piétiste et pacifiste venu du monde indo-pakistanais, dans les années 20. Au départ, ces missionnaires tentaient de ré-islamiser jeunes Arabes et Africains en les envoyant parfaire leur éducation religieuse dans les madrassas, ces écoles où l'on apprend la théologie. Dans les années 70, ils ont débarqué à Paris, où ils ont ouvert une mosquée rue Jean-Pierre-Timbaud, puis ont investi le quartier Couronnes, et enfin, après l'échec de la Marche des beurs, se sont installés en Seine-Saint-Denis, leur fief. C'est de ce département du nord de Paris qu'ils essaiment auprès des ouvriers de l'automobile, dans les foyers de travailleurs immigrés et les villes qui les hébergent, en particulier à Mantes-la-Jolie et Trappes.

« *Transmettre le message* », c'est ce que veut dire *tabligh*, en arabe. Leur rituel est fait d'une foule d'obligations collectives : voyager pour la prédication, dormir, prier en groupe, sans oublier ces longues marches et ces « sorties » pour tenter de « *faire du bien* » et « *rappeler les musulmans à leurs nobles tâches* », celles que réclame la foi en l'islam. « *Mon frère, tu souffres...* », compatissent-ils devant les petits dealers ou les paumés des cages d'escalier. « *Allez, mec, t'es une créature de Dieu !* » « *Les jeunes d'aujourd'hui sont des exilés dans leur pays, jetés sur les routes du monde. Ils ont perdu leur point d'attache le plus essentiel : la foi en Allah* », expliquent-ils. Ils veulent « *sortir les gars des caves* » et leur faire retrouver le chemin de la mosquée.

Les tablighis recherchent les grands espaces et les beaux paysages, propices à la méditation mais qui permettent aussi d'échapper aux surveillances en tout genre. Avec les bois de Trappes, où les gamins traquent les empreintes de sangliers et qui servent à abriter les premiers baisers des garçons comme Jamel, « Nico » et Omar, ils sont servis. Aux adolescents qui tapent le ballon, ils demandent : « *Vous n'avez pas quinze minutes à consacrer par jour au Seigneur ? Quinze minutes de prière, c'est le temps d'aller chercher le pain.* »

La « mission du soir », en particulier, consiste à quadriller les quartiers et à aménager des salles de prière dans les « locaux communs résidentiels » des HLM, comme dit l'administration. « *Venez, on a préparé des boissons et des cacahuètes* », insistent-ils auprès des enfants assoiffés par leur match. « *La mosquée de la Commune est à cinq minutes, cela ne coûte rien d'y aller.* » On commence par se restaurer, des chips et une grenadine – la brigade des hadjs appelle ça une « ambiance ».

On passe ensuite à « l'assise », où en principe on disserte de la foi en déroulant la vie du Prophète et en lisant quelques hadiths, mais on n'oublie jamais de distraire les gamins. « *Regarde, lui, il va faire les cinq prières avec les deux sourates, et on va le chronométrer.* » Et un quart d'heure plus tard : « *Vous voyez, cinq à la suite, dites à l'allure normale, cela prend quinze minutes. Allah vous demande un quart d'heure par jour. Et si vous faites la prière à plusieurs, c'est mieux rétribué.* »

L'un des piliers de ces brigades s'appelle Ibrahim. Il porte une barbe rousse sur sa peau laiteuse et ses yeux sont bleu dragée. Il roule dans un vieux break fatigué en kamis, cette longue robe jusqu'aux chevilles, sur laquelle il porte un gilet, et se coiffe d'un turban blanc qui le fait ressembler à un moudjahid afghan. Son allure impressionne, comme sa façon de lancer des « *Salam* » et des « *Inch'Allah* » à tout bout de phrases, à l'époque où ce n'est encore ni trop l'usage ni vraiment la mode. Il a la foi démonstrative des convertis et sait trouver les mots de tous les jours et les allégories de son temps pour parler aux jeunes gens de la femme de Mahomet : « *Khadija, elle a kiffé le Prophète. Elle ne voulait plus que lui.* »

Il y a dix ans, en effet, frère Ibrahim était éducateur sportif à Chaville, dans la proche banlieue chic de Paris. Il s'appelait alors John Fitzgerald Airès. C'était le prénom que ses parents, deux babas cool, lui avaient choisi en 1967, en hommage à John Kennedy. John est le fruit d'un amour planant entre un *musicos* américain qui ne voulait pas se battre au Vietnam et une jeune Française de seize ans qui rêvait de *peace and love* et a fini, une fois mère, par se détourner de Woodstock pour se convertir à l'islam.

Il avait tour à tour pris la responsabilité d'un centre de loisirs, enseigné l'escalade, animé une ludothèque. Mais, en 1993, John, beau gosse et coureur de filles, s'inscrit dans les pas de sa mère. Il suit un cursus d'un an et demi à la Grande Mosquée de Paris, place du Puits-de-l'Ermite, au cœur de la capitale, en ressort avec un certificat de bon musulman. Cela ne lui suffit pas. Les amis de ses parents s'installaient dans des ashrams en Inde ? Vingt-cinq ans plus tard, lui choisit le Maroc.

C'est à Casablanca qu'il découvre les tablighis et leur souci de revenir à un islam « authentique ». Ces retrouvailles passent par une stricte pratique de ses rites et la reconquête de l'Umma, la communauté des croyants, en répandant la « bonne parole ». Frère Ibrahim adhère à Foi et pratique, la branche la plus fermée du mouvement tabligh en France. À Trappes, il s'installe d'abord square Albert-Camus, avec sa femme marocaine et ses enfants, avant de déménager très vite à Paul-Langevin. Il porte le kamis et des sandales, comme le Prophète dans les sables du désert.

Jusqu'ici, à Trappes, les musulmans ont pratiqué l'islam mollement, respectant « le smic » ou « le minimum syndical », comme on dit : jeûner pendant le ramadan et ne pas manger de porc. Pour le reste, on bénit la nourriture *haram* d'un simple *bismillah, au nom de Dieu clément et miséricordieux*, sans chichis. « *On n'est pas au bled* », moquent les hommes en pantalon et chemise lorsqu'ils voient des types en djellaba. « *Je suis pratiquement pratiquant* », résume Jamel, dont les spectacles vampirisent désormais la vie de Trappes.

« *Mon frère, tu souffres, mais tu es une créature de Dieu !* » Depuis que la drogue et la délinquance minent la vie quotidienne, on commence pourtant à regarder d'un autre œil ces religieux qui assurent aux jeunes qu'ils « *peuvent retrouver le chemin d'Allah* » et les convainquent d'adopter un comportement plus respectueux, moins violent, plus honnête. « *Après tout, ils ne font pas de mal* », finissent par dire dans les squares beaucoup de mères de famille, soulagées de retrouver chez ces frères l'autorité d'une figure masculine qui manque de plus en plus dans les foyers.

Quand sonne la retraite, certains pères de famille repartent en effet au pays contracter une nouvelle union avec une femme plus jeune ou se disputent pour une histoire de maison achetée seul au village, sans en toucher mot à leur épouse. Le père de La Fouine a quitté l'appartement, et ses deux derniers fils l'aperçoivent parfois, le matin, au coin du square, la tête sur le volant de sa voiture : il a dormi là. Il passe ensuite au foyer Sonacotra, là où lui et tant d'autres ont reçu pour la première fois du courrier à leur nom, sur une étiquette marquée « France », et où ils jouent aux cartes en chiquant des boulettes de chemma, le tabac à priser.

« *Dis donc, cela fait longtemps qu'on ne t'a pas vu à la mosquée* », rappellent les pèlerins en mission aux gamins qu'ils croisent. La pratique religieuse réclame du temps, mais au moins elle occupe les enfants. L'islam de la brigade des hadjs est simple à comprendre et propose un cadre de vie et de pensée à ceux qui sont tiraillés par leur double culture. De l'avis général, des tas de jeunes « *se comportent mieux* » depuis qu'ils fréquentent la mosquée de la Commune.

Abdelkrim, Karim, Youssef, Kader... On commence à dresser les noms de ces dealers et de ces braqueurs qui, grâce aux hadjs, sont sortis de l'alcool et surtout de la drogue. « *Tout ce qu'Allah, détenteur du pouvoir absolu, interdit aux musulmans ne doit être ni vendu, ni offert, ni transporté, ni échangé, ni négocié* », prêchent les tablighis aux revendeurs de shit ou d'héro. Une pratique assidue, des prières régulières, en revanche, permettent le rachat des âmes et le salut éternel. Même les policiers, dans leur commissariat, reconnaissent parfois sous une barbe un ancien voyou désormais rangé du trafic.

Seuls les Kabyles, qui suivent avec inquiétude la guerre civile opposant pouvoir et islamistes en Algérie depuis 1991, observent d'un œil inquiet cette ferveur trop démonstrative. Des pères marocains tiquent aussi devant ces garçons qui leur expliquent leur religion quand, il y a encore quelques mois, ils passaient leurs soirées à fumer des joints. « *Faire les cinq prières à la mosquée, au premier rang à droite, c'est le top. Les faire à la mosquée dans un autre rang, c'est très bien. Les faire à l'endroit où l'on se trouve au moment de la prière, c'est bien. Mais réciter tout d'un bloc le soir comme une séance de rattrapage, ce n'est pas possible !* » énoncent doctement certains « grands » des squares à leurs parents sidérés.

« *Laissez-nous vivre !* » répondent parfois les anciens ouvriers quand leurs fils se mettent en tête d'interdire la télévision à la maison. Ils préfèrent leur foi du charbonnier, celle des gens du bled, à cette liste d'interdits doublée d'une ferveur ostentatoire. John alias Ibrahim, lui, a bien saisi le mouvement qui s'opère. « *Il y a d'abord eu les papas, exploités, logés dans les bidonvilles de Nanterre ou de Bezons, qui pensaient qu'avec un béret et une baguette ils allaient s'intégrer et s'assimiler,* résume-t-il souvent à ceux qui s'interrogent, *puis la seconde génération, déçue par SOS Racisme. La troisième, elle, veut revenir à la spiritualité.* »

Les filles aussi retournent à la religion, quoique différemment. Un jour de ces années-là, à Youri-Gagarine, deux jeunes élèves, Hanane et Zoubida, sont arrivées voilées au collège. En septembre 1994, pourtant, le ministre de l'Éducation, François Bayrou, a recommandé d'interdire les signes religieux ostentatoires dans les établissements scolaires. La proviseure, Aline Peignault, téléphone à la mère d'Hanane en sa présence. Elle demande à parler directement à sa fille convoquée dans le bureau. Le dialogue se déroule en arabe. La petite, visage figé et bouleversé, dénoue son foulard et le roule en boule dans son sac durant la conversation, avant de raccrocher. Les parents se méfient de ce besoin tout neuf d'afficher des symboles qu'eux n'ont jamais adoptés. N'ont-ils pas appris à leurs enfants à ne jamais se faire remarquer ?

Ils ne font pas toujours la différence entre ces tablighis et un autre petit groupe de jeunes gens plus rigoristes. Mêmes barbes longues, mêmes kamis, le crâne rasé et le pantalon rentré dans les chaussettes, ceux-là sont plus rudes avec les fidèles. À la mosquée, ils font la prière à part, dans un coin, contestent les interprétations de l'imam, balaient avec arrogance l'idée du rachat sur le sol français que les tablighis professent aux anciens drogués des squares. « *Crains Dieu !* » sifflent-ils souvent en arabe en relevant chaque manquement à leur lecture littéraliste du Coran.

Leur référence ? Mohammed ben Abdelwahhab, un prédicateur du XVIIIe siècle qui prétendait purifier l'islam en le ramenant aux principes originaux tels que les salafs, c'est-à-dire les trois premières générations de musulmans, les auraient pratiqués. Ils ont toujours à portée de main un livre wahhabite, souvent rapporté d'un pèlerinage à La Mecque. Parfois, ils tiennent leur « savoir » d'un de ces hommes venus d'Arabie saoudite qui sillonnent discrètement les banlieues françaises depuis la fin des années 80, en offrant à des jeunes croyants des bourses d'études pour Riyad ou Al Azhar, au Caire, afin qu'ils reviennent en France en savants de l'islam.

« *Kouffars* », « *mécréants !* », c'est leur insulte favorite. Les tablighis les observent avec l'air de commisération d'un adulte pour un adolescent rebelle. Ils sont très intransigeants avec les frères qui fument ou les sœurs qui ne portent pas le niqab, ce grand voile noir intégriste qui couvre le corps en ne laissant voir que les yeux, encore rare dans les banlieues françaises. Ils ne cherchent pas l'affrontement pour autant. « *Ne rajoutons pas d'huile sur le feu sinon le feu finira par s'étendre* », disent-ils. John Ibrahim, qui se pique d'une très bonne connaissance du Coran, se contente de quelques petites moqueries : « *Une fois que vous irez au paradis, n'oubliez pas de fermer la porte derrière vous !* » Les salafistes, comme ils se nomment eux-mêmes, finiront bien par revenir à plus de sagesse.

Cette nouvelle passion pour la religion gagne peu à peu le cœur de la ville. Au marché, on vend de nouveaux tapis de prière avec boussole intégrée, pour mieux s'orienter vers La Mecque, et de petits chapelets électroniques dernier cri pour compter les sourates récitées. L'un des imams de Trappes, Jalal Kamalodine, l'Afghan qui ne parlait pas le français mais tapait sur les doigts des enfants, est désormais secondé par Abdel Hamid Azzouz, un jeune religieux d'origine marocaine. Proche du Tabligh, Azzouz a suivi une formation religieuse de trois années dans une madrassa du Pakistan et passe avec aisance du français à l'arabe. Les plus jeunes, qui ne comprenaient souvent rien aux sermons en arabe du prédicateur, assistent plus volontiers à ceux du nouvel imam francophone.

Un nombre croissant de jeunes gens sont sensibles à cette manière de renouer avec leurs origines. Français ou Algérien, Français ou Marocain, ils ne savaient pas toujours choisir ; musulman, c'est une bonne façon d'échapper à ce dilemme, c'est aussi une identité. Il n'y a vraiment que les Turcs, dont la petite salle de prière est située dans le quartier de la Boissière, pour compter moins de fidèles qu'auparavant. « *Nous ne sommes pas des Arabes ou des Africains, nous sommes tous des musulmans*, encouragent les tablighis. – *Quoi, même les Mauritaniens ?* » demandent les jeunes gens dont les parents méprisaient leurs voisins noirs. Ils se découvrent frères et sœurs d'une même communauté, comme ils disent désormais.

Même les copains du quartier du Moulin-de-la-Galette ont remarqué que « Nico » Anelka s'est mis à jeûner pendant le ramadan. Ses parents, Jean-Philippe et Marguerite, l'ont pourtant élevé dans la foi chrétienne de leurs Antilles natales. Sa mère, notamment, est une évangélique fervente. « *Je me sens proche des Algériens, d'ailleurs ils me disent que je leur ressemble, je suis fier comme eux* », répond le jeune garçon à ceux qui l'interrogent. Contre l'avis de sa famille, sans dire un mot, il s'est converti à seize ans, avant même de quitter Trappes pour devenir professionnel. « *Si j'en parlais, j'étais mort.* »

Rachid Benzine, le prof d'éco de la Plaine-de-Neauphle qui a poussé Jamel à se produire devant François Mitterrand, s'agace parfois de ces garçons qui portent des Nike sous leur djellaba. *Nous avons tant de choses à nous dire. Pour un vrai dialogue entre chrétiens et musulmans*, c'est le livre qu'il vient de publier avec le prêtre des Minguettes et pilier de la Marche des beurs, le père Christian Delorme. Depuis, il multiplie les rencontres interreligieuses. Quel syncrétisme bizarre, quel fatras mal assimilé, se dit souvent ce bon connaisseur de l'islam en écoutant ses élèves. « *Tu sais que le Prophète jouait au foot ?* » On ne sait plus qui, un jour, lui a posé cette question, mais il a raconté l'anecdote à Jamel qui en fera son miel dans un sketch : « *À l'époque du Prophète, le foot n'existait pas !* »

Un jour, Mirando, un jeune Antillais qui s'était engagé dans l'armée, meurt, encore un, sur la voie ferrée, en voulant attraper un train. Il s'était converti à l'islam sans le dire à sa mère. À quelques minutes de l'enterrement, le prêtre de Trappes, Philippe Mallet, reçoit la visite d'une dizaine de copains du défunt, accompagnés de l'imam. « *Le garçon est de ma communauté* », revendique le religieux musulman. « *Écoute, on ne va pas se disputer un fidèle, voulez-vous entrer dans l'église prier avec nous ?* » répond aimablement le père Philippe. Il est prêt à ôter des bancs pour dérouler des tapis de prière.

Mais, devant le cercueil, la mère de Mirando se met à hurler : « *Je ne veux pas que vous disiez qu'il est musulman !* » Depuis des dizaines d'années qu'il officie dans cette ville communiste dont le maire est devenu un ami, le prêtre a appris à faire face à toutes les situations, mais c'est la première fois qu'il est confronté à une querelle autour d'un cercueil. Prêtre et imam trouvent finalement un compromis pacifique : les deux hommes de foi déposent la bière sur un trépied, devant l'église. Les amis du défunt y disent la prière des morts, la *janaza*, avant que le père Mallet ne manie l'encensoir et ne demande à Dieu le Père et à ses saints d'accueillir le jeune Mirando en son Royaume.

« Les fruits de l'effort religieux commencèrent à paraître au Mewat (…). Des milliers de mosquées étaient construites là où auparavant pas une seule n'existait à des kilomètres à la ronde, et d'innombrables écoles religieuses et madrassas étaient fondées.

Le nombre de personnes sachant réciter le Coran par cœur atteignit la centaine, comme le nombre de savants religieux qualifiés. Il existait désormais une aversion pour les vêtements hindous et les gens commençaient à s'habiller selon les règles établies par la charia.

L'usure perdait du terrain, la consommation d'alcool avait quasiment disparu et la criminalité diminuait. À l'indifférence vis-à-vis de la religion et aux innovations et traditions immorales et indécentes succédait un nouveau climat de foi et de piété. »

Nadwi Abû Al-Hasan Ali,
Vie et mission de Maulana Mohammad Ilyâs,
fondateur du Tabligh.

11

Les barbus du GIA

Devant la « mosquée » de la Commune, comme on appelle ce lieu de culte bricolé dans une enfilade d'appartements du square, des fidèles distribuent de drôles de tracts, depuis quelque temps. Des feuilles format A4 pliées en deux, que l'on glisse furtivement aux fidèles à la sortie de la prière, toutes à la gloire d'Allah. Elles tiennent le compte des exactions commises par les mystérieuses « forces du taghout », ces forces du « mal » ennemies des valeureux moudjahidines algériens, et dressent – en français – des listes de disparus.

Ce sont des ronéos du Groupe islamiste armé, l'organisation militaire qui rêve de renverser le gouvernement d'Alger pour le remplacer par un État islamique. En Belgique, à Londres, la police en a déjà repéré, en cette fin des années 90. Sur certains de ces prospectus et sur des cassettes vidéo, on aperçoit une tour Eiffel en flammes, comme un attentat fantasmé pour punir la France de soutenir le pouvoir algérien. Ils sont signés GIA.

La France a accueilli ces nouveaux arrivants qui fuient leur pays pour des raisons politiques, et Trappes a eu son lot de familles. À Alger, le Front islamique du salut est pourchassé depuis qu'il a failli remporter les élections législatives, en 1991. Pour éviter la prise de pouvoir par les intégristes religieux, l'armée a suspendu le processus électoral après le premier tour et, en 1992, le FIS a été dissous. Depuis, les salafistes du GIA, qui regroupe les radicaux du FIS, veulent prendre leur revanche et la guerre civile déchire l'Algérie. Elle passionne les jeunes des cités françaises, qui se découvrent pour certains « algériens », tandis que de l'autre côté de la Méditerranée, d'autres sont obligés de fuir. C'est le cas des Benyamina.

Leur arrivée n'est pas passée inaperçue lorsqu'ils ont débarqué de Tiaret, au fond du sud de l'Algérie, en 1996, pour retrouver leur famille installée depuis de longues années à Trappes : des hommes arrivés les premiers, rejoints par leur femme, leurs frères, leurs oncles ou leurs cousins, et jusqu'ici sans histoire. Les nouveaux arrivants ont choisi le square Yves-Farge et, suivant leur âge, intégré le lycée de la Plaine-de-Neauphle ou cherché du travail. M'hamed Benyamina est ainsi entré comme boucher chez Viande Hallal Service, place des Merisiers, et a épousé une Française, bientôt mère de deux enfants dont un petit Oussama, né après les attentats du 11 septembre 2001.

En France, le discours des activistes du GIA fédère d'abord des sympathisants islamistes algériens, puis les premiers convertis, et touche désormais des beurs. C'est le cas d'un trentenaire à passeport français, grandi bien loin de Trappes, en Saône-et-Loire : Safé Bourada. Tout le monde aujourd'hui a oublié son nom, mais pas celui du jeune garçon qu'il a « recruté » pour servir sa cause : Khaled Kelkal, l'auteur présumé de l'attentat au RER

Saint-Michel à Paris qui a fait huit morts et plus d'une centaine de blessés, le 25 juillet 1995.

Safé Bourada a milité un temps au Parti socialiste, au début des années 90, avant de devenir éducateur spécialisé. L'histoire de l'Algérie l'a rattrapé. Il découvre la religion et défend très vite la loi islamique qui doit s'imposer, dit-il, face à un pouvoir algérien « *clanocratique* » et « *apostat* ». Lorsqu'il collecte en Bourgogne des fonds pour les maquis algériens, il rencontre Ali Touchent, le co-organisateur des attentats de 1995. Avec eux naît le réseau dit des « poseurs de bombes » du GIA. Bourada récupère des papiers pour les « frères » clandestins en France, loue des appartements où on conspire à tout-va (il est le seul à posséder un passeport français, outre ses papiers algériens). C'est lui qui, en 1994, déniche à Lyon Khaled Kelkal, un petit voyou perdu que Touchent transforme en poseur de bombes avant sa mort sous les balles des gendarmes.

À la prison du Val-de-Reuil, où il purge une peine de dix ans de prison après l'attentat de Saint-Michel, Bourada ne reste pas inactif. Il passe avec succès son diplôme d'agent administratif en entreprise et consacre le reste de son temps à lire le Coran, à prier, et à « *prêcher* ». Il en impose, même si, à son grand regret, il ne parle pas l'arabe. Son passé terroriste lui confère une aura folle auprès de jeunes Français, souvent d'origine algérienne, condamnés pour des affaires de droit commun. Parmi eux, des enfants de Trappes.

En détention dans le même quartier que lui se trouve ainsi Kaïs Melliti, un « algérien » lui aussi, condamné à l'époque à sept ans de prison pour viol. Il n'a pas trente ans, et vit rue Jean-Lurçat à Trappes. Au parloir, Safé Bourada rencontre encore Samir Bouhalli, du square Henri-Wallon.

Il est né à Trappes il y a moins de vingt-cinq ans. Samir est le cousin de Kaïs. Il n'était pas encore majeur quand il a été condamné pour avoir frappé un jeune homme de vingt-quatre ans avec un couteau suisse, dans un hall de sa ville. L'homme est mort onze jours après et pour ces coups mortels, Bouhalli a passé six ans de prison à « Bois-d'Ar », la prison aux corbeaux, avant d'arriver au « Val » et de rencontrer le grand chef bourguignon Bourada.

1998, c'est l'année où Jean-Pierre Chevènement ose traiter de « *sauvageons* » les mineurs multirécidivistes des banlieues : le mot fait la une des journaux et provoque un scandale. En ce tournant du siècle, on parle de délinquance, presque jamais de religion. Quant au mot radicalisation, il n'existe même pas. Ce n'est qu'après la seconde guerre d'Irak, en 2003, que le radicalisme se voit associé à l'islamisme, au point d'en effacer toutes les autres acceptions : jusqu'aux années 2000, la radicalité, en France, désigne plutôt l'extrême gauche.

C'est pourtant le moment où, dans plusieurs prisons de France, commencent à traîner des « barbus ». La Fouine, qui séjourne en prison pour vol avec violences à quinze ans, en 1997, les croise pendant la promenade, sombres, prosélytes, inquiétants. Il les évite. Mais quand il retourne derrière les barreaux quatre ans plus tard pour sa quatrième et ultime peine, après un vaste coup de filet anti-drogue à la gare de Trappes, tous ses compagnons de cellule – des « petits », plus jeunes que lui – font la prière cinq fois par jour. C'est là, avec eux, que le mécréant qu'il était a trouvé la foi.

Safé Bourada alias Abderrhamane est beaucoup plus raffiné que ces « barbus » qui commencent à hanter les maisons d'arrêt. Après son bac, du temps où il vivait en Bourgogne, il a passé une année en licence d'histoire et une autre à étudier la philosophie à Dijon. Il fait de belles phrases et sait discourir durant des heures, rythmant les longues journées de détention avec ses prières, tuant le temps en expliquant durant la promenade aux autres détenus comment Allah peut effacer les bêtises qui les ont menés en prison et donner du sens à leur vie. « *Je suis conscient qu'on m'écoute plus que les autres*, reconnaîtra l'ex-recruteur de Kelkal. *Il m'est arrivé de convertir.* »

Bourada est favorable à un islam fondamental, à l'établissement du Califat et à la charia, loi islamique qui supprime tant de libertés individuelles, notamment pour les femmes. « *Nous ne connaissons pas le droit positif écrit par la main de l'homme,* explique Safé Bourada à ses nouveaux amis. *Seule compte l'application stricte de la lettre du Coran.* » Comme ces nouveaux littéralistes islamistes, il defend l'idée qu'« *il n'y a pas de société civile, il n'y a qu'une société religieuse* ».

En promenade ou en cellule, leurs débats sont traversés par l'actualité. Tous sont évidemment hostiles à la circulaire de François Bayrou qui, en 1994, a interdit les signes religieux dans les établissements scolaires. Le voile est pour eux un moyen de mobiliser et de radicaliser la jeunesse des banlieues. Ils déplorent le renversement des talibans en Afghanistan et rêvent d'installer un État islamique en Algérie, mais aussi de réislamiser la population musulmane qui s'oublie et se perd en France, cette terre de mécréants – « *dar al kouffar* », disent-ils.

Dans sa cellule, Safé Bourada noircit à la main trente pages de papier qui ressemblent au document fondateur d'un groupe terroriste en gestation – une cellule à laquelle il a déjà donné un nom : Ansar al-Fath, les Partisans de la victoire. La jama'a, le groupe, visera la propagation de la foi par le prêche et devra apporter un soutien logistique et financier au djihad international, le tout évidemment de manière ultra-clandestine. Bourada s'y connaît. En 1995, l'année de l'attentat de Saint-Michel, il était le « *responsable de la propagande et de la gestion informatique* » des réseaux français du GIA.

Ne reste plus qu'à trouver des hommes sûrs. À Samir et Kaïs, ses nouveaux complices de Trappes, Safé Bourada a promis de rendre visite dès sa sortie du Val-de-Reuil, en février 2003. Kaïs doit d'ailleurs quitter la prison en même temps que lui. Ils sont désormais comme « frères », et Kaïs a même proposé à Safé Bourada de lui « donner » en mariage sa propre sœur. Il se propose aussi de lui présenter les Benyamina, des « algériens » comme lui, mieux, des militants du GIA. D'Évreux, où Bourada compte s'installer, jusqu'au quartier des Merisiers, il n'y a qu'une heure de voiture par l'autoroute A 13.

« *Nous n'accepterons aucune pensée, idéologie, philosophie ou conception de l'existence qui seraient étrangères à la Vraie Religion.* »

Les « *mesures appropriées* » pour défendre l'islam « *contre les attaques de ses ennemis* » sont : « *la réprobation du Mal par la main, la parole et le cœur, le décret religieux pour des actions de punition et répression nécessaires* ».

Est préconisée la création d'une école spécialisée dans la formation des cadres « *couverte par des activités d'une tout autre nature si besoin est* », et d'un centre de formation de moudjahidines « *fermé et sécurisé par son lien unique avec l'Émir* » [Bourada, le chef de la cellule]. Les membres du groupe sont par ailleurs incités à développer des commerces et à acheter des lieux de culte et divers locaux. « *Le pays dans lequel nous sommes [la France] permet un grand nombre d'actions, une possibilité de développer notre programme par certaines facilités, de pouvoir trouver et acquérir des moyens avec intelligence.* »

Extraits des vingt-quatre pages d'*Ansar al-Fath, le livre fondateur*, écrit en prison par Safé Bourada fin 2002.

12

Plan banlieue à Canal

Mai 1996. C'est la saison du festival de Cannes. Un rendez-vous mythique, pour Canal+. Des chambres d'hôtel sont réservées d'année en année dans les palaces de la ville, au Martinez et à l'Éden Roc, pour les stars de la chaîne, ou sur les hauteurs de Cannes, dans la résidence de Pierre et Vacances, pour les autres. C'est là que sont logés Jamel, Omar et son nouveau copain Fred, un petit « babtou » au crâne rasé venu de La Colle-sur-Loup, juste au-dessus de Nice. Une chambre double pour les deux derniers, mais petit déjeuner au lit, piscine à débordement avec vue sur la Méditerranée, flottille de scooters à disposition des invités... Tout brille comme dans un rêve.

Les dirigeants de Canal+ sont fascinés eux aussi, mais pour d'autres raisons. La moindre sortie de Jamel sur la Croisette déclenche une mini-émeute. Autographes, embrassades, cris, il n'y en a que pour lui. Un délire. Le soir, après les projections de *Breaking the Waves*, de Lars von Trier, ou de *Comment je me suis disputé*, d'Arnaud Desplechin, en compétition pour la palme d'or, les célébrités désertent les soirées guindées pour venir au Pierre et Vacances danser avec les potes de Trappes devant les platines de DJ Abdel, spécialement dépêché de Paris par le journaliste Bernard Zekri, ancien d'*Actuel* devenu producteur sur la chaîne cryptée.

On a toujours besoin d'être deux, ou trois, quand on vient des « quartiers ». On se sent plus fort face à la nomenklatura parisienne. C'est Jamel, le copain d'Omar depuis leur rencontre sur les bancs de touche lors des parties de foot, rue du Moulin-de-la-Galette, qui a permis cette escapade miraculeuse à Cannes. Lui a déjà un pied sur la planète médias. Durant ces années passées à vanner sur les bords des terrains de foot des Merisiers, s'est nouée une solide amitié, et il veut faire partager sa chance à Omar et ses amis. Les diplômés des grandes écoles ont leurs associations d'anciens, le showbiz et le cinéma, leurs « fils de » ; la banlieue, elle, compte sur la fraternelle des cités.

C'est Jean-François Bizot qui a repéré Jamel le premier. Ses performances d'improvisation, et en particulier une formidable imitation d'Al Pacino dans *Heat*, le film de Michael Mann, n'ont pas laissé indifférents le fondateur d'*Actuel* et son complice Jacques Massadian, qui dirige la troupe d'animateurs branques et branchés de Radio Nova. Depuis la création du mensuel, puis de la FM, le duo traque en banlieue les talents en friche. Le funk, le raï, la house, le hip-hop, le rap, ils ont introduit sur les ondes cette sono mondiale que la France d'alors ignore. Ils veulent entendre au micro de Nova les mots des beurs, des blacks, des marginaux, des déjantés de l'underground et rester, comme avec *Actuel* dans les années 70, des lanceurs de tendances.

Un soir, ils sont passés voir un de ces petits spectacles dans lesquels Jamel commence à se produire. Vraiment, se disent-ils en sortant, ce gamin a un truc. De l'humour, de la répartie, et cette façon de rebondir sur la scène, comme une balle en caoutchouc ! « *Toi, t'es vraiment nul, mais ça va pas durer* », lâche Bizot. Jamel, le fils de Marocains, et Massadian, l'Arménien à la gueule de Lino Ventura, amateur de bagarre et de gros mots, s'entendent vite comme larrons en foire. La chronique de cinéma à la sauce Jamel fait un tabac sur les ondes, et la direction de la FM lui confie aussitôt une nouvelle émission, *le K.X,* qu'il ouvre toujours avec les mêmes mots : « *Bonjour, Jamel Debbouze, comédien. Jamel avec un J, comme Jean.* »

Omar, lui, s'ennuie dans sa terminale F de Montigny-le-Bretonneux, où, après le collège, on l'a orienté en bac pro : chauffage et climatisation – « *histoire que tu aies un métier au Sénégal si je dois retourner au bled* », lui répète monsieur Sy, toujours persuadé que la famille repartira à Bakel. Le collégien rêvait de travailler dans l'aéronautique mais n'a pas osé dire non. Omar n'a bravé son père qu'une fois, pour porter une boucle d'oreille « *comme les rappeurs* ». Monsieur Sy, d'ordinaire si placide, « *si fatigué, le pauvre* », avait bondi : « *On va penser que tu es une fille !* » En vain.

« *J'ai trouvé un mec extraordinaire à interviewer* », annonce un matin de 1996 Jamel à Massadian. Il est ce jour-là à court d'invités et a décidé de faire passer Omar pour un footballeur sénégalais blessé reconverti dans l'agriculture. Son copain tient si bien le rôle que Massadian, quoique informé du gros bobard, convie ce grand garçon d'1,92 mètre, l'air embarrassé derrière son large sourire, à venir se produire régulièrement à l'antenne, seul ou avec le jeune Fred Testot. Un petit job, sans chercher ! Omar n'aura donc jamais galéré, à peine « *une demi-journée de travail chez Quick* », un été. « *Il va pas le croire, Omar, il va pas le croire* », répète Jamel tant de fois et si proche des larmes que ses amis ont fini par comprendre qu'en pleurant de joie pour son copain, il parlait aussi un peu de sa veine à lui.

Quand « Le cinéma de Jamel » migre sur Canal+, où le petit Trappiste anime la version télévisée de son show radio dans un gros fauteuil club, Fred et Omar suivent leur copain sur la chaîne cryptée, et c'est ainsi que, en ce mois de mai 1996, ils se retrouvent autour de la table du Grand Journal, sur la Croisette. Jusque-là, Alain De Greef, le tout-puissant patron des programmes de la chaîne, trouvait « *le kid de Trappes* » un brin amateur. Il reconnaît désormais que « *la capacité d'intervention de Jamel sur le direct vaut celle de Coluche, Chabat, de Caunes ou Farrugia* ». Son adjoint, Bruno Gaston, s'est aussi enthousiasmé pour le rire large, magistral et si communicatif d'Omar Sy. « *Il faut le garder !* » dit-il. Jamel et lui font la paire.

Tant pis pour le bac « climatisation » d'Omar, qui tombe au moment du festival de Cannes et qu'il loupe aussi au rattrapage, à l'automne. Au moins a-t-il son permis de conduire, ce « *vrai papier* » qui vous ouvre l'autre côté du périph' et vous rend « *plus important que le maire* » dans les squares. Voilà le grand gaillard à la carrure de footballeur américain qui rempile à la rentrée et rode avec

Fred le fameux SAV, service après-vente des émissions. Ils y commentent l'actualité dans le combiné d'un téléphone à cadran. « *Alors tu viens plus aux soirées ?* » *Génération SAV* : leurs répliques deviennent cultes dans les cours de récré.

Très rares sont ceux qui, au sein de la chaîne cryptée, savent exactement d'où vient ce gaillard doux et plein de grâce, aimable et réservé. La télé chic use de mille périphrases, de cent euphémismes et parle de « *blacks* » ou de « *jeunes issus de l'immigration* » pour désigner en bloc les Noirs et les Arabes sans trop chercher à en savoir davantage. Dans les couloirs, les dandys de Canal oublient souvent de leur dire bonjour, tout occupés à se contempler dans les miroirs ou, pour certains, à sniffer la coke venue de ces « quartiers » que, justement, ils ignorent. Qui interroge Omar sur sa cicatrice, à l'arrière de son crâne ? C'est un coup de marteau reçu au lycée. « *Une enfance à Trappes, c'est la meilleure chose qui puisse arriver à un enfant*, dit souvent Jamel. *Il attrape tous les anticorps, il est vacciné contre l'adversité.* »

« *Surtout, ne fais pas de vagues* », a recommandé monsieur Sy à son fils, lorsqu'il lui a annoncé qu'il avait trouvé un job à la télé : toujours ce souci de discrétion de la première génération d'immigrés, mais aussi de la culture peul. Monsieur Sy n'a jamais aimé les questions. Quand ses enfants en posaient, « *pourquoi ci ?* », « *pourquoi ça ?* », il répondait : « *Pourquoi pas ?* » « *Un vrai père Fouras* », s'amuse souvent Omar. Désormais, c'est lui pourtant qui interroge son fils chaque semaine : « *Ils t'ont signé ton*

CDI ? » Passer de l'autre côté de la lucarne semble si étrange à ce couple qui vit à trente kilomètres de la capitale, mais pourtant « *de l'autre côté du monde* », comme dit le copain de leur fils, Jamel.

« *Rachid Arhab sur France 2, Zinedine Zidane, capitaine de l'équipe de France, et nous. Tout est possible, frère* », rient les deux amis. À Canal, ils sont devenus bien plus que des animateurs : les symboles d'une politique. Quand André Rousselet a fondé la chaîne, en 1984, il croyait s'adresser à un public de cadres et de branchés. Foot, cinéma et porno du samedi soir en crypté, divertissement et promo en clair, c'était la recette de la chaîne. La première campagne de réabonnement a pourtant montré qu'elle touchait davantage « *les chauffeurs de taxi et les banlieues* ». Depuis, elle cherche à les fidéliser en dénichant des talents au-delà du périphérique. Jamel et Omar en font partie.

Le PSG, dont le groupe est devenu l'actionnaire majoritaire, fait de même. « *Il nous faut des joueurs de banlieue capables d'enthousiasmer un public jeune* », défend Pierre Lescure, à la fois patron de la chaîne à péage et du club de foot parisien. Dans son esprit, Anelka est l'homme idéal. Le jeune attaquant est une star dans les cités. Après sa formation à Clairefontaine, il a signé au PSG puis à Arsenal, le club anglais le plus en vue, où l'entraîneur Arsène Wenger a su tirer le meilleur parti de son coup de pied si précis. Pour 250 millions de francs, le Real Madrid l'a récupéré et ces billets qui valsent pour « se payer » un gosse des cités sidèrent Trappes et toute la banlieue.

À Madrid, où Lescure va le sonder, Anelka vit dans une superbe villa protégée par des vigiles. Une énorme play-station et un écran de télé géant trônent dans un des salons, où les baffles blastent du rap à fond. « *Une ambiance Scarface* », se dit le patron du PSG. Il sait déjà par Jamel que « Nico » veut rentrer en France. « *Ni-co, Ni-co !* » : à plusieurs reprises, le comédien est venu hurler dans les tribunes d'une rencontre, comme s'il rêvait que son copain de Trappes l'entende de la pelouse.

Quelques semaines plus tard, moyennant 218 millions de francs sur sept ans – un record en France – et 2,2 millions de salaire mensuel, Anelka revient au Paris Saint-Germain. Jamel et Omar à Canal, Anelka au PSG : à eux trois, ils incarnent « le plan banlieue » que le groupe espère plus performant que ceux qu'échouent à lancer les gouvernements successifs.

Les trois Trappistes nourrissent des rêves semblables, mais ils n'ont pas le même caractère. À chaque sortie en banlieue, les gardes du corps d'Anelka, des colosses sapés comme sur une pochette de rap américain, dressent entre lui et ses fans un véritable cordon sanitaire. C'est dans les journaux que l'on suit désormais ses exploits de joueur professionnel et ses sautes d'humeur dont la presse profite pour doper ses ventes. Omar et Jamel, eux, crèvent l'écran en prime time et, le soir, poussent la porte des boîtes de nuit qui leur étaient jusque-là fermées. Jamel fait entrer aux Bains-Douches une quinzaine de copains des Merisiers, ravis de passer devant le « physio » qui faisait naguère barrage aux « rebeus ».

De bonnes âmes se pressent pour remplir leurs coupes de champagne.

Le trio partage le sens de la famille, une marque de la banlieue et des cultures du Sud. Jamais on ne laisse quelqu'un avoir faim et, quand on réussit, on commence par acheter un lave-linge, une voiture, une maison à ses parents. Anelka embauche ainsi ses frères comme agents et conseillers. Chaque fois qu'un petit boulot de coursier, de chauffeur, de figurant se présente, Jamel appelle lui aussi ses copains en galère, et embauche ses frères et sœurs. Comme dit Omar Sy, « *on entr'ouvre la porte, et il y en a dix qui passent avec nous* ».

Désormais, Trappes tient ses gloires, et même son Beverly Hills : c'est ainsi qu'on appelle le quartier du Moulin-de-la-Galette depuis qu'Anelka est venu y parader au volant de sa Féfé, sa Ferrari rouge. Il s'est offert ce bolide qui le faisait rêver enfant, comme cette Porsche essayée chez Sonauto, le concessionnaire où travaillait le père d'Omar. Quant à Jamel, il lorgne la 456 de Guillaume Durand, qui orchestre chaque soir en direct avec son flegme so british *Nulle part ailleurs*.

Un matin, Durand propose – folle inconscience – de lui prêter sa Ferrari. Sait-il qu'un an plus tôt, Massadian a déjà laissé sa Jaguar XJS à Jamel pour aller « se la péter » sur la place du marché des Merisiers, commandant vitre baissée de sa voiture un « grec sauce blanche », faisant admirer l'intérieur « *cuir de porc* » ? A-t-il appris que, sur la route du retour, Jamel avait tapé la rambarde de sécurité et plié la Jag en deux ? Trois heures après avoir vu la « Féfé » dépasser à toute vitesse la porte d'Auteuil, le commissariat appelle Guillaume Durand : « *J'ai devant moi le jeune Debbouze Jamel qui prétend s'être fait voler votre voiture au McDo. Nous savons qu'il l'a cassée sur un dos-d'âne. Souhaitez-vous porter plainte ?* » Durand décline, et l'incident vient parfaire la légende du « kid ».

Le succès n'est jamais bien compris quand on vient des souterrains de la banlieue. « Nico » est épargné : il appartient à l'univers du foot, un monde où le luxe tapageur est toléré. Surtout, il ne s'évade guère de ce milieu fermé, réservant ses coups de gueule à ses entraîneurs. Par tempérament, Omar reste de son côté discret et modeste. En 1998, à vingt ans, il s'est marié avec Hélène, une jeune étudiante en orthophonie de Montigny, à côté de Trappes, et a quitté le square Auguste-Renoir.

Mais Jamel, c'est autre chose. « *Beur, handicapé, sans bagage scolaire, et il a réussi !* » s'émerveille Papy devant la gloire naissante de son protégé. En 1995, son tout premier spectacle, *C'est tout neuf, ça sort de l'œuf*, mettait en scène une série de personnages tout droit sortis des Merisiers. Bernard Hugo avait invité le public de Trappes à rire de ce vieux chibani joué par un Jamel en djellaba sur laquelle sa mère, Fatima, avait cousu un petit crocodile Lacoste, et qui tentait d'installer une parabole. Depuis la naissance d'Al Jazeera, plus personne dans les quartiers n'imagine s'en passer.

« *Bonsoir mesdames et mesdames !* » Maintenant qu'il joue devant des millions de téléspectateurs, l'humour du petit Debbouze plaît moins à ses anciens « potos ». Ne se moquerait-il pas un peu de la ville et de la « communauté » ? « *Ji cé pas ci quoi li rout' pir aller à li Tourne Ifel* » (Je ne connais pas la route pour me rendre à la Tour Eiffel). Les associatifs qui s'épuisent dans l'« alpha », les cours d'alphabétisation, pestent devant son personnage de blédard qui écorche la langue française comme la génération des « darons ».

« *J'ai vécu dans la misère ! Toi, t'as vécu dans la misère, t'y veux que toute la France, elle s'foute d'ma gueule !* » fait dire Jamel à son père Ahmed. Certains rient, d'autres pas. « *Tu te nourris de nous, tu te moques des pauvres, mais tu n'y vis plus !* » reprochent ses anciens voisins. On s'agace de le voir s'encanailler avec Gad Elmaleh, un juif de Casablanca qui raille aussi l'accent de « là-bas » ; on le jalouse d'embrasser la Miss Météo, de tutoyer Alain Chabat, Chantal Lauby et toute l'équipe des Nuls. Un soir, des petites frappes sont venues perturber ses répétitions : « *Nique ta race ! collabo de Français !* » Désormais, dans ses spectacles, il imite les envieux : « *Comment ça se fait que t'es rentré à Canal et pas moi ?* »

Le 1er février 2000, Jamel Debbouze donne à Trappes le coup d'envoi de la première grande tournée de sa carrière. Quelques années plus tôt, la ville lui avait refusé le théâtre de la Merise : « *Ce genre de spectacles ne correspond pas à notre politique culturelle.* » Cette fois, elle a offert à la star de Canal+ la grande salle de spectacle et le théâtre est plein – quatre cents personnes. Au premier rang, les parents de Jamel, mais aussi les profs de Courbet, le fidèle Bernard Hugo, les voisins du quartier, les copines, les copains.

Peu de temps après le lever de rideau, un chahut s'installe au fond de la salle. Des cris s'élèvent, des insultes fusent. Jamel réclame le silence. Soixante lascars bousculent les travées comme s'ils voulaient saboter le spectacle. La lumière se rallume, Jamel reprend, les cris aussi. Le show est finalement interrompu quelques minutes après avoir débuté. Pour réparer l'affront, le conseil municipal propose quelques jours plus tard de nommer le comédien « citoyen d'honneur de la ville ». Mais sur les trente-huit conseillers, seuls vingt-neuf votent pour, les autres contre, ou blanc. Jamel ne se déplace pas pour recevoir la récompense.

Les nuits de Paris seront plus tendres, espère-t-il. Ses premières représentations à l'Olympia, le temple des variétés de la capitale, à l'hiver 2000, ont été un succès. Pour le fêter, il organise une fête dans le saint des saints du rock parisien, le mythique Bataclan, qui affiche sur le boulevard Voltaire le nom de Jamel Debbouze en lettres lumineuses. « *Pas besoin d'invités, ceux qui ont une carte d'identité avec Trappes écrit dessus entreront illico !* » a imprudemment annoncé l'hôte de la soirée. À l'intérieur de la salle de concert, un décor à la Schéhérazade a été préparé : tapis orientaux, poufs en cuir et buffet marocain, et, pour la bande son, rap et musique raï mixés par DJ Abdel.

Jamel débarque au volant de sa Ferrari – la sienne, cette fois – et la gare pile devant le fronton que tant de ses idoles, comme NTM en 1996, ont fait briller avant lui. Dans la foule qui se presse sur le trottoir, il aperçoit les VIP, sa famille, les amis. On le porte en triomphe à l'intérieur. La suite, il l'aperçoit à travers la fumée des bombes lacrymos. Des dizaines de Trappistes, repoussés par les videurs, ont décidé d'entrer en force. Insultes, bagarres, la sécurité est débordée. Un petit groupe s'en prend à la Ferrari rutilante. Un parpaing et, paf !, la vitre arrière a sauté. Jet de canettes, coups de pied, les ailes sont défoncées à coups de barre de fer. Une misère…

« C'est l'histoire de trois potes, unis, respectables, stables
Qu'étaient moyens en classe et qu'habitaient tous trois en face
Du terrain de foot sur l'quel ils jouaient tous les jours
Ils s'débrouillaient pas trop mal, en fait ils voulaient tous dev'nir professionnels

(...) Ils étaient toujours là l'un pour l'autre, prêts à s'entraider
Car la vie était dure, la poisse rôdait tout près où ils traînaient. »

« Trois gars au ghetto », La Fouine.

13

« La synagogue a brûlé ! »

Quand il est arrivé à la synagogue, ce soir d'hiver 2000, Michel Mimouni n'a d'abord aperçu que des flammes. Elles enveloppent déjà jusqu'au toit de l'ancien pavillon qui sert de lieu de culte à la communauté juive de la ville, avenue des Yvelines, dans le quartier de la gare. L'incendie s'est déclaré vers 21 h 30. Il a pris dans les escaliers de la maison. De longues heures, le président de la communauté juive de Trappes n'a pu qu'observer, impuissant sous ses gros sourcils noirs et sa courte barbe grise, le feu dévorer son lieu de prière. Il a fallu attendre le petit matin, quand les tuiles jonchaient le sol et que la charpente du toit avait cessé de fumer, pour être certain que les pompiers étaient venus à bout de l'incendie.

Michel Isaac Mimouni est arrivé de Constantine au tout début des années 60, comme la majorité des quarante familles juives de Trappes. Bernard Pinhas, son grand-père, avait passé les premières années de la guerre à Paris, échappant à la rafle du Vel' d'Hiv' grâce à son passé dans l'armée française. Engagé volontaire en 1933, il a aussi été mobilisé en 1939. Sa famille raconte que grâce à cet uniforme, son étoile jaune est restée rangée dans son portefeuille durant toute la guerre, qui s'est passée pour lui sans tragédie avant qu'il ne parte en Algérie pour faire la guerre, en 1958.

La famille vit à Constantine quand, le 22 juin 1961, le beau-père d'Enrico Macias, celui qu'il appelait « Tonton », Cheikh Raymond, est assassiné en plein souk. Les chalands emplissaient leurs paniers pour préparer le shabbat lorsqu'il a reçu une balle dans la nuque, sous les yeux de sa fille. Une véritable psychose s'installe chez les pieds-noirs d'Algérie. Comme de nombreuses autres familles, les Mimouni débarquent à Marseille quelques semaines plus tard pour s'installer à Trappes, dans le quartier de la Garenne-Bréfaut.

Ils ont fini par trouver leur place dans cette commune si chaleureuse. La semaine, Michel tient la boucherie casher de Voisins-le-Bretonneux, où se rendent aussi bien juifs qu'Arabes. La petite communauté se retrouve à la synagogue ou pour écouter Enrico sur l'électrophone et les femmes ont la larme à l'œil quand il faut reprendre *Adieu mon pays*. Un soir, au creux des années 60, le chantre de leur exil vient même se produire à Trappes. « *J'ai quitté mon pays, j'ai quitté ma maison, ma vie ma triste vie se traîne sans raison...* » Cette fois, dans la salle de l'ancienne mairie, même les hommes sont en larmes.

À Trappes, les familles de juifs séfarades communient avec les Arabes dans la même nostalgie de l'Algérie. Au square Léo-Lagrange habitent les Ouaknine, une grande famille de juifs de Tlemcen. Leur fils Moshe est un copain d'Abdel Djiar, le fils d'une famille de musulmans de Fellaoucene, en Algérie aussi. Parfois, le père Djiar, ouvrier pour un sous-traitant de la SNCF, embarque avec monsieur Ouaknine jusqu'à la boucherie Mimouni pour acheter la viande casher dont les rites d'abattage sont les mêmes que pour le halal.

Pour la fin du ramadan, la grand-mère Mimouni offre des gâteaux ; les musulmans lui apportent du pain sans levain le dernier jour de *Pessah*, la pâque juive. Au square Léo-Lagrange, le jour où Moshe a fait sa bar-mitsva, les Ouaknine ont donné une fête d'enfer : tout l'immeuble invité à manger sur l'herbe, en bas. Jamais personne n'avait vu une telle abondance de gâteaux, un tel enchaînement de danses ! C'est devenu l'expression des jeunes dans les halls, au rez-de-chaussée, quand une fête s'annonce dans le square : « *On va faire la bar-mitsva ?* »

Michel, le fils du rabbin, a fini par prendre la tête de la petite communauté de la ville, celle des Ouaknine, des Zemmour, des Guedj, des Hadjeje. Mais depuis la guerre du Golfe, elle rétrécit. Les juifs ont commencé à prendre peur. « *À mort les juifs* », dit un tag à Léo-Lagrange. Les Ouaknine eux-mêmes, intouchables pourtant à Trappes tant ils sont connus, ont déménagé à la Villedieu, un quartier d'Élancourt. Les Zemmour, l'une des plus grandes familles de la ville, de celles qui s'installent à trois, quatre, cinq frères, avec femmes, oncles, enfants, cousins, se sont en allés en Israël. Dans les squares, où enflent volontiers les médisances, on déforme pourtant les raisons de leur départ : « *Les Zemmour ont eu une maison gratuite là-bas !* » assure la rumeur.

Les Mimouni, eux, n'ont pas bougé. Philippe, le fils de Michel, sait qu'il prendra la succession de son père à la tête de la « communauté » quand l'heure sera venue. Ce mardi 10 octobre 2000, il regarde avec intérêt et un brin d'inquiétude les informations sur le téléviseur de l'appartement familial, dont ses parents sont absents. Depuis deux semaines, les émeutes palestiniennes dans les territoires occupés font les premiers titres des JT. Huit jours auparavant, les images de la mort d'un petit Mohamed, pris avec son père dans un échange de tirs entre Palestiniens et Israéliens, et filmées par Charles Enderlin, le reporter de France 2, ont fait le tour du monde et déclenché dans les banlieues françaises manifs et échauffourées. Peu avant 22 heures, le téléphone résonne dans l'appartement. « *Il faut prévenir ton père ! La synagogue est en train de brûler !* » hurle un pompier.

Le rabbin de Trappes finit par accourir et parvient à sauver de la fournaise les rouleaux de la Torah qu'il tient un long moment serrés dans ses bras, muet, hébété. Pour lui, cet incendie ne peut être un accident. Deux jours plus tôt, il a appris la profanation du cimetière juif de la ville. À la synagogue, « *les dégâts sont très importants et l'origine criminelle ne fait aucun doute* », déclare d'ailleurs immédiatement le premier procureur adjoint du tribunal de grande instance de Versailles. Patrick Poivre d'Arvor confirme le lendemain au JT que « *des traces de produits inflammables ont été retrouvées* ».

C'est comme une sale épidémie qui court de ville en ville. Saccages, tags, depuis le début du mois d'octobre, la police recense chaque jour de nouveaux incidents antisémites. La synagogue des Ulis, dans l'Essonne, vient d'être victime d'une tentative d'incendie. Le même jour, deux cocktails Molotov ont été lancés à l'intérieur du lieu de culte. « *Retour des chambres à gaz ! Nique la police, la justice et les juifs* », lit-on sur les murs de Goussainville.

« *Vengeance Palestine, mort aux juifs* », est-il écrit sur ceux de Garges-lès-Gonesse.

Le jour où le cimetière de Trappes a été vandalisé, un cocktail Molotov a été lancé dans la synagogue de Clichy-sous-Bois, en Seine-Saint-Denis, en plein office. La veille, c'était contre l'école juive Chné-Or d'Aubervilliers ; l'avant-veille, les enfants de l'école Tenoudji de Saint-Ouen recevaient des pierres à la sortie des classes. Aux Ulis, dans l'Essonne, à Villepinte, les mêmes scènes se répètent. Sans compter les appels téléphoniques anonymes aux synagogues de Creil : « *On vous aura, on s'occupera de vous* », ou de Bondy : « *Mort aux juifs, mort à Israël.* »

Mais l'incendie de la synagogue de Trappes, c'est autre chose. Depuis la Libération, jamais un lieu de culte juif en France n'a été détruit par le feu. « *La première fois en Europe depuis la Nuit de Cristal* », soupire même le rabbin Mimouni. À l'Élysée, Jacques Chirac insiste sur la portée de l'acte malveillant. « *Le président de la République condamne ces manifestations d'intolérance inacceptables dans notre démocratie. Elles mettent en cause de façon inadmissible les valeurs et les traditions de la République française* », déclare sa porte-parole Catherine Colonna.

Place Beauvau, le socialiste Daniel Vaillant a remplacé à la fin de l'été Jean-Pierre Chevènement au ministère de l'Intérieur. Vieil éléphant du PS, Vaillant n'appréhende pas l'acte criminel commis à Trappes avec la même gravité que Jacques Chirac. Le phénomène ne se contente pas de le surprendre : il le plonge dans l'embarras, et tous les socialistes avec lui.

La gauche n'a connu jusqu'à présent que des profanations antisémites venues de l'extrême droite, autant dire faciles à condamner. Rien à voir, cette fois, ont expliqué les enquêteurs au ministre. La vague qui touche le pays depuis deux semaines coïncide avec la diffusion, dans les journaux télévisés, des images de cette « deuxième Intifada » qui, depuis le 28 octobre, a fait plus de cent morts côté palestinien et vingt côté israélien. Elle concerne les villes françaises de forte immigration et il faudrait être aveugle pour ne pas faire le lien.

Pour les socialistes, les banlieues demeurent à cette époque de vastes réservoirs de voix. Vaillant insiste pour ne pas « *jeter de l'huile sur le feu* » ni « *importer le conflit en France* ». Pas davantage que Jacques Chirac, il ne prononce le mot d'antisémitisme, mais lui reste bien en deçà de la condamnation présidentielle. L'incendie de la synagogue de Trappes est surtout « *l'œuvre de jeunes désœuvrés* », commente Daniel Vaillant. Clairement, le ministre minimise.

Une semaine s'est écoulée depuis le drame et les journalistes ont tous quitté Trappes, quand, dans le silence d'un petit matin, square George-Sand, la porte de l'appartement des Mouhid explose. Les grands frères et sœurs ont quitté l'appartement, certains avant leur père. Fatima vit seule avec « Fouiny baby » et son jeune frère. Cachés sous leur cagoule noire, les hommes armés la plaquent avec ses deux fils à terre, leur maintenant les mains dans le dos. La Fouine, dix-huit ans, est embarqué devant sa mère affolée au 19, avenue de Paris à Versailles, le siège de la police du département.

« *Tu traînais bien avenue des Yvelines, le soir de l'incendie ?* » interrogent les policiers. Oui, La Fouine traînait avenue des Yvelines le 10 octobre 2000, mais jure qu'il n'a « *rien à voir là-dedans. Je suis même pas musulman pratiquant. Je suis un délinquant, je suis pas un fou* », insiste le prévenu. « *Tu vas en prendre pour quinze ans. On sait que c'est toi* », le brusquent les enquêteurs. Le voilà mis en examen pour « *dégradation de bien privé par substance incendiaire* » avec sept autres gamins de Trappes. Devant la presse, le procureur de Versailles se félicite de cette « *enquête couronnée de succès* ».

Quelques jours plus tard, pourtant, les gamins sont libérés. Seul Laouni Mouhid est transféré à la prison de Nanterre, celle des gros dealers et des caïds du coin, avec le traitement réservé aux terroristes. Rien à voir avec ses précédents séjours à Bois-d'Arcy : cette fois, La Fouine est placé deux mois durant à l'isolement total, sans promenade, sans vêtements, sans cigarettes ni parloir, « *comme si j'étais Ben Laden* », dit-il.

Bien sûr, il a son idée sur l'affaire. Le lendemain de l'incendie, des « petits » de son quartier se sont vantés devant lui de leur forfait. Il les a vus rôder le soir du drame et ils sont venus lui parler Intifada et « *cause palestinienne* ». Sur les planches de photos que lui a présentées la police lors de sa garde à vue, La Fouine les a reconnus, mais s'est tu. Pour lui, ce ne sont que des pantins. Les responsables sont ailleurs.

La vérité sur l'affaire de la synagogue, La Fouine l'a gardée pour un livre publié quinze ans plus tard sans que personne y prête vraiment attention. « *Et si je les balançais ceux-là, puisqu'ils tiennent tant à jouer les héros ?* » s'était parfois demandé le rappeur au fond de son mitard, avant de renoncer. En 2015, dans *Drôle de parcours*, il révèle que les jeunes incendiaires s'étaient « *laissé monter la tête par des islamistes en carton* », écrit La Fouine.

Des religieux « *bien lâches* » qui souvent « *restaient parler avec eux* », le soir, leur avaient « *bourré le cerveau* ».

Même au mitard, il ne les dénonce pas. Mais un beau jour de mars 2002, à deux mois de la présidentielle, un rebondissement inattendu vient lui sauver la mise. Le procureur de la République de Versailles, Yves Colleu, indique qu'au vu des investigations menées par la Sûreté départementale des Yvelines, l'incendie survenu deux ans plus tôt « *semble avoir été causé par le geste d'un agent de la société HLM, propriétaire du local, qui, sous l'emprise d'un état alcoolique caractérisé, y a jeté son mégot allumé* ». En clair, une maladresse de gardien. La Fouine est libre, mais l'étrange communiqué du magistrat glace la communauté juive de la ville.

Une cigarette mal éteinte ! Une maladresse de gardien ! Pas d'« acte antisémite », donc ? Les journaux expliquent qu'il faut retirer « l'accident » de la synagogue de Trappes de la liste des actes « antifeujs » commis en 2000 et publiée dans leurs pages. Michel Mimouni est consterné. Un an et demi plus tôt, la direction régionale de la PJ de Versailles, alors chargée de l'enquête, affirmait que « *l'origine criminelle de l'incendie ne faisait pas de doute* », et à présent « *on parle d'un gardien distrait que d'ailleurs personne n'a jamais vu* » ? C'est à n'y rien comprendre.

« *Je ne suis pas d'accord. Ce n'est pas un mégot de cigarette qui a pu faire brûler tout un établissement !* » proteste publiquement le rabbin Mimouni. « *Mal nommer les choses, c'est ajouter au malheur du monde* », soupire son fils Philippe en citant Camus, l'écrivain préféré des Français d'Algérie. Depuis l'arrivée au pouvoir en Israël du Likoud, le judaïsme français est devenu sioniste. Une nouvelle génération refuse de « baisser la tête », contrairement à celle de ses parents. Le fils de rabbin choisit de s'envoler pour Israël, où il a déjà vécu un temps dans un kibboutz.

Une à une, les autres familles juives de Trappes quittent à leur tour la ville pour s'installer dans des communes plus accueillantes. Une partie trouve refuge à Montigny, l'autre à Maurepas dont la synagogue recueille, outre ces nouveaux fidèles, une partie des parchemins de la parole sacrée arrachés à l'incendie « accidentel ». Le boucher est parti, monsieur Ben Yedder, le boulanger, aussi. À Trappes, désormais, il ne reste plus aucun juif ou presque.

« J'ai quitté mon pays
J'ai quitté ma maison
Ma vie ma triste vie
Se traîne sans raison

J'ai quitté mon soleil
J'ai quitté ma mer bleue
Leurs souvenirs se réveillent
Bien après mon adieu

Soleil ! soleil de mon pays perdu
Des villes blanches que j'aimais
Des filles que j'ai jadis connues. »

« J'ai quitté mon pays », Enrico Macias.

14

Frères musulmans

Personne, dans la ville, ne se souvient d'avoir vu arriver Jaouad Alkhaliki. Les vieux religieux de l'Union des musulmans de Trappes, l'UMT, phosphoraient depuis des mois sans succès sur un projet de mosquée, et c'est comme si cet homme à la barbe bien taillée, si élégant avec sa chemise immaculée et sa cravate de cadre, avait toujours eu le dossier en main. C'est du moins l'impression qu'ils ont eue en le voyant donner des cours d'arabe, en 1998, puis très vite, auréolé de son doctorat d'informatique, diriger leurs réunions de sa voix douce et autoritaire.

« *Hou là là, il fait de la politique !* » glissent sur son passage les prédicateurs du Tabligh, premiers religieux installés dans la ville. Leur mouvement s'est toujours tenu à l'écart des débats nationaux et n'a jamais eu aucune velléité d'action publique. Alkhaliki, lui, n'a pas peur de la « *politique* », ce mot interdit aux immigrés auxquels la gauche promet depuis bientôt vingt ans le droit de vote aux élections municipales. Cela ajoute au crédit du nouveau venu et aussi à son mystère. Jaouad se garde bien, d'ailleurs, de lever le voile de secret qui le nimbe.

Né à Fès, au Maroc, à la fin des années 60, il a vaguement expliqué aux sages de la mosquée son parcours d'étudiant à l'université Louis-Pasteur de Strasbourg où, raconte-t-il, il a suivi des cours de théologie musulmane auprès de savants – il dit des « oulémas » – installés en Alsace. Lorsque des jeunes filles se sont retrouvées exclues pour avoir porté un voile au lycée malgré l'interdiction posée par la circulaire Bayrou, en 1994, c'est lui, Jaouad Alkhaliki, qui a organisé leur scolarité par correspondance en les inscrivant au CNED et en réclamant qu'on leur aménage des salles de cours dans les mosquées alsaciennes.

Parfois, il fait allusion à des « *voyages* » à l'étranger pour « *parfaire* » son « *éducation* », sans qu'on sache s'il a mis les pieds en Égypte ou au Qatar : à Trappes, la rumeur assure que l'émir y offre des bourses d'études aux jeunes des banlieues françaises. Mais c'est le récit de sa collaboration à Strasbourg avec Abdellah Boussouf, un temps proche de la branche syrienne des Frères musulmans pour un projet de mosquée au cœur de la capitale alsacienne, qui a fait froncer le nez des plus vieux. La confrérie fait peur, avec sa manie du secret et son goût pour la subversion des pouvoirs en place. « *Je ne fais partie d'aucun mouvement* », dément pourtant Jaouad.

« *Pourquoi s'est-il installé à Trappes ?* » interrogent les plus méfiants. « *Pour mon travail !* » répond l'ingénieur en informatique, qui prend chaque matin le train pour la Défense, où il est employé chez IBM comme « *architecte en système d'informations* ». En vérité, le Strasbourgeois n'est pas arrivé à Trappes tout à fait par hasard. Un temps installé au Chesnay, puis à Plaisir, il a fini par rejoindre la ville communiste et ses squares. « *Le bassin de Saint-Quentin compte quelque 25 000 musulmans. Environ 30 %*

d'entre eux vivent à Trappes », explique-t-il volontiers, les mains dans les poches de son costume. 7 500 musulmans sur une population de 30 000 habitants, voilà qui permet d'imposer un rapport de force. « *Une masse critique* », dit parfois Jaouad en bon scientifique.

Bien avant d'emménager dans la ville, en octobre 1999, il a évoqué sa théorie devant Slimane Bousanna, un jeune homme qui, quelques années plus tôt, avec d'autres garçons de son âge, a repris aux plus âgés la direction de l'Union des musulmans de Trappes. Un petit événement, en réalité. Depuis qu'en 1974 un local à vélos a été transformé en salle de prière au 8, square de la Commune, avant de déborder sur les appartements, la communauté musulmane a toujours été dominée par des tablighis. Aucun n'était né en France, et son premier imam ne parlait pas français. Slimane, qui n'est pas affilié au mouvement quiétiste, est le premier musulman engagé à leurs côtés à être à la fois né en France et parfaitement francophone.

Bousanna est ingénieur lui aussi. C'est un homme élancé et plein de prestance, intelligent et vif, diplômé de l'école centrale de Lille. Les tablighis l'ont accueilli avec ce même « *ouh là là, il fait de la politique !* » qu'Alkhaliki. Lorsqu'il était étudiant à Lille, il s'est rapproché d'Amar Lasfar, un des leaders de l'UOIF, proche lui aussi des Frères musulmans. Comme Alkhaliki, il se défend d'appartenir à la confrérie, même s'il porte des costumes élégants et le même collier de barbe bien taillé que Tariq Ramadan, le petit-fils d'Hassan el-Banna, le fondateur des Frères, dont les cassettes se vendent très bien en France et qui remplit les salles des rassemblements annuels de l'UOIF, au Bourget. À Lille, Lasfar a pris lui aussi la défense des lycéennes voilées exclues de leurs établissements et a fini par créer le premier lycée musulman de France. Slimane Bousanna songe à faire de même à Trappes.

Au fil des années, il en est venu à ne plus supporter les manières paternalistes des communistes de la ville. Il a gardé pour lui ses souvenirs du lycée de la Plaine-de-Neauphle, lorsqu'il était le seul élève d'origine marocaine de sa terminale scientifique. Sa prof de maths lui avait consacré du temps et conseillé une prépa scientifique, ces classes des lycées publics qui permettent de se présenter aux meilleurs concours mais dont les parents immigrés ignorent l'existence. Mais Bousanna est fatigué de tous ces discours qui vantent la France black-blanc-beur à condition que les fils d'immigrés ne revendiquent pas trop bruyamment leur religion.

C'est humiliant, cette foule qui déborde désormais les trottoirs, chaque vendredi, autour de la mosquée de la Commune. « *Ça ne gênera personne* », avait dit Bernard Hugo en donnant à la communauté musulmane la jouissance d'une série de nouveaux appartements collés au local à vélos. Le maire n'a pas compris qu'avec le regroupement familial, l'affluence des fidèles irait croissant ; pas anticipé non plus le retour du religieux, qui marque le début de ce XXIe siècle. Les musulmans ont transformé le rez-de-chaussée du hall 4 en école, celui du 5 en salle de prière étendue au rez-de-chaussée du 15, du 16, puis au premier étage du 14. Mais comme souvent dans les banlieues, les élus détruisent les grands ensembles et oublient les salles de prière au moment de reconstruire.

Depuis que le maire a renoncé à son mandat, en 1996, son successeur, Jacques Monquaut, un autre communiste, a plus de mal à gérer la situation. Ancien directeur de cabinet de Bernard Hugo, bon technicien, il connaît parfaitement les dossiers mais hésite à trancher. Son prédécesseur l'a emmené à plusieurs reprises dans ces porte-à-porte où lui-même excelle à serrer les mains et régler mille tracasseries quotidiennes, mais le résultat s'est révélé désastreux : Monquaut est si timide qu'il se montre très vite cassant. Face à ces fidèles en gandoura menés par un Bousanna portant beau, le militant « rouge » n'a jamais trop su comment se comporter.

Une photo d'ouvriers âgés priant sous la pluie sur des tapis détrempés, parue dans la presse locale, a ému les lecteurs de Trappes. Les négociations ont été engagées pour trouver un terrain, une première proposition a été trouvée à La Verrière, une autre à Saint-Quentin, cinq ou six kilomètres impossibles à parcourir à pied : aucune n'a abouti. La colère gronde et la mairie n'a pas trouvé d'autre solution que de mettre à disposition des musulmans pratiquants la salle polyvalente Jean-Baptiste-Clément, au coin du square de la Commune, une fois par semaine. Elle aimerait s'en tenir là.

C'est déjà bien assez, pense tout bas le nouveau maire communiste, que les restaurants scolaires ne servent plus de porc… « *Les musulmans disposent de plus de 300 mètres carrés de locaux spécifiques où ils organisent leur culte,* fait-il valoir. *Si je crois nécessaire de poursuivre la réflexion dans ce domaine, je suis convaincu que celle-ci doit viser le moyen terme et non l'instant immédiat.* » Derrière ses mots de bureaucrate se cache une gêne politique. Vingt fois, Monquaut a demandé au siège du Parti ce qu'il convenait de répondre aux quelques milliers de musulmans de sa ville. Place du Colonel-Fabien, on élude toujours. Divisé entre les laïcs militants et ceux qui comptent sur le vote à gauche des immigrés, le Parti ne parvient pas à fixer sa ligne.

En prenant le secrétariat général de l'UMT, Slimane Bousanna a donné un nouveau souffle à l'association musulmane. Jusqu'ici, les anciens utilisaient les jeunes comme petites mains pour écrire une lettre ou aider l'imam dans ses activités. Avec des trentenaires comme lui, l'ingénieur a modernisé les cours d'arabe où les enfants ânonnaient des sourates sans les comprendre, et réclamé un nouvel appartement square de la Commune pour une salle de prière, réservée, cette fois, aux femmes.

Il organise aussi des excursions en car au parc de loisirs de Saint-Quentin afin de sortir les enfants du « *cocon* » de Trappes, comme il dit. Surtout, il a substitué, comme Tariq Ramadan dans toute la France, des revendications religieuses aux aspirations sociales et politiques de la première génération d'immigrés et relancé à Trappes le projet de mosquée qui traîne depuis dix ans sans jamais aboutir. Ce dynamisme n'a pas échappé à Jaouad.

Alkhaliki a noté qu'à Strasbourg, malgré l'accord donné en 1992 par sa maire Catherine Trautmann, la construction de la Grande Mosquée n'est toujours pas entamée. La droite qui a succédé à la maire socialiste rechigne à entamer les travaux. Il est convaincu qu'à Trappes, les choses peuvent aller plus vite, grâce à ses talents de négociateur, son sens de la stratégie politique aussi. Slimane hésite à prendre le pouvoir mais veut bien faire équipe avec lui. Jaouad sait si bien y faire qu'en juin 2000, dix mois pile avant l'élection municipale, il devient le président de l'UMT.

« *Si chacun donne dix euros par mois, cela peut faire... On est combien de musulmans ?* » Les deux trentenaires passent leur temps sur leurs calculettes à mesurer la taille de leur « *communauté* », comme ils disent et comme tout le monde dit maintenant à Trappes. Ils ont inauguré un système de cotisation par prélèvement automatique et à chaque réunion ils comptent et re-comptent combien de musulmans, combien de familles, combien de fidèles à la prière... Ils sont aussi à l'aise avec les appels aux dons qu'avec les montages financiers. Impressionnés par leurs diplômes et ce talent à faire émerger chez les croyants solidarité et sentiment communautaire, les plus jeunes les surnomment les « *mathématiciens* ».

Contrairement aux anciens, eux savent répondre à un appel d'offre, naviguer dans les méandres de l'administration et jongler avec ses acronymes, Pos, Cada, Savn. Ils ont créé une commission chargée des négociations politiques avec les élus et une équipe de « communication et relations avec les médias ». Mails, rendez-vous... Avec son portable dernier cri vissé à l'oreille et son ordinateur de poche, Jaouad a donné un tour professionnel aux rapports entre l'UMT et les journalistes, dont il se charge personnellement. Et même si la direction est collégiale, c'est lui qui capte la lumière.

Un jeune sociologue, Thomas Deltombe, s'attelle justement à une étude sur « le religieux dans les villes nouvelles ». Le sujet le passionne et il a fini par passer l'essentiel de ses journées à Trappes : avec le projet de construction de la mosquée, il tient un sujet en or. « *Les responsables de l'UMT gèrent l'association d'une façon que l'on pourrait qualifier d'entrepreunariale* », relève-t-il dans ses premières conclusions. Jaouad Alkhaliki lui a détaillé sans détour théorie et plan d'attaque : « *À Trappes, il y a, comme on dit en physique nucléaire, la masse critique de musulmans qui peuvent au moins faire réfléchir les politiques si ce n'est les faire plier.* »

L'époque est aux théories de Pierre Bourdieu, en sociologie et dans le journalisme, et le jeune homme est obsédé par le traitement souvent méfiant, caricatural ou condescendant que les grands médias réservent aux musulmans. Il en fera d'ailleurs plus tard un livre, *L'Islam imaginaire*, consacré à « *la construction médiatique de l'islamophobie en France* ». En attendant, il observe de près et avec une curiosité bienveillante ce petit groupe de jeunes fidèles entreprenants qui maîtrise les codes de la politique et semble si déterminé.

Il s'est promené sur la page d'accueil du site Internet de l'UMT et a été frappé par la présentation du projet. « L'attractivité économique » de la ville nouvelle, le choix de CISQY, acronyme de Centre islamique de Saint-Quentin-en-Yvelines, tout cela respire la com'. « *L'association a fait appel à un groupe de professionnels du marketing pour réussir à vendre le projet aux financeurs potentiels* », écrit-il. Avec ses costumes sur lesquels il jette, l'hiver, une parka couleur sable, Jaouad Alkhaliki a aussi adopté les réflexes des ministres ou des patrons : « *On ne communique pas là-dessus* », explique-t-il parfois au sociologue. Le nouveau président de l'UMT affiche un souci de transparence mais interdit, par exemple, qu'on interviewe les fidèles.

Les jeunes musulmans de l'UMT sont bluffés par son aisance et sa modernité. Après leurs pères souvent analphabètes, après les tablighis aux grands sourires un brin mystiques, le duo francophone qui s'est installé à leur tête offre la promesse d'une reconnaissance et d'une forme de fierté rafraîchissante. Comme ses « frères », John Ibrahim, le Franco-Américain converti qui prie à la Commune, est d'ailleurs emballé. Les disciples du Tabligh ont été les premiers à tenter de développer les lieux de culte en France.

Quand la plupart des fidèles, souvent smicards, osent à peine évoquer le coût du futur lieu de culte, Alkhaliki jongle avec aisance avec les millions, bousculant les plus âgés qui craignent de s'endetter. Il évoque aussi sans manières des sujets qui font rougir même d'anciens délinquants devenus pieux. Lors de la présentation de son projet d'école au sein de la mosquée, il a osé évoquer des classes pour filles : « *Laissez-les s'éduquer et sortir de la maison ! Vous voulez que vos femmes soient examinées par des gynécologues femmes, alors laissez les filles devenir gynécos !* » Au fond de la salle, quelques grognements ont accueilli l'audace de sa harangue.

« Trappes, c'est très particulier parce que c'est politique, politique, politique... C'est un cas par-ti-cu-lier. Particulier au jour d'aujourd'hui. Demain, ça ne sera que comme ça. (...)

Voilà, tant qu'il n'y a pas la masse critique, ça ne fonctionne pas. Dans une ville, par exemple, comme Montpellier que je connais un peu maintenant, où les musulmans sont saupoudrés – ils sont pourtant 40 000, c'est énorme, mais sur une ville de 250 000 habitants, ils sont saupoudrés –, Georges Frêche, le maire, il fait ce qu'il veut avec les musulmans. Alors que là, à Trappes, il y a la masse critique. Il suffit de trouver un leader, de bien orienter tout le monde, de les mettre ensemble et ainsi de suite. Et puis voilà. Terminé. »

Entretien de Jaouad Alkhaliki avec Thomas Deltombe, sociologue, pour son étude menée à Trappes entre septembre 2002 et mars 2003.

15

Le pacte du maire

En entendant le mot gynécologie, une bande de religieux rigoristes est sortie de la salle. C'est un groupe de salafistes qui conteste la nouvelle direction de la mosquée. Les « *innovateurs* », c'est ainsi qu'ils surnomment les tablighis mais aussi les ingénieurs Alkhaliki et Bousanna. « Innovateurs », le terme reste aimable. Le plus souvent, ils préfèrent « *kouffars* », l'insulte réservée aux non-musulmans ou à ceux dont ils jugent la pratique trop relâchée.

À l'intérieur de la petite mosquée de la Commune, les incidents opposent de plus en plus vivement les « politiques » de l'UMT et ces jeunes « barbus » qui ne leur reconnaissent aucune légitimité. Plusieurs fois, le ton est monté si haut qu'il a fallu sortir pour éviter d'en venir aux mains dans la salle de prière. « *J'ai envie de casser les bouteilles de vin et de renverser les barbecues où grille cette viande de mécréants* », crache un jour l'un d'eux en apercevant les familles piqueniquer à l'étang de Saint-Quentin. La Palestine, ce territoire cher à la plupart des musulmans de Trappes, est pour eux impie. Quant aux juifs, qui ont refusé l'enseignement du Prophète, ils restent des ennemis. Et dire que l'Union des musulmans de Trappes s'efforce de soigner sa communication...

L'association qui fédère les musulmans d'Afrique subsaharienne est la plus rétive aux nouvelles règles que veulent imposer les disciples du wahhabisme. Elle a constaté qu'elle ne compte qu'un représentant sur douze à la direction de l'UMT : tous les autres sont des Algériens et des Marocains. Si, en plus, des garçons se référant à l'Arabie saoudite s'avisent de traiter leurs enfants de *kouffars* parce qu'ils ont bu du Coca-Cola, la situation est intenable. Tout occupé qu'il est à tenter de tenir les salafistes à distance et à poursuivre son objectif, trouver le terrain nécessaire à la construction de la mosquée, Alkhaliki les laisse s'éloigner.

Dans son vaste bureau du nouvel hôtel de ville, un bâtiment monumental et un brin stalinien posé au bord de la Nationale, à quelques centaines de mètres de là, le communiste Jacques Monquaut ne comprend pas immédiatement ce qui se trame. Il n'a pas saisi que le nouveau tandem ultra politique qui a pris la tête de l'UMT cherche de nouveaux interlocuteurs pour parvenir à construire la mosquée. Dans son dos, les deux hommes s'agitent et préparent ce que, sur un champ de bataille, on appellerait une manœuvre de contournement.

Depuis 1995, un rival s'est installé au sein du conseil municipal. Venu de la vallée de Chevreuse, où il habite, Guy Malandain rêve, à soixante-trois ans, de conquérir la mairie. Député socialiste des Yvelines depuis la vague rose de 1981, il est resté adjoint au maire d'Élancourt plus de dix ans avant d'entrer en 1995 au conseil municipal de

Trappes. Dans sa vie politique, Malandain a observé de près François Mitterrand. Déjà candidat contre Bernard Hugo, cet adjoint à l'urbanisme entend bien parvenir à ses fins et donner le coup de grâce aux communistes lors des prochaines municipales, en mars 2001.

Malandain est un ultra-républicain qui a d'abord tâté brièvement de la SFIO au début des années 60, lorsque la vieille formation, écrasée par la vague gaulliste, était en pleine déconfiture. Puis il a fait un bout de chemin avec Gaston Defferre, avant d'entrer à la Convention des institutions républicaines en 1965 et de participer à la construction du nouveau PS d'Épinay en 1971. Il a rejoint alors le Ceres, le courant de Jean-Pierre Chevènement. Autant dire qu'il a participé à toute l'épopée socialiste française, et il s'agace souvent de voir le PS de plus en plus flou sur ses fondamentaux.

Rien ne l'exaspère davantage que les revendications religieuses et cultuelles. Il a visiblement souffert, dans son enfance rouennaise, du poids du catholicisme, et depuis il répète : « *Si Dieu existait, le monde serait meilleur qu'aujourd'hui.* » Mais Guy Malandain a compris que Jacques Monquaut s'y prend de façon maladroite avec les musulmans de Trappes et qu'il a une carte à jouer. Pour discuter du terrain à céder et du projet architectural de la mosquée, le maire a en effet convié des représentants d'associations laïques, des militants de la cellule Hô Chi Minh du Parti communiste, qui compte des musulmans, des associations d'immigrés, mais aussi… le prêtre Philippe Mallet – bref, tout un aréopage destiné à diluer les dirigeants de l'UMT. « *Enfin, est-ce que vous appelleriez des musulmans pour construire une synagogue ?* » s'exaspèrent d'ailleurs ces derniers.

Karim Chacal, un proche de Malandain, s'est chargé de faire les présentations avec Alkhaliki et Bousanna et le futur candidat du PS, élu au sein du syndicat d'agglomération de la ville nouvelle, mène les débats avec l'UMT comme s'il avait le pouvoir de tout décider. Le maire communiste avait évoqué en traînant des pieds un terrain de 3 500 mètres carrés. Avec son adjoint et rival socialiste, le projet est soudain passé à 5 500 mètres carrés : deux salles de prière, l'une pour accueillir 2 400 hommes, l'autre pour les femmes, un espace informatique, une bibliothèque et une librairie spécialisée, le projet se révèle pharaonique. Jaouad Alkhaliki a aussi fait ajouter une médiathèque, une salle de conférences et une autre de sport.

Sur les plans, on trouve également 1 400 mètres carrés consacrés à la création d'une école pour 600 élèves, avec douze salles de classe, une cour de récréation, un préau et une salle des profs. Des passages couverts et transparents sont prévus pour relier les trois pôles, cultuel, culturel et éducatif, ainsi que deux étages de parkings. Question plans d'urbanisme, Guy Malandain s'y connaît mieux que personne : ingénieur du génie civil, c'est lui, il en est fier, qui a jadis dessiné les plans des échangeurs du tunnel du Châtelet, à Paris. Avec Alkhaliki et Bousanna, il est parfaitement à son affaire. Ne reste plus qu'à faire signer le maire en place.

Ça traîne, ça traîne… L'adjoint communiste aux cultes, Claude Fressonnet, un kinésithérapeute qui connaît bien la ville, a vu lui aussi monter l'exaspération d'une partie de la population musulmane face aux atermoiements du maire. Il a fini par comprendre que les dirigeants de l'UMT avaient entamé des discussions parallèles. À plusieurs reprises, il a alerté Jacques Monquaut ; mais l'édile attend toujours des instructions du Parti communiste, qui n'arrivent pas.

La question se pose, pourtant, dans la plupart des villes françaises. De quelque 150 lieux de prière pour les musulmans en 1976, on est passé à 1 500, dix fois plus, en 2001, mais le nombre de mosquées reste insuffisant. Lors de la Marche des beurs, quinze ans auparavant, les enfants d'immigrés se mobilisaient pour obtenir une carte de séjour de dix ans et le droit de vote aux municipales. Ils protestaient contre les brutalités policières. Mais ces militants d'autrefois, relégués dans des cités sans espoir de promotion, ont perdu leurs illusions. Ce qui fédère désormais les musulmans, c'est presque toujours la construction d'une mosquée et les élus accèdent plus volontiers à cette revendication qu'aux aspirations sociales d'antan.

Alkhaliki se félicite de son installation à Trappes : dans cet îlot niché au cœur des Yvelines, sa capacité d'action est bien plus grande qu'à Strasbourg, trop en vue pour ne pas susciter les polémiques. Entre les plus âgés de l'Union des musulmans de Trappes qui ne veulent « *pas se mêler de politique* » et les salafistes, hostiles à toute collaboration avec les institutions républicaines, il a trouvé la juste stratégie. Un jour, un jeune homme a brandi devant lui sa carte d'électeur : « *Notre vraie force, c'est ça !* » Jaouad a répondu : « *On ne va pas faire de politique, mais on va leur montrer qu'on pourrait en faire.* »

« *Combien avons-nous de musulmans qui votent ?* » demandent les « mathématiciens ». Une conférence de presse est organisée, où l'on annonce un convoyage pour amener des centaines de musulmans s'inscrire sur les listes électorales. Le jour dit, pour que le message soit bien compris, Slimane, Jaouad et le vieux Hajj Moulay, le doyen tabligh naguère recruté par le sergent Mora, sont là, en djellaba. La queue est si longue qu'elle serpente sur la place devant l'hôtel de ville. « *Ma mosquée va craquer, Monquaut va sauter !* » crie la foule sous la fenêtre de monsieur le maire.

Après la manif, « *460* » nouveaux musulmans se sont inscrits sur les listes électorales, a recensé le jeune duo à la tête de l'UMT. Quelques mois plus tard, le maire communiste est battu de 238 voix. L'association des musulmans d'Afrique noire avait appelé à voter pour lui, mais cela n'a pas suffi à contrebalancer l'appel de l'UMT en faveur de Malandain. Les musulmans de Trappes ont donné le coup d'épaule nécessaire. Sur sa liste, le candidat socialiste victorieux a placé en deuxième position la mère de la jeune Sophia Aram, l'élève de Papy, qui rêvait de devenir journaliste. Khadija Aram préside une association pour les femmes immigrées, et sera bientôt chargée des relations avec les cultes à la mairie de Trappes.

Le permis de construire pour la mosquée est signé en juin 2001, au lendemain des élections municipales. Les plans prévoient qu'elle sera érigée sur un terrain acheté à la mairie juste derrière le lycée. Jaouad commence déjà à rêver de moucharabieh en bois marocain et des mêmes rosaces qu'au plafond de la mosquée d'Évry, la plus grande de la région et la plus vaste de toute l'Europe occidentale.

Les communistes, eux, sont sonnés. La ville qu'ils dirigeaient depuis la guerre n'est plus la leur. Au Parti qui s'interroge sur le succès de Guy Malandain, Jacques Monquaut explique tout simplement : « *Il a échangé la mairie contre une mosquée.* »

« Les Frères musulmans s'emploient depuis le début des années 80, sur le vieux continent, à acquérir divers "territoires" privés pour inscrire, dans la durée, leur récit islamiste comme élément du récit national de chaque pays d'Europe. Cette opération s'appelle le "Tawtine". Elle est exécutée par la construction de mosquées-cathédrales, des acquisitions immobilières diverses et variées, la construction d'établissements scolaires privés, etc. »

Mohamed Louizi (ex-membre de la confrérie,
ex-président des Étudiants musulmans de France),
Pourquoi j'ai quitté les Frères musulmans, Michalon.

16

Le blues des profs

La mairie n'est pas la seule à connaître des mini-révolutions. Voilà plusieurs semaines que Marie-Laure Ségal rumine avec angoisse son échange récent avec une élève. Ce n'est pas son genre, pourtant. En trente ans d'enseignement, elle en a connu des classes difficiles, des élèves paumés, des bacs ratés, des miracles, aussi. Chaque année, des jeunes gens dont les parents sont parfois analphabètes accrochent à sa lecture des *Essais* de Montaigne et elle n'a jamais perdu l'espoir de transmettre un peu de réflexion critique aux adolescents qui défilent devant elle, génération après génération. Mais elle ne parvient pas à chasser de son esprit ce cours de philo donné juste avant les vacances de la Toussaint.

« *Religion et savoir* », c'était l'intitulé d'un des thèmes inscrits au programme officiel de terminale. Rien que de très classique. La raison s'oppose-t-elle à la foi ? Comment la science s'est-elle construite contre la croyance ? Elle se revoit ouvrant son cours par Platon, puis expliquant qu'au début du XVIIe siècle, le savant italien Galilée avait conclu ses travaux par cette petite bombe : la Terre n'est pas au centre de l'univers et tourne autour du Soleil.

Depuis 1979 qu'elle enseigne la philosophie au lycée de la Plaine-de-Neauphle, au cœur du quartier des Merisiers, Marie-Laure Ségal a raconté plusieurs fois le branle-bas de combat qui avait alors agité l'Église catholique. C'est un cours qui habituellement « fonctionne bien », comme disent les profs. La voilà donc qui retrace la condamnation de l'astronome déclaré hérétique pour « *avoir tenu et cru la doctrine fausse et contraire aux Saintes Écritures* ». Elle raconte l'abjuration officielle du savant et ce fameux aparté de l'Italien à la barbe de ses juges religieux : « *Eppur si muove !* », « *et pourtant, elle tourne !* ».

Pendant longtemps, le lycée, l'un des rares établissements secondaires du coin, a reçu aussi bien les enfants du Mesnil ou de la Commanderie, un quartier bourgeois de Montigny-le-Bretonneux, que les gamins du square de la Commune. Pendant presque quinze ans, les Trappistes ont été minoritaires dans les classes et le « brassage social », comme disent les politiques, a profité à toute une génération de jeunes gens issus pourtant de familles pauvres des quartiers. Jamais elle n'a renoncé à des auteurs au prétexte qu'ils seraient trop « difficiles ». Rachid Benzine, qui a été son élève, se rappelle avoir passé des heures à étudier les dialogues de Zénon rapportés par Platon. Mais depuis le milieu des années 90, les choses ont changé.

Elle se souvient des semaines de grève qui, ces années-là, avaient agité le lycée. « *Une terrible erreur* », admettent aujourd'hui beaucoup de professeurs. Malgré des dizaines de classes, l'établissement de la Plaine-de-Neauphle était devenu trop petit, celui des Sept-Mares à Maurepas, bondé. Les enseignants s'étaient donc mobilisés pour qu'Élancourt obtienne aussi un lycée. Marie-Laure y était élue communiste. Elle a fait grève, elle aussi. Les profs ont remporté la bataille : un nouvel établissement a été construit. En réalité, constatent-ils aujourd'hui, cette victoire portait en germe un véritable échec.

Les enfants de la bourgeoisie se sont en effet tous inscrits au nouveau lycée d'Élancourt. Lorsque les professeurs ont voulu convaincre la député socialiste des Yvelines, Catherine Tasca, d'intervenir pour que les élèves de la Clef-Saint-Pierre, un quartier plus aisé de cette ville, continuent à être affectés au lycée de la Plaine-de-Neauphle, elle leur a renvoyé la cruelle vérité : les parents d'élèves d'Élancourt sont aussi des électeurs de sa circonscription et ils se plaignent de voir leurs enfants mêlés à ceux de Trappes. « *Nous avons signé notre arrêt de mort,* soupire Marie-Laure. *Il n'y a plus au lycée que les enfants des pauvres.* »

Elle en est donc à Galilée, ce jour-là, et à la Terre qui tourne autour du Soleil. Bientôt, le lycée fermera pour les vacances de la Toussaint. Tout à coup, une élève lève le doigt : « *Avec l'islam, il n'y a pas besoin de toutes ces discussions. Tout est dans le Coran et il est dit que c'est le Soleil qui tourne autour de la Terre.* » La professeure reste un moment interdite. Elle connaît bien cette jeune fille, d'origine mauritanienne. Elle fait partie de celles qui, depuis deux ou trois ans, à la sortie des cours et avant même de franchir la grille du lycée, enfilent rapidement un bandeau noir sur les cheveux avant de nouer par-dessus leur foulard, d'un geste sûr.

Quand elle a commencé à enseigner à Trappes, en 1973, Marie-Laure Ségal n'avait jamais accueilli d'élèves voilées dans sa classe. Maintenant, il s'en trouve chaque année une, deux ou trois devant l'entrée du lycée. La professeure ne s'en est pas formalisée. La circulaire Bayrou interdisant le port de signes religieux et les quelques cas de jeunes filles en foulard renvoyées des établissements scolaires lui ont semblé jeter inutilement de l'huile sur le feu. Est-ce parce qu'elle enseigne la philosophie ? Elle n'est pas favorable à une laïcité stricte, comme sa collègue et amie prof de maths par exemple.

Marie-Laure Ségal est une militante dans l'âme, fille d'un juif converti au christianisme juste avant la guerre. Il lui a lu, toute son enfance, des paraboles des évangiles dont il réclamait ensuite l'exégèse, et cette éducation a offert à ses enfants un curieux mélange d'engagement pour les autres et d'attirance pour la foi, fût-elle celle des communistes athées. Arnaud Spire, son frère aîné, figure de *L'Humanité,* est un ancien « pied rouge », comme on appelait ces Français qui s'engagèrent pour le FLN en Algérie, quoique torturé par la police de Boumediene : son crâne légèrement oblong, enserré dans un étau, en témoigne. Antoine Spire, le cadet, un des journalistes vedettes de France Culture, s'était s'opposé à la ligne orthodoxe du Parti, après avoir longtemps milité à la section communiste d'Ivry-sur-Seine.

Avant de s'installer dans la ville voisine d'Élancourt, dans les années 70, Marie-Laure et Jacques, son mari médecin, ont soigné les « *déshérités* » en Afrique. « Cathos de gauche », c'est ainsi qu'ils se définissaient. Et puis « *un jour, nous nous sommes dit que l'on ne pouvait pas se contenter de panser les plaies, il fallait aussi changer les structures* », raconte Jacques. En 1975, deux ans après la chute d'Allende au Chili et un an après le retour de la démocratie au Portugal, jugeant que les socialistes n'avaient pas assez protesté contre la mise à sac de cellules communistes à Lisbonne, ils ont pris leur carte au Parti.

Ils ont passionnément aimé l'ambiance communiste de Trappes. Jacques pratique une médecine généraliste attentive, nourrie par la vision du psychiatre communiste Tony Lainé, dont les documentaires réalisés avec Daniel Karlin ont marqué l'époque et la télévision. À Trappes, après des heures bien remplies à son cabinet, il soigne les immigrés qui vivent seuls dans les foyers Sonacotra de la ville, aide aussi parfois des jeunes clandestines arrivées enceintes du Mali et les emmène accoucher dans des services hospitaliers dirigés par des camarades.

Le couple a le sentiment d'être utile, lui face à ses malades, elle devant ses élèves, dont elle pousse une bonne dizaine à rejoindre les cours de théâtre et « l'impro » de Papy. Mais ces dernières années, dans les réunions du Parti, on ne les écoutait plus. Quand Marie-Laure levait le doigt pour dire son désaccord, le responsable de cellule lui donnait la parole en soupirant, avant de l'interrompre quelques minutes plus tard : « *Tu as terminé, camarade ?* » Comme si on lui disait : « *Cause toujours...* » Alors, en 1995, ils ont quitté le Parti, et Marie-Laure n'a plus personne avec qui parler de ces jeunes gens qui contestent Copernic et Galilée.

« *Montre-moi où tu as trouvé ça, si tu veux bien...* », a fini par proposer la prof de philo à son élève. Le lendemain, la petite est arrivée avec un lot de cassettes éditées au Qatar, que l'enseignante a emportées en vacances. Elle prend le temps de toutes les visionner. L'une d'entre elles s'intéresse à la procréation : « *Le Prophète a dit que l'embryon ressemble à une mie de pain mouillé. C'est bien vrai. Regardez cet embryon. Tout à fait de la mie de pain mouillé. Le Prophète a décrit toute la nature qui est Sa création.* » Une autre traite de la tectonique des plaques. Des images retracent les glissements terrestres et le phénomène des tremblements de terre sous-marins, puis une sorte de « savant » en costume-cravate vient expliquer doctement que « *le Prophète a dit que les terres se chevaucheraient sous la mer. Il a tout décrit car il est le Créateur. La science ne fait que découvrir ce que le Coran a déjà annoncé* ».

Le topo laisse Marie-Laure stupéfaite. « *Un tissu d'inepties...* », soupire la prof de philo en rendant les cassettes à son élève, au retour de vacances. Et la voilà qui argumente, démonte, discrédite les propos des prêcheurs déguisés en scientifiques. Elle est trop véhémente, elle le sent bien. Sa colère et son agacement finissent par attiser les curiosités. « *On voudrait bien les voir, ces cassettes...* », réclament les autres élèves. « *Surtout pas !* » refuse-t-elle. Pour elle, si attachée au savoir, ces vidéos sont « *comme des cassettes pornos* ».

Elle surveille désormais les lectures, les références, les interventions de ses élèves, et aborde chaque nouvelle année scolaire prête à faire face à de nouvelles réfutations. Un jour qu'elle évoque la philosophie de Feuerbach, qui fait de Dieu une création humaine, « *l'homme n'ose pas s'attribuer des qualités qu'il attribue alors à un être transcendant* », une jeune fille la reprend : « *Vous n'avez pas le droit de dire ça, madame.* » Une autre fois, elle parle d'homosexualité, et un garçon répond très sérieusement : « *Ça vient du diable !* » La conférence sur Darwin, organisée lors de la fête de la science traditionnellement donnée au lycée, a suscité les sarcasmes de certains élèves opposés au « *prétendu évolutionnisme* ».

D'autres se confient à elle. Une jeune fille lui a raconté comment les tablighis recrutent dans les cages d'escalier et les squares, promettant de l'argent à celles qui se voilent. Une adolescente portant un tee-shirt dévoilant son nombril, c'est la mode en ce début des années 2000, a été menacée par un garçon brandissant la photo d'une fille au ventre lacéré. On lui rapporte que des agents de service de la cantine prennent l'initiative de pousser certains enfants au nom d'origine marocaine ou algérienne à se conformer aux interdits alimentaires musulmans : « *Toi, tu peux manger ça, toi non.* » Et que dire de ce vacataire venu faire de l'initiation à l'informatique au centre de documentation du lycée qui explore Internet en se connectant aux sites du groupe islamiste chiite Hezbollah ?

La liste exhaustive de ces petits faits, Marie-Laure Ségal l'a couchée sur papier dès 1999, avant de l'envoyer au rectorat. On l'y a reçue, mais elle a eu la désagréable impression de se retrouver au Parti lorsqu'on lui répondait : « *Tu as terminé, camarade ?* » Il n'a d'ailleurs été donné aucune suite à sa plainte, et les nouveaux récits qu'elle a entendus autour d'elle ne l'ont guère rassurée. Des instituteurs de maternelle rapportent ainsi que des parents protestent lorsqu'ils racontent *Les Trois Petits Cochons* : ils ne veulent pas que leurs enfants jouent avec les figurines en feutrine représentant les animaux. La directrice de l'école primaire Maurice-Thorez, Sylvie Mérillon, assure que des pères lui demandent de taper sur les doigts des élèves, comme à l'école coranique. Des bagarres éclatent entre équipes sportives, *Arabes* contre *Noirs.* Les propos racistes et sexistes se multiplient, y compris à l'égard des enseignantes. Mais que faire ?

Aucun professeur ne souhaite aggraver les préjugés dont leurs élèves, ils le savent, sont déjà l'objet. Enseigner à Trappes, c'est admettre que, même diplômés, les enfants d'immigrés se heurtent au racisme et au chômage dans des proportions bien supérieures aux autres. Tout, pour eux, est plus difficile. Combien de fois les enseignants se sont-ils désolés d'apercevoir une ancienne bonne élève passée dans leur classe tenir désormais la caisse du supermarché ? Ils échangent aujourd'hui inquiétudes et anecdotes mais ne savent plus à quel saint se vouer.

Marie-Laure Ségal et Sylvie Mérillon ont créé une association, Islam et laïcité, rebaptisée Croyance et laïcité après le 11 septembre 2001, afin qu'on ne puisse les accuser de dénigrer la religion musulmane. Depuis les attentats contre les tours du World Trade Center, à New York, des maires, des policiers, des éducateurs ont raconté les graffitis fleuris dans les cités à la gloire d'Oussama ben Laden, le chef d'Al-Qaïda, et même de Mohamed Atta, le coordinateur des attaques. En décembre 2001, les deux enseignantes font part de leurs inquiétudes à un journaliste du *Monde de l'éducation.* L'article, signé Marc Dupuis et Nicolas Truong, qui a lui-même vécu dans la ville, fait grand bruit dans les squares. Il est titré « À Trappes, l'école coranique sème le trouble » et se réfère à l'enseignement du Coran et de l'arabe dispensé au sein des appartements de la Commune transformés en lieu de prière.

« *Mes élèves reviennent de cette école avec des propos racistes et sexistes* », y déclare Sylvie Mérillon, qui estime que 80 % de ses élèves d'origine marocaine (soit près de la moitié des effectifs de l'école) la fréquentent. « *C'est la loi scolaire qu'ils refusent et la vérité qu'ils prétendent détenir*, renchérit Marie-Laure Ségal. *Les élèves s'opposant aux thèses rationalistes sont peu nombreux, trois ou quatre, mais perturbants.* » Elles ont plusieurs fois convié l'imam afghan Kamalodine et Jaouad Alkhaliki, assurent-elles, mais leurs invitations au dialogue sont restées lettre morte.

En découvrant l'article, les dirigeants de l'Union des musulmans de Trappes réagissent de manière inattendue : ils décident de porter plainte contre les deux femmes « *pour injures par voie de presse* ». C'est la nouvelle politique de Jaouad Alkhaliki qui considère, a-t-il expliqué à Thomas Deltombe, que « *le droit ne se donne pas, il se prend* ». Le mot islamophobie n'est pas encore d'un usage répandu, mais Alkhaliki entend bien faire interdire par la justice la critique de l'islam et de ses pratiques. Le climat se crispe, des années avant que la querelle ne s'envenime à l'échelle nationale. Au lycée, Marie-Laure Ségal se voit surnommée « *la laïque* » et ce n'est pas un compliment. « *Madame, c'est vrai que vous croyez pas en Dieu ?* » l'interrompt parfois un élève. Découragée, elle choisit de faire valoir ses droits à la retraite.

Dans ses ateliers d'improvisation, Papy note lui aussi un climat nouveau. En 1998, il accueillait dans son cours Fatima, une jeune fille très douée, qui, sous la surveillance de son frère, jouait avec talent et en toute liberté. Cinq ans plus tard, l'animateur la croise dans un magasin de bricolage : sa silhouette est entièrement recouverte d'un niqab noir. Naïma, une autre élève, disparue après son mariage, est revenue lui raconter sa vie cauchemardesque : son mari l'oblige à se voiler entièrement, lui interdit toute sortie sans chaperon et refuse que la musique entre chez eux. Quant à la fameuse « mixité » qui a toujours été la règle de ses « matchs d'impro », elle vaut à certaines participantes d'être traitées de « *putains* ».

Jean Jourdan, le professeur d'éducation physique, s'effraie de son côté du nombre croissant de filles qui se font dispenser de cours de gym pour ne pas porter leur tenue de sport devant les garçons. Rachid Benzine s'inquiète aussi qu'une partie des musulmans de la ville s'enferme dans une religiosité qui les coupe de la science, de la culture, des autres. Lorsque les premières femmes gantées et en niqab sont apparues sur le marché des Merisiers, il a fait venir à Trappes sœur Emmanuelle et le cheikh Khaled Bentounes, guide spirituel d'une confrérie soufie qui milite pour « *un islam de paix* ».

Après son élection, Guy Malandain a accepté que Slimane Bousanna entre à la mairie, en charge de la mosquée. Aujourd'hui, il commence à se méfier de l'« *incroyable intelligence* » d'Alkhaliki, dans lequel il ne peut s'empêcher de voir un rival. « *Il me l'a dit un jour : je veux être maire* », répète-t-il. En avril 2003, le nouvel élu de Trappes aperçoit avec effroi, sous les fenêtres de son bureau de l'hôtel de ville, une délégation de femmes voilées réclamant des horaires particuliers à la piscine : elles refusent désormais de se baigner avec les hommes.

« "Allâh a créé l'être humain avec une belle apparence", sourate At-Tîn/4.

Ainsi c'est de la mécréance de dire que le singe est l'origine des humains. (...)

Voici les répliques des scientifiques contre la théorie mensongère de Darwin. C'est une théorie corrompue qui, à la base, n'a aucun fondement scientifique. (...) Il est étonnant que ceux qui entendent cette théorie corrompue la considèrent comme étant une réalité scientifique alors que ceux qui ont rédigé cette théorie la présentent déjà comme étant seulement des avis théoriques et non pas comme des vérités scientifiques. Ni Darwin ni aucun de ceux qui l'ont suivi n'ont de preuve et de confirmation certaine de la vérité de cette théorie. »

> « Réplique à la théorie mensongère de Darwin », vidéo, collection « Les connaissances indispensables dans la religion ».

17

Une manif pour le voile

Après la piscine, le voile. Les femmes veulent de nouveau descendre dans la rue, mais à Paris cette fois. La première pierre de leur Grande Mosquée est à peine posée que Jacques Chirac annonce qu'il veut interdire le port ostensible de signes religieux au sein des établissements scolaires. Une marche vient d'être organisée dans la capitale afin de protester contre le projet de loi sur la laïcité du président. Elle est prévue le dimanche 21 décembre 2003, de la place de la République à celle de la Bastille. Les mosquées d'Île-de-France sont sollicitées pour faire « monter des sœurs » vers la capitale. Pour les musulmans de l'UMT, c'est l'épreuve du feu.

Depuis l'été, la commission présidée par le centriste Bernard Stasi planche sur la manière de trancher les multiples conflits qui empoisonnent désormais les établissements scolaires. À quelques jours de Noël, l'interdiction du voile à l'école proposée par le chef de l'État prend pourtant tout le monde de court. Les choses se sont faites si vite et les mots d'ordre sont si nouveaux, pour une presse habituée à des cortèges politiques et syndicaux, que les journalistes ont bien du mal à deviner quel écho peut rencontrer l'appel lancé, officiellement du moins, par une lycéenne et une étudiante de Tremblay-en-France, et relayé par les sites communautaires SaphirNet.info et Oumma.com.

L'annonce présidentielle a provoqué un joli tapage dans le pays, mais aussi à l'étranger, où l'on observe avec curiosité les efforts de la France pour concilier universalisme et laïcité. L'Allemagne et l'Angleterre critiquent toutes deux vertement la décision française. « *Je ne peux pas interdire à une fille d'aller à l'école avec un foulard !* » confie Gerhard Schröder au *Bild*, tandis que le *Herald Tribune* conteste, dans son édito du 19 décembre, « *la mauvaise décision* » du président Chirac : « *Interdire aux croyants de suivre les règles de leur religion n'est rien d'autre qu'un fondamentalisme laïc imposé par l'État.* » Les hommes d'Église aussi sont entrés dans le débat. L'archevêque de Canterbury s'inquiète dans le *Sunday Times* : « *Le laïcisme dogmatique du gouvernement français devient très provocateur et destructeur* », et le cardinal Lustiger s'offusque : « *La France a un peu déliré.* »

L'Union des musulmans de Trappes, qui accueille comme beaucoup de mosquées de banlieue des tendances très diverses, est évidemment indignée par le texte. Pourquoi restreindre une liberté individuelle ? L'aile salafiste voit dans le port du voile non seulement un impératif religieux mais aussi un des meilleurs étendards identitaires pour fédérer la jeunesse. Pour rien au monde elle ne raterait une manif si politique, et elle a donc loué deux cars : un pour les femmes, car la manifestation organisée en quelques jours est conçue comme un défilé féminin, mais un bus pour les hommes aussi. Les cadres de l'UMT, en liaison avec l'Union des organisations islamiques de

France, cette UOIF proche des Frères musulmans, assureront le service d'ordre du défilé.

Les « frères » sont en réalité bien davantage que les gros bras de la manif. Pendant que les deux cars patientent sur un parking des Merisiers, en attendant la fin de la prière, ils inspectent et valident chaque mot des banderoles que brandiront les « sœurs », avant de les rouler dans les soutes du car. « *Touches pas à ma pudeur* », dit la plus large, avec sa faute d'orthographe à l'impératif. Elle doit servir de bannière pour rallier la quarantaine de jeunes filles, souvent en abaya noire, qui, dans le bus, écoutent Béchir Lassoued, le responsable de l'école coranique du square de la Commune, dicter les consignes pour l'après-midi. « *La manifestation doit être spontanée. On ne parle pas de l'UMT, on est là en tant que musulmans. Personne ne répond aux journalistes. Il y a des sœurs qui sont là-bas spécialement pour ça* », explique doctement Lassoued. Les femmes prendront place en tête de cortège, les hommes de l'UMT suivront au loin, derrière : « *Ne dites pas que vous êtes avec nous* », précise encore le responsable musulman. C'est du moins ce qu'on entend distinctement, images à l'appui, dans le reportage que diffuse *Envoyé spécial*, quelques semaines plus tard sur France 2.

Depuis quatre mois, un journaliste, Frédéric Brunnquell, s'est immergé dans Trappes. Il veut faire de l'ascension des religieux dans cette ville des Yvelines le sujet de sa prochaine enquête de 52 minutes pour le magazine télévisé du service public. Malek Boutih et Fadela Amara, croisés au Festival de la photo Visa pour l'image, à Perpignan, lui en ont donné l'idée, à la fin de l'été 2003. Le président de SOS Racisme et la fondatrice de Ni putes ni soumises ne comptent guère de militants dans cette ville, mais ils ont perçu l'écho de la présence de fondamentalistes dans cette banlieue des Yvelines. « *La ville est blindée d'islamistes* », assurent les deux politiques.

Malek Boutih et Fadela Amara observent déjà qu'au sein même de la gauche deux lignes s'affrontent de plus en plus ouvertement. Le port du voile, surtout, divise profondément le Parti socialiste. En 1989, lorsque le principal du collège de Creil, Ernest Chénière, avait exclu trois élèves venues suivre les cours en foulard, Boutih s'était insurgé. Il jugeait « *scandaleux que l'on puisse au nom de la laïcité intervenir ainsi dans la vie privée des gens* » et avait réclamé la réintégration immédiate des collégiennes. À l'époque, beaucoup pensaient comme lui.

Dans la salle des profs du lycée de la Plaine-de-Neauphle, un débat passionné s'était installé entre tenants de la liberté individuelle et ceux qui jugent au contraire que le voile « *est comme un drapeau qu'on plante dans les lycées ou dans les villes pour revendiquer une appartenance islamique* ». La professeure de philo de Trappes, Marie-Laure Ségal, avait trouvé une bonne formule : « *Mieux vaut un voile sur la tête que dans la tête.* » Le lycée s'était bricolé un règlement maison : « *Pas de couvre-chef à l'intérieur de l'établissement.* » Il est vite tombé aux oubliettes. « *Madame, c'est pas un foulard, c'est un cache-oreilles !* » répondent désormais les élèves voilées aux rares professeurs les rappelant dans les couloirs au « règlement du couvre-chef ».

Maintenant que les cas se multiplient dans toute la France, les certitudes de Malek Boutih vacillent. Il n'est pas le seul à s'interroger, à gauche. En moins de dix ans, une centaine de jeunes filles ont été exclues de leurs établissements scolaires pour port du voile. Dans certaines villes des Yvelines et de Seine-Saint-Denis, les militants de SOS Racisme qui combattaient jusqu'ici les discriminations frappant les « beurs » à l'entrée des boîtes de nuit se retrouvent désormais dans le camp de religieux qui décrètent la musique et la danse *haram*, illicites, devant le Coran.

Face aux demandes de plus en plus fréquentes de menus halal dans les cantines ou d'horaires d'ouverture des piscines municipales réservés aux seules femmes, les maires de banlieue, toujours aux premières loges, agissent en ordre dispersé. Guy Malandain, effrayé à l'idée que l'on puisse l'accuser d'avoir cédé à la pression des religieux en construisant une si grande mosquée, s'y est opposé. Prise en tenaille entre un Front national qui drague les ouvriers en désignant l'islam comme fauteur de troubles, et des élus qui lorgnent sur les nouveaux électeurs des cités, la gauche ne parvient pas à trancher. Quand SOS Racisme monte au créneau contre ce que Malek Boutih appelle des « *bastions salafistes* », il se trouve toujours des voix, au sein de la direction du PS où il vient d'entrer, pour soutenir le « *droit à la différence* » qui faisait l'unanimité lors de la décennie précédente.

De la cité où elle est née, à Clermont-Ferrand, Fadela Amara a observé l'influence croissante, dès le milieu des années 90, d'imams venus d'Arabie saoudite. « *Les filles sont les premières cibles,* soutient-elle. *Les islamistes ont poussé les grands frères à surveiller leurs sœurs et à contester le manque de religiosité des pères.* » Comme son ami Malek, Fadela Amara vient d'être auditionnée par la commission Stasi. Si Frédéric Brunnquell est prêt à promener longuement sa caméra en banlieue, peut-être y trouvera-t-il des images susceptibles de convaincre cette gauche trop naïve, selon eux, à l'endroit des fondamentalistes. « *Tu devrais aller à Trappes* », lui répètent-ils à Perpignan.

L'idée plaît au grand reporter de l'agence Capa. Frédéric Brunnquell a déjà signé des documentaires remarqués sur la disparition d'un chantier naval au Havre ou l'épidémie de vache folle qui a décimé les troupeaux européens dans les années 90. Il est passé de l'Afrique du Sud à l'Amérique latine, mais il ignore presque tout de la banlieue. Depuis septembre 2003, il filme donc les squares et les grands immeubles gris, les 4 000 fidèles venus prier square de la Commune le jour de l'Aïd, le nouveau centre commercial de la Merise, dont tous les commerces sont désormais halal. « *Je ne peux plus acheter du jambon. Il n'y a plus la diversité qu'il y avait avant. Il n'y a plus de bistrot. Je ne sais pas si c'est bien... Cela veut dire qu'il y a toute une partie de la population qui ne peut plus s'y retrouver* », regrette devant la caméra Alain Degois – « Papy » – devenu « fixeur » le temps d'un tournage. Car, pour ce reportage « *aux portes de Paris* », le reporter de l'agence Capa dit curieusement éprouver « *le même besoin de guide* » que s'il « *partait à l'étranger* ».

Lors de ses allées et venues à Trappes, le journaliste est tombé sur Thomas Deltombe, le sociologue qui travaille sur « le religieux dans les villes nouvelles » et qui a gagné la confiance de Jaouad Alkhaliki. Les deux garçons n'ont pas la même approche, c'est le moins que l'on puisse dire. Deltombe estime que les journalistes nourrissent le plus souvent l'islamophobie et que les inquiétudes naissantes à l'égard du radicalisme religieux cachent un vieux fond de racisme. Mais les deux compagnons de galère se donnent des coups de main. Chaque fois, en effet, que Brunnquell veut filmer les hommes en kamis, les femmes en niqab, on vient le menacer : « *Éteignez votre caméra. Si je vois que vous avez filmé des frères, le prochain journaliste qui viendra ici, on va le séquestrer.* » Dans sa voiture, il attend, parfois des heures, un interlocuteur qui ne vient pas.

Jaouad Alkhaliki lui a promis une interview mais le fuit dès qu'il approche : l'entretien se met à ressembler à une arlésienne. Deux jeunes filles voilées ont bien essayé de lui organiser des rendez-vous, mais elles reculent toujours le jour dit : « *C'est haram, on ne peut pas.* » Le journaliste de Capa a néanmoins pu filmer la pose de la première pierre de la mosquée, seules images d'archives qui témoignent aujourd'hui de l'événement. En cette fin décembre 2003, il se trouve aussi aux premières loges pour enregistrer le lobbying de certaines associations musulmanes dans le débat sur le port du voile qui agite la France. Il a si bien réussi à se fondre dans le paysage que l'UMT l'a laissé filmer ses préparatifs pour la manif du dimanche 21.

Jaouad Alkhaliki n'est pas du défilé parisien, mais Brunnquell, lui, accompagne les manifestants jusqu'à la place de la République. Surprise : il retrouve aux tout premiers rangs du cortège la banderole « *Touches pas à ma pudeur* », celle des jeunes filles de Trappes, reconnaissable à sa faute d'orthographe. Personne, parmi les journalistes parisiens qui suivent ce petit événement « communautaire », ne devine que ce sont les « sœurs » de la cité des Yvelines qui entraînent ces 4 000 personnes. Comment le pourraient-ils ? Les consignes de discrétion de Béchir, le prof de l'école coranique, ont été bien respectées.

Le spectacle est partout – les tenues, les couleurs, les slogans. C'est un étrange mélange d'universitaires, d'ingénieures et de gamines de banlieue, de femmes timides et de spécialistes de la provoc'. Les mots d'ordre sont parfois si insolites qu'ils braquent tous les objectifs. « *Ni frère ni mari, le foulard on l'a choisi* », scandent les manifestantes voilées. « *Ni dupes ni soumises* », s'amusent plus loin des manifestantes en détournant le nom de l'association de Fadela Amara. « *Soumises qu'à Dieu* », affichent d'autres filles dans le cortège.

Une jeune femme voilée en minijupe et cuissardes brandit cette pancarte : « *Un voile, une voix, aux urnes on se retrouvera.* » « *Aux régionales, aux municipales, on vote* », comme « *aux européennes* », déclinent d'autres panneaux. Certaines des jeunes filles qui défilent n'ont pas encore l'âge de passer dans l'isoloir, mais elles exhibent leurs cartes d'identité. Dans une voiturette orange tirée par ses parents, une enfant d'un an porte un hijab, pour le symbole, et évidemment les caméras ne voient qu'elle.

« *À quand notre déportation ?* » provoque un carton. « *France bien-aimée, où est la liberté ?* » interroge une silhouette enveloppée d'un drapeau tricolore. « *La laïcité, c'est pas la négation des religions, on n'est pas chez Karl Marx, on n'est pas dans un État communiste* », confie une fille très déterminée. « *Une loi contre le voile, c'est comme une loi d'exception, c'est l'esprit Crémieux* », du nom du décret qui donna en 1870 la nationalité française aux juifs et pas aux musulmans en Algérie, témoigne plus sérieusement un manifestant dans les colonnes du *Monde*.

Les membres du service d'ordre n'hésitent pas à prendre la parole, et le journaliste de *Libé* relève « *l'atmosphère oppressante* » qui se dégage de ce défilé de femmes encadrées par une chaîne de types mutiques. Tandis que le cortège s'effiloche, ces « frères » s'en vont d'ailleurs prier sous les auvents de restaurants qui ont tiré leur rideau de fer. Les manifestantes, elles, improvisent une farandole autour de la Bastille en entonnant *La Marseillaise*. Une ronde d'abayas chantant « *contre nous de la tyrannie* », la scène paraît si irréelle, comique même, que le génial Pétillon s'en servira deux ans plus tard dans *L'Affaire du voile*, la bande dessinée qui met aux prises son cher détective à imper mastic, Jack Palmer, avec des intégristes musulmans.

Le 12 février 2004, la diffusion sur France 2 de *Trappes à l'heure de la prière*, réalisé par Frédéric Brunnquell est un petit événement. « *Le reportage qui secoue Trappes* », titre *Le Parisien* le lendemain. « *L'intégrisme musulman n'est pas le sujet de Trappes* », proteste, furieux, Guy Malandain. Après avoir tenté d'empêcher la diffusion, Jaouad Alkhaliki écrit un article incendiaire sur le site communautaire Saphir.news : « *Penser que forcer une jeune fille à enlever son voile au sein de son établissement d'enseignement lui fera changer sa manière de penser, ses convictions ou encore ses croyances est une utopie.* » L'informaticien répète le nom de « Brunnquell » toutes les deux lignes, pour que l'article soit bien référencé sur le Net. *« Je t'ai cramé auprès des frères »*, prévient sa voix sur le répondeur du journaliste. Le président du MRAP de Trappes envoie de son côté un mail de protestation à France 2. Seule la presse nationale salue un film qui témoigne d'« *une situation explosive sans racolage ni alarmisme* », écrit *Libération*.

Revue de presse, février 2004.

18

La librairie de John Ibrahim

Les abayas grises et les robes orientales que portent les manifestantes, John alias Ibrahim les vend dans sa librairie. En vitrine, il en a disposé une sur un mannequin sans visage que l'on aperçoit de la Nationale et depuis les fenêtres de la nouvelle mairie, juste en face. Les petits commerces désertent les villes de banlieue, et son échoppe est désormais l'une des rares boutiques de prêt-à-porter de Trappes, si on ne veut pas prendre sa voiture jusqu'à Euromarché ou le train pour Saint-Quentin.

Depuis qu'elle a ouvert rue Stalingrad, à l'été 2003, la boutique d'Ibrahim, ce Franco-Américain devenu prédicateur tabligh qui rabattait des jeunes à la mosquée de la Commune, est une curiosité. Un sujet d'agacement, aussi, pour le maire Guy Malandain. Le magasin, un grand cube blanc au rez-de-chaussée d'un immeuble appartenant à l'oncle de Jamel Debbouze, ne passe pas inaperçu. « *Bienvenue* », affiche en grosses lettres la façade de Nour Al Hidaya, l'unique librairie de la ville, où Ibrahim reçoit toujours avec le sourire et un jovial « *Salam alaikoum !* ».

Les plus fervents des musulmans des Yvelines sont vite passés y faire un tour. Même Jaouad Alkhaliki, le président de l'Union des musulmans de Trappes, est venu féliciter Ibrahim. Quand ce converti l'avait informé de son projet, quelques mois plus tôt, il avait applaudi : « *On a des grecs, des boucheries... Une librairie, c'est bien.* » Depuis, l'ingénieur repasse régulièrement pour acheter des robes longues à sa femme, ou des livres d'art musulman.

« *Si je suis devenu libraire, c'est parce que le premier verbe de la révélation c'est : Lis* », explique Ibrahim à sa nouvelle clientèle. Le libraire dispose du meilleur atout pour un commerçant : il ne vit à Trappes que depuis six ans, mais connaît déjà du monde grâce aux fameuses sorties des tablighis, ces missionnaires qui vivent leur existence comme un sacerdoce et passent leur temps dans la rue pour ramener les musulmans vers la mosquée, aider les miséreux ou rendre visite aux malades. Beaucoup, à Trappes, ont vu le libraire monter les cages d'escalier, comme le faisait autrefois le maire communiste Bernard Hugo. Quand La Fouine a attrapé un pneumothorax et s'est retrouvé à l'hôpital, Ibrahim est allé lui rendre visite. « *Salam, qu'est-ce que je peux faire pour toi, mon frère ?* »

C'est sa passion, discuter avec les jeunes, et ils défilent de plus en plus nombreux rue Stalingrad. Le libraire écoute, questionne beaucoup, confesse parfois, et encourage les conversions ou la pratique plus étroite de l'islam. La Fouine est devenu pratiquant lors de son dernier séjour en prison, à Nanterre, après l'incendie de la synagogue, mais Ibrahim se flatte d'avoir « *participé à son retour à la religion* ». Le rappeur, en effet, s'est rangé. Il ne boit plus, ne fume plus. Sa victoire au concours Max de 109 organisé par Skyrock, en 2002, lui vaut désormais le soutien inconditionnel de Sony. Il peut espérer une « carrière » dans la musique.

La mairie, bonne fille, lui a trouvé un poste de médiateur social dans les « skybus » qui essaiment depuis la gare. Leur nom évoque les sports d'hiver ou un circuit fléché vers le paradis, ce ne sont en réalité que des navettes sillonnant les rues de la ville. Le job lui permet de gagner sa vie tout en travaillant à son premier street-tape, *Planète Trappes*. Ibrahim n'a pas la rigidité des salafistes. Si La Fouine fait ses cinq prières, bien sûr qu'il peut rapper !

Nour Al Hidaya n'est pas facile d'accès : il faut emprunter un souterrain sous la N 10 ou contourner le pont pour s'y rendre. Rien de luxueux non plus, le local reste sombre sous la mezzanine. Mais « *ici c'est un libre-service, mon frère, c'est l'idée* », accueille Ibrahim. Plus qu'une échoppe de livres, Nour Al Hidaya ressemble à un petit bazar baigné d'une douce odeur d'encens. Ibrahim y a installé quelques chaises et chacun peut flâner au milieu des étals, du lundi au dimanche, sans être importuné.

On trouve de tout chez Ibrahim : des kamis, des calots, des foulards, des pantacourts, des chaussettes en cuir du Pakistan, des huiles parfumées, de l'argan et du musc, du sable d'Alep, des veilleuses coraniques, du rassoul dont on fait les fameux masques d'argile, des feuilles de sidr et des poupées qui disent « *Vive Allah* ». Le prédicateur-commerçant se rend aussi régulièrement rue Jean-Pierre-Timbaud, à Paris, s'approvisionner en corans, en essais d'exégèse ou en ouvrages religieux grand public : *La Citadelle du musulman* reliée en rouge et or, les *Prières pour la 27e nuit du ramadan*, la *Méthode facile pour apprendre le Coran*, mais aussi des CD sur le mariage, le jeûne ou les cinq prières obligatoires…

« *Nous sommes de retour dans une demi-heure. Inch Allah !* » À l'heure des trois *salat* de la journée, John Ibrahim accroche un panneau sur la porte vitrée. Le reste du temps, l'homme de foi recommande un livre ou du henné pour la barbe, dispense des conseils en tout genre avec la patience d'une assistante sociale et, parfois, d'un conseiller fiscal ou conjugal. Un jour, c'est une dame qui arrive, effondrée, avec un arrêté d'expulsion ; un autre, un jeune homme qui agite sous son nez une lettre de la fourrière. « *Je ferai des incantations pour toi* », promet Ibrahim avant d'expliquer patiemment le b.a.-ba de « *l'hygiène bucco-dentaire* » à des adolescents venus acheter des bâtons de racine de bois d'Araq pour se blanchir les dents. S'il leur manque un euro, il ferme les yeux.

Lorsqu'il reçoit dans sa boutique Jaouad Alkhaliki, le promoteur de la future mosquée dont la construction avance bien depuis la pose de la première pierre, en 2003, Ibrahim mesure le chemin parcouru. Le libraire tabligh, en principe, ne se mêle pas de politique, contrairement à Slimane Bousanna et Jaouad, les deux nouveaux responsables de l'UMT ; mais Ibrahim convient que si ses « frères » et lui ont fait « *le gros du boulot* » en prêchant la bonne parole, la nomination d'Alkhaliki à la présidence de la communauté a été décisive. « *Allah a utilisé Jaouad de très bonne manière. C'est son énergie et son boost qui ont permis la mosquée. Il est très intelligent et très cultivé. On a formé une très bonne équipe.* »

La construction de l'édifice religieux a soudé la population musulmane autour du premier – et seul – projet qui, pour une fois, lui appartient. Par souci d'économie autant que par intuition politique, Alkhaliki et Bousanna ont organisé des équipes de jeunes menées par des ouvriers maçons pour monter les cloisons, peindre les murs et achever les finitions, à la grande satisfaction des parents. Même s'il a fallu reporter une partie du projet, grandiose, le bâtiment, situé juste derrière le lycée, a ouvert dans les temps et draine dans la ville des centaines de nouveaux fidèles, soucieux de se rapprocher de leur lieu de prière. Petit Aïd et jours de fête, 4 000 personnes se pressent jusqu'à la grande salle ornée de colonnades en stuc blanc et débordent déjà parfois sur le parking. C'est simple : à peine achevée, elle semble déjà trop petite.

Les tablighis et les Frères musulmans auraient presque réussi leur pari s'il n'y avait ces hommes au visage fermé, qui se disent salafistes. Ils surveillent les commerces et ont peu à peu dissuadé les cafés tenus par « *la communauté* », comme ils appellent les musulmans, de vendre de l'alcool et de la nourriture qui ne serait pas halal. Ils suivent des yeux les jeunes filles qui se rendent au lycée de la Plaine-de-Neauphle et leur font parfois la leçon pour un pull trop ajusté, des manches courtes ou même un de ces parfums musqués pourtant achetés chez Nour Al Hidaya.

Ibrahim vend lui-même des manuels vantant les tâches ménagères comme la seule activité vertueuse d'une parfaite musulmane, ou presque. Mais ces salafistes débarquent désormais dans sa boutique pour inspecter ses rayonnages, cacher les livres de Tariq Ramadan, jugé trop « frère musulman », en les plaçant derrière des ouvrages de Sheykh al-Albani, l'une des références salafistes. Le libraire propose aussi des ouvrages édités par l'Arabie saoudite, mais les « salafs » préféreraient que seuls les savants wahhabites aient droit de cité dans sa boutique. Ibrahim a pris le parti d'éviter le conflit et moque ces « *fatwas à deux balles* » – dans leur dos, du moins. Car ce qui compte, c'est que la religion soit revenue en force dans « la communauté ».

« *L'islam est un géant en train de se remettre sur pieds et tout le monde sera touché* », se réjouit le libraire. Lors de son arrivée à Trappes en 1997, il était marié à une Marocaine, la mère de ses trois premiers enfants. Mais ils se sont séparés. À l'ouverture de sa librairie, il a rencontré une autre jeune femme, marocaine elle aussi, « *comme je dis, quand on aime, on ne compte pas* », avec laquelle il a vécu les premiers mois au fond de la boutique. Il s'en était discrètement ouvert au maire, et Guy Malandain lui a trouvé un logement, sans publicité. En 2004, devant la caméra de Frédéric Brunnquell, le reporter de France 2, Ibrahim avait en effet tenu de drôles de propos qui en avaient choqué plus d'un en ville. La lapidation ? Une règle qui demande « *réflexion* ». La polygamie ? Avec quelques bémols, elle peut se justifier par certaines contraintes démographiques : « *L'islam la permet, mais il la réglemente.* »

En ancien chevènementiste, donc un brin marxiste, Guy Malandain préfère croire que cette « mode » religieuse se résoudra en transformant sa ville. C'est un homme que la vie n'a pas épargné. Parfois, ses collaborateurs ont l'impression que le bureau de la toute nouvelle mairie, inaugurée un an avant son élection, est son seul havre de paix. De là, il imagine ce que pourrait devenir Trappes, un jour, sans ces barres et ces tours qui continuent de défigurer la ville. L'ancien ingénieur du génie civil a choisi de porter tous ses efforts sur l'aménagement.

Depuis son arrivée, la réhabilitation des squares – il dit « *secteurs urbains* » – et leur « *morcellement* » sont sa priorité. Sa chance est que Jacques Chirac, réélu en 2002 face à Jean-Marie Le Pen, a fait de la rénovation urbaine des « *ghettos* », comme on appelle désormais certaines cités, une priorité. Aussi Malandain a-t-il obtenu du ministre de la Ville Jean-Louis Borloo l'une des plus grosses enveloppes publiques attribuées à la destruction et à la reconstruction des banlieues : près de 340 millions d'euros. Grâce à ce pactole, le maire entend développer l'accession à la propriété et, peut-être, faire revenir les classes moyennes qui ont fui la ville.

Il cherche aussi à effacer la marque du communisme en baptisant les nouveaux espaces de noms d'oiseaux, d'arbres, de peintres, de poètes ou de musiciens : Courbet, Van-Gogh, Gauguin ou Debussy. Tant pis si Jamel s'en moque dans ses spectacles : « *La cité des Merisiers ? J'en ai jamais vu un seul...* » Contre l'avis des mauvais coucheurs qui lui prédisaient que les plates-bandes seraient arrachées sitôt semées, le maire a aussi fleuri les trottoirs et les ronds-points de sa municipalité.

Il n'a pas du tout apprécié le reportage d'*Envoyé spécial* qui le filmait sur le point d'offrir, avec une bonne part de calcul, « *une place sur la liste* » à Jaouad Alkhaliki. L'islam est devenu à ce point un sujet tabou qu'il ne prononce jamais son nom, pas plus que le mot de « musulmans ». Sa formule totem ? « *L'intégration républicaine, je n'ai pas trouvé mieux.* » Sa philosophie ? « *L'humanisme.* » Les circonstances de sa prise de pouvoir ont fait le reste, et les musulmans de l'UMT, qui croyaient avoir trouvé en lui un allié, ont vite compris, en l'entendant revendiquer son athéisme en pleine conférence de presse, que l'alliance qu'il a bâtie avec eux en 2001 était d'abord opportuniste.

La petite école coranique du square de la Commune où les enfants se rendaient les mercredis et le week-end s'est transformée. L'école El-Banyane (« l'Appel », en arabe) est l'une des nouvelles œuvres de Jaouad Alkhaliki et Slimane Bousanna. Désormais entièrement informatisée, elle accueille les enfants pour 100 euros par an et, selon Jaouad Alkhaliki, est déjà dépassée par son succès. Thomas Deltombe, le jeune sociologue venu préparer son mémoire sur « Le religieux dans les villes nouvelles », raconte dans ses carnets que « *les élèves, cartable au dos, viennent emprunter livres et documents vidéo à la toute petite médiathèque de l'établissement, au moyen d'une carte fabriquée au Qatar* ». Le maire n'y a jamais mis les pieds.

« *Avec son bureau du directeur qui vérifie les présences et les retards, ses douze salles sur la porte desquelles sont affichées les heures de cours, ses élèves qui attendent dans les couloirs, cette école ressemble en miniature à un établissement scolaire ordinaire* », note le sociologue. Devant les profs de la Plaine-de-Neauphle, Slimane Bousanna ne cache plus son ambition de créer bientôt une véritable école privée musulmane, à l'instar de « La Réussite », lancée en septembre 2001 à Aubervilliers ou, mieux, du fameux lycée Averroès ouvert en 2003 à Lille, que Bousanna a eu l'occasion de visiter. Il faudrait faire appel à « la communauté », susciter un appel aux dons, obtenir l'agrément de l'Éducation nationale : une lourde entreprise, mais pourquoi pas ?

Seul Jaouad Alkhaliki tourmente vraiment monsieur le maire. Deux ans plus tôt, les voix des musulmans l'ont porté à l'hôtel de ville de Trappes, mais une inquiétude tenaille encore Guy Malandain. Et si le président de l'UMT, de trente ans son cadet, avait l'ambition de prendre un jour son fauteuil et de se faire élire à sa place, l'empêchant d'effectuer un deuxième mandat ? Le 8 mai 2003, en ouvrant *Le Monde* à l'heure du déjeuner – il s'en souvient encore –, Guy Malandain a découvert un article consacré à Trappes écrit par le jeune Deltombe, qui rêve de devenir journaliste et fait un stage au service politique du quotidien, rue Claude-Bernard, à Paris.

Sa lecture le douche. Le journal évoque les ambitions politiques d'Alkhaliki : le président de l'Union des musulmans de Trappes n'écarte pas l'hypothèse d'une liste confessionnelle aux prochaines élections municipales. Malandain termine l'article livide. Le temps de replier son journal, il attrape son téléphone et appelle Alkhaliki. « *Je ne te laisserai pas ma place* », prévient-il d'une voix glacée, celle qu'il réserve à ses colères froides. Jaouad est interloqué. Il l'a expliqué à Papy, un jour qu'il croisait le populaire prof d'impro dans la rue : son ambition n'est pas celle qu'imagine le maire. « *À Trappes, j'ai construit ma cinquième mosquée. Je vais bientôt en édifier une sixième aux Antilles. Je mourrai heureux lorsque j'en aurai bâti une vingtaine.* » Les rêves de ce musulman fervent dépassent largement la petite politique municipale. Deux ans plus tard, le voilà au Qatar, directeur du développement dans les nouvelles technologies et concepteur de vidéos visant à promouvoir « *les grands scientifiques arabes* », dit-il.

« Pour apprendre une page du Coran, on commence par lire la première ligne dix fois de suite. Même si on arrive à la mémoriser au bout de la cinquième fois, il faut la lire dix fois, en regardant bien la feuille du Coran, c'est important. Si maintenant tu as terminé de lire dix fois cette ligne, tu peux commencer à la réciter. Si tu y arrives à 100 % – louange à Dieu ! –, tu peux passer à la suivante. [...]

Si l'hésitation dans la récitation disparaît et que je récite à 100 % – Hamdoulillah ! –, on peut passer à la suivante.

Je passe maintenant à la suivante et je répète le même scénario en regardant le Coran dix fois de suite. Il faut éviter de se précipiter et se dire que j'ai une bonne mémoire. »

Méthode facile pour apprendre le Coran,
DVD en vente dans la librairie d'Ibrahim.

19

Kaci s'entraîne au Liban

Trappes-Roissy-Beyrouth. Ce 28 janvier 2005, Kaci Ouarab arrive au Liban en survêtement vert, baskets et tee-shirts de rechange dans son sac de sport, comme s'il partait en week-end, ou presque. Le jeune expert-comptable de Trappes voyage léger. On lui a promis qu'« *on* » viendrait le chercher à l'aéroport. Son « contact » est au rendez-vous, prêt à le conduire jusqu'à la vaste maison où va se dérouler la formation, dans le district de Tripoli, la grande ville du nord du pays.

Durant les deux heures de route, ses yeux et ceux des deux autres « stagiaires », un Saoudien et un Jordanien, fixent les paysages légendaires de cette côte méditerranéenne embrassée par Lawrence d'Arabie au temps de la colonisation anglaise. Le Liban a été, dans les années 70 et 80, la matrice du terrorisme international. Palestiniens, Arabes, Allemands, Basques, Irlandais, tout ce que la planète comptait à l'époque de guérilleros ou d'activistes en mal d'aventure venait s'entraîner sur la poussière et le sable de la plaine de la Bekaa. En ce mitan des années 2000, Beyrouth n'apparaît plus sur les radars des « services », et n'est pas encore une destination de djihad.

Kaci Ouarab est né et a grandi vingt-sept ans au milieu de ses cinq frères et sœurs et, hormis son séjour en Arabie saoudite, trois ans plus tôt, il n'a guère quitté Trappes. En une décennie, le jeune expert-comptable a déménagé deux fois, mais sans jamais quitter son square natal. Avant de quitter les Yvelines, il a fait jurer le silence absolu à son épouse, enceinte de cinq mois de son deuxième enfant. Il part au Liban dans une « *auberge de jeunesse* » proche d'Ashrafieh pour « *faire du tourisme* », un point c'est tout.

Sait-elle qu'il a rédigé un testament stipulant que s'il mourait, elle devrait épouser son cousin Achour, le « jumeau » de vingt-sept ans de son mari, encore célibataire ? Depuis quelque temps, cette Française convertie observe son époux impassible regarder en boucle des tas de vidéos d'exécutions, images dont elle assurera après coup qu'elles lui donnaient, à elle, « *envie de vomir* ». Mais elle n'a pas posé de questions lorsqu'il a fourré ses affaires dans son sac de voyage, qui arrive à bon port après le passage de la douane et les quatre-vingts kilomètres qui séparent Beyrouth de la maison libanaise où il doit passer trois semaines.

Kaci commence par s'entraîner à la kalach et à l'arme de poing dans les champs au nord de la villa. Les exercices de tir alternent avec des séances de close-combat. Les « stagiaires » apprennent aussi à transformer des téléphones portables en détonateurs et à fabriquer des mélanges explosifs. Kaci Ouarab s'initie ainsi au dosage d'huile de graines de nigelle, un drôle de liquide jaunâtre, avec de l'eau oxygénée et des engrais. La deuxième semaine du stage, Mohamed Al Tounsi, un vétéran bosniaque en lien direct avec le Jordanien Al-Zarkaoui, chef de l'organisation terroriste Al-Qaïda en Irak, vient diriger lui-même les travaux pratiques. Le terroriste promet à ses élèves que s'ils reviennent, on leur apprendra à confectionner du gaz moutarde.

C'est Safé Bourada qui a expédié Kaci Ouarab au Liban. Une fois purgés ses dix ans de prison pour l'attentat sanglant à la station parisienne Saint-Michel du RER, l'ancien recruteur de Khaled Kelkal a commencé ses allers-retours entre Dreux, la ville où il s'est installé, et Trappes, celle où vivent ses anciens codétenus. Traversée par la fameuse N 10, débouchant elle-même sur l'A 12, la ville est commode pour ceux qui veulent filer en quatrième vitesse et en loucedé. En février 2003, les jeunes délinquants qu'il a endoctrinés à la promenade ou au parloir du Val-de-Reuil l'embarquent dans une discrète tournée des salafistes de la ville.

Place des Merisiers, « cheikh » Bourada fait la connaissance de Benyamina, le boucher du quartier, cet ancien sympathisant du GIA arrivé sept ans plus tôt d'Algérie. Square Honoré-Daumier, il retrouve Achour, son codétenu. Et à Jean-Macé, ce square baptisé « *the ghetto paradise* » par La Fouine, parce qu'il y avait été si heureux petit, Achour lui présente donc son cousin, le fameux Kaci.

Parfois la nouvelle bande pousse jusque chez Djamel Badaoui, un ancien taxi devenu cogérant d'Europizza, un fast-food des Mureaux. Mais le plus souvent elle se retrouve à Trappes pour le baptême d'un des enfants, autour de la mosquée ou d'un mouton de l'Aïd, dans quelques fast-food ou sandwicheries amies, mais aussi à la sortie de la prière de la « vieille » mosquée de Trappes, square de la Commune. Benyamina-le-boucher s'y est investi et y donne des cours, entre la fin de l'année 2004 et le printemps 2005.

On repère d'assez loin ces nouveaux fidèles qui sillonnent les squares, abordant les plus jeunes, s'isolant dans les caves de la salle de prière de la Commune sans se mêler au reste de la communauté. « *Ces barbus...* », s'inquiète parfois Shawki, le frère de Badaoui. « *Robert Hue aussi il est barbu !* » bougonne le pizzaïolo en faisant allusion à l'ancien patron du Parti communiste français.

Il ne faut que quelques mois à Bourada pour repérer les futurs piliers de son groupe terroriste, cette « jama'a » nommée Ansar al-Fath, dont il a écrit la charte en prison. En M'hamed Benyamina, un Algérien comme lui, le chef repère vite un bon second. Le boucher des Merisiers a l'étoffe d'un meneur. Il a d'ailleurs la réputation d'exercer des pressions sur la communauté musulmane de Trappes (on le dit capable de ruiner un commerçant musulman dont la pratique ne serait pas assez rigoureuse) et d'imposer des décisions. Mais son attention s'est aussi arrêtée sur Kaci Ouarab, détenteur d'un passeport français et, détail non négligeable, d'un casier judiciaire vierge.

Il est devenu salafiste au tournant des années 2000, disent ses amis. Autant son cousin du square Daumier, né en 1977 lui aussi, ne possède pas, aux yeux de Bourada, « *la maturité suffisante pour accepter les sacrifices exigés* », autant l'ancien mentor de Kelkal décèle chez ce jeune comptable les mêmes qualités de soldat de la cause que le kamikaze du RER Saint-Michel en 1995. « *Kaci a toujours voulu faire le djihad. Il était motivé* », confiera Bourada.

La petite troupe partage ses loisirs. Parfois, elle s'entraîne dans le jardin d'un ami à Château-Renard, dans le Loiret : du chlorate de soude, du sucre, de la farine mélangés dans un morceau de gouttière, il ne reste plus qu'à allumer la mèche pour faire exploser une petite bombe. Pour Safé Bourada, c'est encore bien trop amateur. Le maniement des armes et la fabrication d'explosifs requièrent selon « l'Émir » une formation spéciale. Il aimerait envoyer Benyamina en formation au Liban, mais sa nationalité algérienne empêche le boucher d'obtenir un visa pour Beyrouth. Et c'est ainsi que Kaci Ouarab, le petit Français, se retrouve, début 2005, dans ce camp d'entraînement libanais destiné aux futurs terroristes en Irak.

À la différence des autres stagiaires de la villa, il ne poursuit pas son djihad armé. Après une vingtaine de jours d'entraînement, le voilà de retour à Trappes, avec, bien caché dans son téléphone, le numéro de son formateur en explosifs, un Libanais de Tripoli. Il enchaîne les rendez-vous discrets où « *on ne parle que de guerre* », des repas à voix basse où les téléphones sont éteints et dont les femmes des membres de la bande sont exclues. Leurs époux s'interpellent par leurs surnoms. Bourada, c'est « l'Émir », donc, ou « le Cheikh ». Benyamina a pour alias Abou Leith. Badaoui se fait appeler Abou Tayimia, « le père de Tayimia », prénom qu'il a donné à sa fille en référence au théologien traditionaliste du XIIIe siècle qui avait théorisé le djihad contre les Mongols. « *Une grosse référence en matière d'islam* », selon le petit groupe.

Tous frayent aussi avec les piliers du Chicken Planet, un kebab halal installé entre la nouvelle mosquée, tout juste inaugurée, et le lycée de la Plaine-de-Neauphle. Le sandwich grec est devenu l'un des mythes universels des années 2000. Pour cinq euros, c'est kebab-frites avec salade-tomates-oignons pour tout le monde, et bien sûr le choix de sa sauce : blanche, ketchup-mayo, algérienne, samouraï ou harissa, avec parfois un supplément fromage. C'est bon, pas cher, et ça tient au ventre, à n'importe quelle heure et où qu'on soit en France, même si certains refusent de servir la traditionnelle bière turque. C'est le cas au Chicken Planet, dont le gérant est aussi le responsable de la collecte des dons pour l'Union des musulmans de Trappes.

Autour des tables en plastique de cette petite échoppe devenue l'un des rendez-vous des jeunes de la ville rôdent des « barbus » peu avenants. L'un des piliers du kebab est Messaoud Zahraoui. Il est surnommé « Pépite », car il mâchouille souvent des graines de tournesol, ou encore « Samir d'Inter ». La DGSI a toujours cru que ce peintre en bâtiment devait ce surnom à son excellente connaissance de l'international : c'est plus simplement parce que son kebab est proche de l'ancien Intermarché de la ville.

« Samir d'Inter » rentre d'Égypte, une destination très à la mode, à Trappes, en ce début des années 2000. Le gérant de la sandwicherie, un certain Mohamed, y a installé sa famille, loin des « mécréants ». Fouad, un ancien chauffeur de navette de Roissy, s'y trouve aussi, et bien d'autres encore. Officiellement, ils s'en vont faire des affaires, comme « *acheter des couvre-lits pour les revendre au marché de Trappes* », au milieu des étals de viande, d'épices et de tissus débités au mètre, debout sur les rouleaux. En réalité, ils apprennent l'arabe et le Coran, comme Bouhalli, le visiteur de parloir du Val-de-Reuil, un des premiers à avoir fait le voyage : deux séjours de six mois au Qortoba Institute, à Nasr City, cette excroissance de l'est du Caire où résident des « nouveaux riches » revenus des pays du Golfe, et qui concentre femmes aisées en niquab et salafistes de tous les pays.

Dans cette école réputée pour son enseignement coranique exigeant, les élèves noircissent des cahiers de grammaire et de vocabulaire au milieu de religieux et de prosélytes. Dans le quartier où ils logent, les Trappistes sont légion. « *On croit là-bas que Trappes est une ville de 100 000 habitants, tant ils sont nombreux* », rient ceux qui en reviennent. Safé Bourada s'envole lui aussi en Égypte dès sa sortie de prison, et à d'autres reprises encore. « *Je ne peux pas avoir la prétention d'être un guide spirituel et religieux si je ne maîtrise pas la langue du Prophète* », explique-t-il au « groupe de Trappes ».

Mais une nouvelle destination commence à attirer quelques musulmans radicalisés. En ce tournant du siècle, Raqqa est encore une terre de mission pour savants anthropologues ou professeurs d'archéologie, mais depuis deux ans, l'Irak, occupé par les Américains, est devenu une nouvelle terre de djihad, et sa voisine, la Syrie, sert de zone de passage à ces partisans de la « guerre sainte ». Pour ces pionniers qui inaugurent des filières, les frontières sont faciles à franchir. À l'époque, la France, qui a dit « non » à la guerre de George Bush, n'y prête guère attention.

Dès 2004, la rumeur de Trappes annonce qu'un certain « Moundher », un ami de la petite bande, est parti pour Damas. C'est le premier de la ville. Les squares bruissent aussi de rumeurs des départs de « Moumouche », « Doums », Moktar, « Nass »... Le boucher des Merisiers M'hamed Benyamina s'y envole fin 2003, afin de prendre attache avec une filière d'envoi de combattants en Irak. Mais le projet tourne court, et il revient à Trappes.

Safé Bourada, de toute façon, juge qu'il vaut mieux s'activer en France, un « *pays qui permet un grand nombre d'actions* » : c'est ce qu'il avait écrit dans la fameuse bible de son groupe terroriste. Il a décidé de faire de Benyamina son second – un « guide » par intérim, en quelque sorte. Très à l'aise en informatique, capable d'effacer des disques durs compromettants, Kaci Ouarab deviendra le « *successeur légitime et naturel* » s'il leur arrivait malheur à tous deux. Bourada le forme lui-même aux « *techniques de contre-interrogatoire* », en cas de garde à vue. « *J'ai la satisfaction d'un jardinier qui voit pousser ses plantes* », complimente-t-il en notant ses progrès.

Aux autres membres du groupe, il rappelle que l'argent est le nerf de la guerre et qu'il faut une « cagnotte » pour financer la cause. L'Émir donne l'exemple : 8 000 euros, dont 2 000 en nature, pour la mise de fonds. Kaci lui fait acheter des logiciels pour cloner des cartes bancaires et fabriquer des « yes cards », ces cartes frauduleuses qui permettent de faire ses courses ou d'acheter de l'essence sans code pin, et que la petite bande vend aux primo-délinquants des Yvelines. La jama'a monte aussi des commerces. À sa sortie du Val-de-Reuil, l'un de ses membres a ouvert un cybercafé à Élancourt. Samir Bouhalli rêve, lui, de s'associer avec le cousin de Kaci pour tenir une boulangerie.

Tout est bon pour renflouer la cagnotte avant les attentats que le groupe ourdit dans le plus grand secret : un dans le métro parisien, l'autre à l'aéroport d'Orly, le troisième contre un restaurant fréquenté par des agents de la DST, tout près du siège du contre-espionnage français, que dirige depuis 2002 Pierre de Bousquet de Florian. Les trois petites mains de la bande ont même prévu de prospecter durant l'été les contre-allées de la place de l'Étoile, à Paris, pour racketter des prostituées.

Safé Bourada avait raison de se méfier de leur amateurisme. La police remonte facilement la piste des agressions et devine que le « *mobile réel* » des vols n'est autre qu'une « *collecte de fonds pour la cause islamiste radicale* ». Signalé par les services français, M'hamed Benyamina est arrêté à l'aéroport d'Oran, le 9 septembre 2005, où il serait venu voir ses parents. À l'issue d'un interrogatoire plus que musclé (son conseil parlera de torture), les services algériens assurent qu'une cellule terroriste, dirigée de Trappes par Safé Bourada, projette un triple attentat à Paris.

Le 26, l'ancien mentor de Khaled Kelkal et chef du « groupe de Trappes » est arrêté. Comme Kaci Ouarab. Square Jean-Macé, les policiers découvrent des talkies-walkies, que le jeune expert-comptable déclare avoir achetés pour ses enfants de trois ans et quatre mois, un fer à souder, une bobine de fil d'étain, des diodes et des piles, mais Kaci Ouarab nie avoir tenté de fabriquer un système de mise à feu. Les policiers embarquent aussi des bouteilles d'un étrange oléagineux, de l'huile de graines de nigelle. Le jeune Trappiste, qui ne manque pas d'humour, dit l'utiliser pour ses extraordinaires « *vertus prophétiques* ».

« Le 2 juillet 2005, vers 2 heures du matin, une prostituée exerçant avenue Foch était agressée par deux individus montés sur une moto immatriculée dans le département des Yvelines. » Le commando lui donne un coup de poing, braque sa Fiat break, lui vole ses bijoux, sa carte bancaire. *« Pendant l'absence du chauffeur parti retirer le numéraire, le passager resté seul avec la victime lui caressait la poitrine et l'embrassait dans le cou. La victime et ses agresseurs devaient ensuite prendre la direction des Yvelines (...). Mais ses agresseurs lui déclaraient qu'ils la laissaient partir avec sa voiture parce qu'elle était arabe comme eux, et qu'initialement ils l'avaient prise pour une juive. L'un d'eux ajoutait que si le troisième, leur chef, barbu, avait été là, ils l'auraient coupée en morceaux car il était islamique et que pour lui se prostituer était un péché. »*

Extrait de l'arrêt du réquisitoire définitif aux fins de renvoi du « groupe de Trappes », TGI de Paris, 22 mai 2008. En octobre, Safé Bourada est condamné à 15 ans d'emprisonnement, Kaci Ouarab à 9 ans, et le reste du groupe à des peines de 5 à 1 an.

20

Le gardien du lycée est mort

Une âcre odeur de roussi plane dans les escaliers du lycée. Depuis plusieurs semaines, toute la ville est sens dessus dessous. Un dépôt de skybus a brûlé près du square Albert-Camus, et vingt-quatre carcasses grises sont alignées depuis plusieurs jours les unes à côté des autres, comme dans une morgue. Mais ce 21 novembre 2005, c'est à l'intérieur même du lycée, dans la cour, que des voitures ont été incendiées.

Voilà maintenant trois semaines que les journaux télévisés ouvrent leurs éditions sur « *les émeutes de banlieue* ». Elles ont embrasé les villes de la périphérie parisienne après la mort, dans un transformateur électrique, de deux gosses de Clichy-sous-Bois, le 27 octobre, en Seine-Saint-Denis. En plein ramadan, pour « *faire passer l'heure* » et ne pas réveiller leurs pères, éboueurs de nuit à la Ville de Paris, Bouna Traoré et Zyed Benna étaient allés taper le ballon hors de leur cité. En apercevant des policiers en civil, les gamins du Chêne-Pointu avaient pris peur et s'étaient réfugiés dans ce site d'EDF où un arc électrique les a foudroyés. Depuis, c'est le chaos.

Le lendemain de la mort des deux gamins, le premier ministre, Dominique de Villepin, a parlé à tort de trois

« *cambrioleurs* » et le ministre de l'Intérieur, Nicolas Sarkozy, expliqué, sans attendre l'enquête, que « *les policiers ne poursuivaient pas ces jeunes* ». Ces mots, venus après ceux de « *racailles* » et de « *nettoyage au kärcher* » de certains quartiers, ont joué comme une mèche, enflammant Clichy, Montfermeil, Bondy, Aulnay-sous-Bois, Sevran, ces poudrières que les pouvoirs publics ont pris l'habitude d'appeler « *banlieues difficiles* ».

Plusieurs milliers de voitures et bâtiments ont été détruits en Seine-Saint-Denis et rien ne paraît apaiser les jeunes, surtout après que la mosquée de Clichy a été victime de tirs de grenades lacrymogènes. Outre le dépôt de bus de Trappes, le 4 novembre, la trésorerie principale de la ville a été visée. Depuis, des incendiaires rôdent autour du lycée.

Ce 21 novembre, Didier Lemaire est venu donner son cours, comme prévu. Le professeur de philosophie a l'habitude de monter dans sa classe en passant par l'arrière du lycée, sans s'arrêter dans la salle des profs, et il n'a rien entendu de la rumeur inquiète du lycée. À peine relève-t-il la légère odeur de brûlé dans l'escalier. Sa classe de terminale littéraire a déjà sorti ses cahiers quand on toque à la porte. La proviseure passe une tête. « *Cette nuit, plusieurs cocktails Molotov ont été lancés dans la cour.* » Elle baisse la voix : « *Alain Lambert est mort.* » La voilà déjà repartie, sans expliquer ni les circonstances, ni le drame, ni le contexte, rien, comme si aucun lien n'unissait les émeutes et la mort du responsable technique de l'établissement.

Les élèves connaissent bien « monsieur Lambert ». C'est lui qui répare une porte sortie de ses gonds, fait repeindre une salle de classe, change la sonnette ou une poubelle.

Sur le portrait que sa compagne a disposé dans l'appartement de fonction où le couple s'est installé, le petit homme trapu au visage rond porte une chemise colorée et une cravate chamarrée qui lui donne un air d'employé du tertiaire, mais c'est un bricoleur : ses doigts courts font des miracles.

Monsieur Lambert s'est toujours impliqué dans la vie du lycée. Il était membre de « l'équipe pédagogique », comme on dit. Il avait aussi adhéré à Plein Horizon, l'association montée par l'équipe de profs atypiques et dynamiques qui règne ces années-là au lycée de la Plaine-de-Neauphle. Chaque année, ils organisent des « salons des métiers » où les élèves peuvent rencontrer près d'une centaine d'intervenants – avocat, écrivain, procureur, responsable de théâtre… Le « gardien » était toujours présent.

« *Alain Lambert est mort* », annonce Didier Lemaire à ses élèves. Impossible de poursuivre le cours, explique-t-il, bouleversé. Sa collègue, professeure de français, a réagi de même et tous deux ont rejoint la salle des profs pour s'enquérir des circonstances de son décès. Chacun évoque ses souvenirs. Un surveillant, ancien élève de Gagarine et du lycée, raconte que le gardien se montrait de plus en plus las et ronchon. « *Toujours les mêmes…* », « *Ils m'ont encore cassé ça* », râlait-il. Ou : « *Je vais devoir nettoyer leurs tags tout le week-end…* »

Didier Lemaire se rappelle aussi qu'une semaine plus tôt, jour pour jour, monsieur Lambert, inquiet et angoissé, était venu le trouver sur le parking. Les émeutes battaient leur plein et le gardien était le seul, avec sa compagne, à habiter l'un des logements de fonction. C'est une des particularités, à l'époque, du lycée de Trappes : il est ouvert à tous vents. Les architectes des années 70 n'ont pas prévu d'enceinte et ont même imaginé, un temps, construire une tour au beau milieu de la cour, pour mieux mêler les élèves à la vie des habitants, loin de l'école « sanctuaire » chère à la IIIe République.

N'importe qui peut pénétrer dans l'établissement et à plusieurs reprises, monsieur Lambert s'est retrouvé nez à nez avec des cambrioleurs, a-t-il confié à Didier Lemaire. Aux premiers incidents, quelques semaines plus tôt, des cars de police ont monté la garde, mais le 8 novembre, neuf jours après la déclaration de l'état d'urgence par le premier ministre, les CRS ont levé le camp. Inquiet de ne plus se trouver sous protection policière, monsieur Lambert s'est mis à veiller toute la nuit, l'œil sur les voitures de service habituées à dormir au lycée, au creux des alvéoles de béton brut creusées dans l'un des bâtiments de l'établissement, presque sous ses fenêtres. La sienne en fait partie.

Ce 21 novembre, à 3 h 45 du matin, le souffle orangé des flammes l'a réveillé en sursaut, apprennent les profs. Au milieu de la cour du lycée, quatre voitures, dont la sienne, sont en train de brûler. Paniqué, le gardien a composé le 18 et, en attendant, tente d'éteindre le feu avec des seaux d'eau, puis avec l'extincteur de sa loge. À l'arrivée des pompiers, il s'active pour pousser un véhicule hors du brasier. Mais tout à coup il se sent mal. Il étouffe. Il passe la porte de son appartement de fonction et s'effondre d'un coup. Les pompiers s'affairent pour le réanimer, sans succès : monsieur Lambert est mort.

Quand elle prévient ses professeurs, la proviseure en est encore à l'hypothèse privilégiée par les enquêteurs, celle de la crise cardiaque. Alain Lambert souffrait d'insuffisance respiratoire, expliquent les journaux. Dès la fin de matinée, le ministre de l'Éducation, Gilles de Robien, et le président socialiste de la région, Jean-Paul Huchon, ont pourtant accouru au lycée pour témoigner de leur solidarité, à l'heure où des gamins défient les policiers à coups de pierres, visages masqués par des casques et des bandanas. Didier Lemaire et ses collègues, bouleversés, veulent aussi marquer le coup.

Cela devient gênant, cette habitude qu'a la proviseure de toujours minimiser les incidents du lycée pour ne pas nuire à l'image de l'établissement. Ah ! Trappes et sa réputation ! C'est la grande affaire de la ville, un piège dans lequel tout le monde se débat, enseignants compris. Dénoncer la violence, les bandes, les « incivilités », ce mot flou utilisé pour ne pas trop choquer, c'est prendre le risque d'accélérer la fuite des enfants des classes moyennes qui multiplient déjà les stratégies d'évitement du lycée de Trappes, malgré la carte scolaire. Mais ne rien dire, c'est laisser faire.

Ce raisonnement décide Didier Lemaire à aller trouver la proviseure. « *Les adolescents sont perdus. Ils ont besoin d'une parole d'adultes !* » Dans la cour de l'établissement, des lycéens témoignent d'ailleurs de leur désarroi devant un reporter du *Parisien*. « *Un homme est mort et l'administration n'a rien fait ! On a continué les cours, comme si de rien n'était. On a laissé Alain se débrouiller seul face à ces violences. À force de surveiller l'établissement, il ne dormait plus. Il est mort pour avoir voulu protéger notre lycée.* »

Un livre de condoléances et une cagnotte pour la famille du gardien sont ouverts. Une marche en « *hommage à monsieur Lambert* », comme dit la banderole, file en cortège jusqu'à la mairie, où Guy Malandain les accueille. « *Je peux compter sur vous pour dire partout qu'on ne peut pas exprimer sa colère de n'importe quelle manière* », lâche le maire de Trappes en choisissant ses mots, comme toujours. Puis, une semaine après le drame, les enseignants de la Plaine-de-Neauphle se rendent aux obsèques de l'agent technique, à Septeuil, et le lycée est enfin fermé.

L'humeur n'est plus tout à fait la même que les premiers jours. L'autopsie a en effet révélé que le gardien de cinquante-deux ans est décédé par « *asphyxie chimique* », après avoir inhalé des fumées. À Versailles, le procureur lance un appel à témoins à tous les habitants de Trappes avec le numéro de téléphone de la Sûreté départementale des Yvelines : deux ministres se sont déplacés, l'enquête doit avancer.

Quelques mois plus tôt, dans *Le Monde* du 16 mars, un article a marqué les esprits. Le reporter, Luc Bronner, racontait les « violences anti-blancs » en marge d'une manifestation de lycéens. Des jeunes de banlieue se moquaient des « *têtes de victimes* » des « *petits blancs* » et déclaraient vouloir « *se venger du racisme des Français et des policiers* ». Depuis, les images de gamins caillassant les forces de l'ordre, diffusées chaque soir dans les journaux télévisés, alimentent la peur d'une guerre raciale que seuls les États-Unis ont connue jusque-là.

Les caméras de surveillance ont filmé quatre silhouettes dans la cour du lycée, mais, sur les images, des capuches sombres cachent leurs visages. Une empreinte sur une bouteille contenant un cocktail Molotov a bien été trouvée au pied du brasier, mais son propriétaire n'est pas référencé au fichier des délinquants. Entendue comme témoin dans le cadre d'une autre affaire, une éducatrice finit tout de même par signaler un mineur qui a fugué il y a peu. C'est le plus jeune de la bande. Un mois après la fameuse nuit, il passe aux aveux et, en février 2006, ses complices sont interpellés.

Les coupables sont quatre gamins de Trappes. Le plus jeune n'a que dix-sept ans, un gosse sans histoire, le plus âgé en a vingt-huit, et, depuis la mort du gardien, se trouve en prison à Bois-d'Arcy pour une autre affaire. Des « *petites frappes* », rapporte la police locale. « *Des petits de mon quartier* » qui avaient passé la soirée à boire de la bière et fumer des joints avant leur expédition au lycée, selon La Fouine. Le soir de la mort de monsieur Lambert, la fine troupe avait commencé par incendier la cantine, versant même de l'essence devant la porte. Ils s'étaient finalement ravisés.

« *C'était un délire. Il était tard, l'essence était disponible facilement dans le quartier. Chacun devait cramer sa voiture, juste comme ça* », expliquent-ils en garde à vue. « *On voulait faire comme les autres* », prendre part au bilan officiel, en somme. Dans cet inventaire des émeutes, on oublie presque toujours la mort du gardien du lycée de la Plaine-de-Neauphle. De cette nuit fatale de novembre, il ne reste qu'une plaque, apposée sur un mur de brique rouge de la cour, à la demande des élèves : « *En hommage au dévouement de M. Alain Lambert, ouvrier professionnel, qui nous a quittés le 21 novembre 2005 en sauvant notre lycée des flammes.* »

« 11 200 policiers et gendarmes mobilisés (dont 56 blessés)
9 183 véhicules incendiés
3 921 interpellations
2 734 personnes placées en garde à vue
597 incarcérations (dont 108 mineurs)
6 morts :
– Bouna Traoré et Zyed Benna, deux enfants de Clichy-sous-Bois électrocutés dans un transformateur
– Jean-Jacques Le Chenadec, victime du coup de poing d'un jeune en tentant d'éteindre un feu de poubelle, à Stains (93)
– Salah Gaham, gardien d'immeuble mort asphyxié en tentant de porter secours à des étudiants, à Besançon
– Jean-Claude Irvoas, battu à mort le 27 octobre, à Épinay-sur-Seine, alors qu'il prenait en photo un lampadaire pour sa société de mobilier urbain
– Alain Lambert, gardien du lycée de la Plaine-de-Neauphle à Trappes. »

Ministère de l'Intérieur, bilan officiel des émeutes en 2005.

21

« Président Larbaoui »

Sur le trottoir, les kebabs ont installé un téléviseur. Il fait doux en ce mois de juin, et depuis les premiers matchs de la Coupe du monde de football 2010, des dizaines de garçons ont pris l'habitude de regarder dehors, en bande, la compétition qui se déroule en Afrique du Sud, sans décalage horaire avec la France. D'habitude, la coupe d'Afrique des Nations est bien plus suivie que le Mondial, mais « Nico » a été officiellement sélectionné dans l'équipe de France, et Trappes espère bien voir briller l'avant-centre sur le terrain. Après les générations Platini et Zidane, quelle fierté si Anelka plaçait Trappes au panthéon du foot en remportant une victoire en finale !

Chaque jour, les amateurs suivent les préparatifs de l'équipe et tous ont vu Nicolas débarquer au Cap, lunettes noires, capuche sur la tête et écouteurs dans les oreilles. Personne n'ignore plus, à Trappes, les tumultes de sa carrière. On le sait taciturne, « *trop jeune, individualiste et indiscipliné* », avait justifié Aimé Jacquet en 1998 en évinçant Anelka de l'équipe « black blanc beur », cette dream team qui devait porter l'espoir des banlieues. De la déception des quartiers, Jamel avait fait un sketch. Il avait débarqué en compagnie d'Omar et Fred sur le plateau de Canal+, en maillots bleus floqués du nom d'Anelka, avec cagoules, revolvers et fusils-mitrailleurs en plastique portés en bandoulière comme de faux terroristes. « *Allô Aimé ?* avait mimé Jamel au bout d'un téléphone imaginaire, *le mieux, c'est de donner un petit coup de Tippex de-ci de-là, parce que c'est pas bien, l'équipe, comme ça.* »

Face à la décision humiliante du coach, « Nico » avait réagi avec sa nonchalance habituelle : « *Pas grave, j'vais pouvoir passer mon permis.* » Le soir de la victoire à Paris, il était dans l'Eurostar, snobant le match à la télé, souverainement indifférent à la joie du pays... Et voilà qu'il est enfin sélectionné avec Franck Ribéry et Patrice Evra pour représenter la France aux yeux du monde ! Devant les écrans, ses fans retiennent leur respiration. Pourvu qu'il ne soit pas trop tard et que « *le gamin de Trappes* », comme les journaux appellent « Nico » chaque fois qu'il dérape, ne soit pas rattrapé par sa réputation...

Un homme suit avec une attention particulière cette Coupe du monde 2010 : Mustapha Larbaoui. Dans la ville, tout le monde connaît le pharmacien à la fois jovial, un brin hâbleur et plein d'autorité qui dirige depuis sept ans ce FC Trappes qui a vu grandir Anelka. Lorsqu'il y est arrivé en 2003, le club était plongé dans une situation financière catastrophique. Quatre-vingt mille euros de déficit, une grande désorganisation, des sponsors en déroute. Sollicité, Jamel Debbouze avait accepté d'être bombardé à la tête du club.

Les premiers temps, il a bien usé de son formidable carnet d'adresses pour solliciter les mécènes les plus prestigieux. Michel Denisot à Canal+, Laurent Perpère pour le PSG, Fabien Ouaki, le P-DG de Tati, et Jean-Claude Darmon, l'homme d'affaires du foot, ont offert à l'époque plusieurs dizaines de milliers d'euros à Trappes sur intervention de Jamel. Pour les soixante-dix ans du club, le 16 avril 2002, l'acteur avait même convié l'entraîneur star du PSG Luis Fernandez, le champion olympique de judo Djamel Bouras, et les rappeurs Doc Gynéco et Stomy Bugsy.

Mais tout le monde a fini par déserter peu à peu et Jamel ne trouve jamais un moment pour s'en occuper. Le trésorier ne sait plus comment s'en sortir et c'est lui qui est allé trouver jusque dans la vallée de Chevreuse ce pharmacien, comme on cherche un sauveur. « *Président* », voilà comment Trappes appelle depuis Mustapha Larbaoui, quoique le président d'honneur du club soit Anelka. Ils n'ont pourtant rien à voir.

Sur les plaquettes de présentation du club, leurs noms ont beau figurer côte à côte, Mustapha Larbaoui est une sorte de portrait inversé de Nicolas Anelka. Quand « Nico » débarque en Ferrari et se rengorge de ses coups de gueule avec ses entraîneurs, Mustapha exalte la discipline et les vertus de l'éducation par le sport. Ici, pas de « *connard !* » ce mot qu'Anelka avait lancé au sélectionneur de l'équipe de France lors de l'Euro 2008. Lorsqu'ils croisent « monsieur Larbaoui » à la sortie des stades, les gamins baissent leurs capuches et rangent leurs casquettes. Gare aux récalcitrants ! Avec son costume trois pièces et sa cravate en soie, « Président » les rattrape d'une phrase : « *Tu t'arrêtes devant moi, tu me regardes dans les yeux. Tête nue ! Voilà, maintenant tu dis bonjour !* »

Même les parents se sont mis à filer doux. Quand il est arrivé à la tête du club, les familles hurlaient encore autour du stade à chaque match et contestaient les conseils de discipline réservés aux récalcitrants. Mustapha Larbaoui y a mis bon ordre. Personne ne rentre plus dans les vestiaires sans y être autorisé. On n'insulte plus l'arbitre. Les clubs des autres départements sont du coup moins inquiets de rencontrer les Trappistes. C'est pour ces raisons aussi que le patron du FC Trappes suit avec attention le déroulement de la Coupe du monde de football. Si la France pousse au moins jusqu'en quart de finale, la gloire d'Anelka rejaillira sur la ville et son club, qui compte déjà le plus grand nombre de licenciés du département. Au moindre incident, ils seront au contraire de nouveau montrés du doigt et tous les efforts réduits à néant.

Le « président » Larbaoui ne vit pas à Trappes, c'est peut-être le secret de son autorité. Il continue d'habiter Dampierre, dans la vallée de Chevreuse, à quelques kilomètres de l'abbaye des Vaux-de-Cernay, cette splendeur du XIIe siècle où les Parisiens fêtent fiançailles et anniversaires de mariage et où lui aime se promener. Mais son histoire ressemble à celle de la plupart des habitants de Trappes et c'est aussi de cela qu'il tire sa légitimité. Ses parents algériens sont arrivés du bled à la fin des années 50 dans un quartier de transit de Versailles, la cité Bernard-de-Jussieu : 2 000 personnes, à l'écart dans les bois. C'est là qu'en 1961 est né et a grandi Mustapha, à huit dans un deux pièces-cuisine, les enfants dans une chambre avec trois fois deux lits superposés. La pauvreté, il le sait mieux que tous, c'est d'abord la promiscuité : les couples sans intimité et les gosses sans table pour les devoirs. « *Le pauvre sait mieux que personne qu'il est pauvre* », rappelle-t-il quand le maire socialiste ou le député UMP, qui rêveraient de l'enrôler à leurs côtés, lui assurent que la situation s'améliore.

Au collège Jean-Philippe-Rameau de Versailles, il a côtoyé de jeunes bourgeois qui l'invitaient gentiment à goûter chez eux. Il a lui aussi connu l'orientation vers le bac technique, bien que, avec un sens de la stratégie scolaire rare dans sa cité, il ait choisi d'apprendre l'allemand en première langue, avec latin et grec en options, comme ses camarades mieux lotis. « *Comme ça, tu pourras trouver du travail* », lui ont expliqué les profs et l'assistante sociale, sans doute persuadés qu'un gamin de l'immigration est forcément voué au chômage. Devenu animateur socioculturel, il a dû attendre ses vingt-cinq ans pour s'offrir enfin de nouvelles études et pousser jusqu'à ce doctorat de pharmacie qui est sa fierté. « *Dans la vie, il y a toujours beaucoup de gens généreux qui vous tendent la main. Je les ai toutes saisies* », dit-il.

Pharmacien, c'est désormais son passeport à Trappes. Pour prouver son engagement dans la ville, il a racheté l'officine de la famille Meunier, rue Jean-Jaurès, à trois pas de la mairie. On y fait la queue. Un petit caducée au revers de sa veste, comme une Légion d'honneur, il remonte la file, serre les mains en parlant haut et envoie son préparateur apporter ses médicaments à l'ancien maire Bernard Hugo, domicilié juste en face.

Les « barbus » qui font le guet autour de la mosquée savent-ils que Mustapha ne fait ni le ramadan ni ses prières, et ambitionne de lancer des équipes de football féminin ? Chaque mois de janvier, en grande pompe, le président du club présente ses vœux et fait servir une galette des rois, des jus de fruits et du crémant d'Alsace, sans se soucier qu'on puisse trouver son « pot » *haram*.

« *La religion relève du privé et je crois que seule cette conception libère les gens* », dit-il. Jamais il n'ira déjeuner au restaurant à Trappes pendant le ramadan, « *comme un interdit parental qui fait que je ne fume pas devant mon père* ». Mais il ne fréquente pas non plus les religieux de l'UMT et se tient à distance de Slimane Bousanna, l'ancien promoteur de la mosquée.

Il voit bien que le communautarisme piège chaque jour un peu plus sa ville. Délinquance, bagarres, drogue, la peur de voir les enfants y succomber tenaille les parents. Les religieux de la mosquée l'ont bien compris. Ils ont mis en place l'Épi vert, une association qui prodigue aux jeunes enfants soutien scolaire, sorties, cours de Coran, cours de cuisine, ateliers sportifs, avec le soutien de la Caisse d'allocations familiales. Beaucoup les accusent de prosélytisme. Pourquoi la République ne reprendrait-elle pas un peu de terrain ?

Malgré l'engagement des professeurs, les collèges et les lycées publics de Trappes gardent une réputation désolante. Près de 80 % des élèves de l'école Sainte-Marie, juste à côté de la pharmacie de Mustapha, sont musulmans. La communauté sait qu'entrer dans cet établissement privé dès le primaire offre une chance d'accéder au collège puis au lycée Saint-François-d'Assise, à Montigny : 100 % de réussite au baccalauréat. Pour rire, les parents soucieux de voir réussir leurs enfants appellent l'école « *Sainte-Mériem* ». On les entend souvent se désoler qu'à Trappes il n'y ait pas davantage de « *mixité* ». Il faut comprendre l'inverse de ce que les villes bourgeoises entendent en général par ces mots : pas assez de mixité, pour ces musulmans, c'est pas assez de « Blancs » et trop d'emprise confessionnelle.

Mustapha Larbaoui est d'accord avec eux. Dès son arrivée à la tête du club, en 2003, il a gelé les primes de match de son équipe vedette pour réorienter les subventions vers l'école de foot. Puis a mis en place des heures de soutien scolaire, comme la mosquée, la « Miss' pop' » protestante ou le curé. Pendant l'année, un car de ramassage récupère les CM2 : goûter offert, trente minutes de maths, trente minutes de français, et ensuite seulement entraînement. Tous les licenciés du FC Trappes portent le même uniforme. La prière n'est pas autorisée pendant les entraînements, même si c'est l'heure. « *Tu peux croire en ce que tu veux, mais la religion n'empiète pas sur le foot* », a imposé « Président ». De la même façon, les joueurs se douchent nus ou habillés, mais se douchent forcément.

Quant au voile pour les joueuses, il a été purement et simplement interdit pendant les matchs et personne n'y a rien trouvé à redire. On adore Mustapha, et pour beaucoup de mères dont le mari s'en est allé, il est aussi une autorité de substitution. « *Sur 750 naissances par an, le club touche une trentaine d'enfants* », clame le président désormais à la tête d'une « *génération Larbaoui* ». « *C'est le papa qui a le plus d'enfants au monde* », s'amusent ses fans.

Il doit cependant déployer des efforts démesurés pour trouver des fonds. Le succès d'Anelka en rapporte un peu, même si Mustapha Larbaoui en espérait plus. Dans un restaurant italien d'Élancourt, une pizza porte le nom du champion, mais Anelka ne vient jamais rendre visite aux gamins de Trappes qui l'admirent tant. À chacun de ses départs à Fenerbahce, en Turquie, puis à Bolton, en Angleterre, Mustapha peut cependant faire jouer la règle de la prime au club formateur et le FC Trappes récupérer 0,5 % du montant des transferts, soit plusieurs dizaines de milliers d'euros. Pourvu qu'il continue à prendre de la valeur…

« *Va te faire enculer, sale fils de pute !* » L'insulte barre la une de *L'Équipe,* ce 20 juin 2010, juste au-dessus d'un photomontage d'Anelka face au électionneur de l'équipe de France Raymond Domenech. En France, c'est la consternation. Le joueur nie avoir prononcé ces mots, mais le quotidien sportif dévoile le violent conflit qui l'oppose à l'entraîneur des Bleus. Devant le scandale, la Fédération française de football n'a pu faire autrement que d'exclure Anelka. Tout Trappes a pu voir le joueur, mutique et sombre, quitter le Pezula Resort, l'hôtel de luxe où l'équipe est logée à Knysna, dans la province du Cap. Puis a appris, sidérée, la « grève » de l'entraînement décidée par les tricolores, acte inédit et scandaleux qui a transformé la compétition en « *honte nationale* ». Depuis, c'est l'hallali.

L'ambiance n'est plus celle de 1998. Adieu les idoles, Zidane, Henry, Thuram. Les joueurs issus de la banlieue sont désormais traités de « *racailles* ». Le philosophe Alain Finkielkraut avait déjà regretté tout haut que l'équipe « black blanc beur » soit devenue « *black black black* ». Aujourd'hui, il dénonce « *le putsch débile de voyous milliardaires* » et s'inquiète d'« *un processus de décivilisation à l'œuvre* » avec cette « *bande de onze petites frappes* ». Les musulmans de l'équipe de France sont accusés pêle-mêle de ne pas chanter *La Marseillaise,* d'avoir imposé à l'équipe des menus halal et de harceler Yoann Gourcuff, le jeune milieu de terrain « intello » venu de Lorient qu'on dit victime d'un « racisme anti-blanc ».

Franck Ribéry, l'un des meneurs de la « grève », et

Anelka, dont l'insulte a tout déclenché, concentrent les haines. Ils se sont tous deux convertis à l'islam et les réseaux sociaux sont déchaînés. Même le président de la République Nicolas Sarkozy, en voyage à Saint-Pétersbourg pour rencontrer le président russe Vladimir Poutine, a fait savoir que « *si les événements rapportés par la presse sont exacts, ils sont inacceptables* ». Quick, qui avait prévu de diffuser une série de spots télé où Anelka mangeait des burgers, a annulé le contrat.

« *Ils ne voulaient pas que ce soit moi leur héros et ils ne le voudront jamais* », soupire plus tard le footballeur devant la journaliste Mélissa Theuriau revenue à Trappes avec son mari Jamel, Omar Sy et Anelka, reconstruire la légende des trois amis d'enfance. Cette fois, plus les Français l'éreintent et plus les Trappistes prennent sa défense, comme s'il leur ressemblait encore davantage depuis qu'il fait figure de réprouvé.

Mustapha Larbaoui n'a pas ces pudeurs. La « honte » de Knysna n'est pas passée. Il a décidé de retirer au champion son titre de président d'honneur du club.

« Devinez qui vient de Mars : Sopra M'Ba Leonidas
Un caïd immature comme Ribéry, Anelka ou Gallas
Mes favelas, que des piranhas sortis des marécages
Je suis détesté car vu du ciel, je brille plus que Las Vegas. »

« Bafana bafana remix », La Fouine, 2011.

22

« Bonjour ! Je m'appelle Benoît Hamon »

Chaque matin de cet hiver 2011, à 7 heures, Benoît Hamon attrape à Montparnasse l'un des premiers trains pour Rambouillet, et descend à la gare de Trappes pour tracter avec une grappe de militants socialistes. Il a compris que pour rencontrer des électeurs, il fallait arriver dès l'aube, avant que le kiosque à journaux ne tire son rideau de fer jusqu'au lendemain. C'est tôt le matin qu'on croise ceux qui vont travailler à Paris, à Versailles, à Saint-Quentin, rares passagers de la journée à présenter leur pass Navigo sans jouer à saute-tourniquet. « *Bonjour ! Je m'appelle Benoît Hamon !* »

Trois ans plus tôt, Benoît Hamon a été nommé porte-parole du PS et depuis, il porte le fer pour la rue de Solférino contre Nicolas Sarkozy et son gouvernement. C'est l'autre raison pour laquelle le nouveau candidat aux législatives tracte à la gare et au marché de si bon matin. Vers 9 heures, il doit rentrer à Paris courir les conférences de presse et les plateaux des chaînes d'info en continu pour son parti. Il revient en fin d'après-midi pour deux à trois heures au moins de réunions d'appartements et de porte-à-porte.

Le candidat a mis quelques jours à comprendre que

lorsque des femmes lui réclament « *deux minutes, deux minutes !* » après son coup de sonnette, c'est pour nouer leur foulard avant d'ouvrir à un homme, non pour le chasser. Bien au contraire, il est reçu chaleureusement. Hamon a la bise ou la poignée de main facile, le sourire franc et l'air neuf malgré ses quarante-deux ans dont vingt-cinq de parti. Jamais de hauteur ni de réserve à l'égard des immigrés qui l'accueillent : ses quatre ans passés à Dakar, entre le CE2 et sa 5e, n'y sont sans doute pas pour rien. Il est gourmand, ça compte aussi, et ne chipote pas devant les baklavas aux amandes et les makrouts aux dattes qu'on lui apporte à toute heure pour accompagner son thé à la menthe.

Benoît Hamon est un parfait spécimen de ces « militants professionnels » du xxe siècle, entré en politique en 1991 après les manifs contre la loi Devaquet, sans passer par le trotskisme ou par l'Ena, les deux écoles officieuses de formation du PS. « *Touche pas à mon pote* » : le jeune Breton a porté sur son caban, comme des centaines de milliers de lycéens, la petite main jaune de SOS Racisme. Son allure juvénile fait parfois oublier qu'il a connu les courants les plus paléolithiques, « mermaziens », « poperénistes », des étiquettes qui racontent un PS d'une autre époque. Entre des élus et des militants vieillissants, « Ben » reste un « petit jeune ».

Lorsqu'en 1993 il est devenu président des Jeunes socialistes, le MJS comptait pour du beurre. On l'a installé à la tête de l'organisation de jeunesse pour faire plaisir aux rocardiens, car il en est. Hamon a su en faire une machine de guerre pour contrer Solférino en défendant le Pacs ou la légalisation des drogues douces, gagnant sa place au bureau national du PS. De ce long passage dans l'appareil socialiste, il a compris comment bâtir un réseau : un homme dans chaque section. De ses années SOS Racisme, il a gardé l'habitude de flairer les enjeux de société qui pointent et d'écouter les révoltes des gamins qui enflent.

Pour cette première campagne législative dans les Yvelines, ses obligations de porte-parole du PS l'obligent à jongler avec un emploi du temps infernal mais lui offrent des avantages, comme l'assurance d'une notoriété immédiate. « *Bonjour ! Je suis votre candidat aux prochaines élections législatives !* » Quand il tend son tract ou qu'il frappe aux portes dans les squares, on le confond parfois avec Manuel Valls, mêmes cheveux noirs coupés court et plaqués en avant, même silhouette *slim* et front de taurillon, même parti et même camp ; à l'époque, les programmes des deux hommes ne sont pas encore si différents.

Paris-Trappes, quarante minutes montre en main : Benoît Hamon savoure sa chance, après plusieurs parachutages ratés dans l'Essonne, mais aussi dans le Morbihan et surtout le grand Est. Guy Malandain lui a fait ce cadeau. À soixante-quatorze ans, le maire de Trappes n'imagine pas une seconde quitter l'hôtel de ville mais se cherche un successeur pour la 11e des Yvelines, cette circonscription qui regroupe Bois-d'Arcy, Élancourt, Fontenay-le-Fleury, La Verrière, Le Mesnil-Saint-Denis, Saint-Cyr-l'École et Trappes, dont il a été le député sous Mitterrand. Depuis 1993 y règne presque sans exception le maire UMP de la commune bourgeoise d'Élancourt, Jean-Michel Fourgous, un ancien psychologue reconverti en chef d'entreprise dont le libéralisme plaît à l'électorat aisé de ce coin des Yvelines.

Quand Guy Malandain l'a appelé, Benoît Hamon savait à peine à qui il avait affaire. Malandain, c'était ce nom qu'il entendait dans les années 80 lors des débats sur les logements locatifs, les bailleurs ou cette fameuse « rénovation urbaine » dont le maire de Trappes passe désormais pour un expert : l'État a consacré 340 millions d'euros à détruire les barres et les tours de sa ville pour reconstruire de petits immeubles pimpants. Malandain connaissait lui aussi assez peu le quadragénaire. C'est un peu comme s'il avait choisi « Benoît » sur catalogue.

Sept ans plus tôt, l'ancien membre du Ceres de Jean-Pierre Chevènement a apprécié les arguments du jeune homme en faveur du « non » au Traité constitutionnel européen. Puis, en 2009, lorsque Benoît Hamon, troisième sur la liste du PS aux européennes dans la région Île-de-France, a fait escale à Trappes pour une réunion publique, dans une salle de l'ancienne mairie, Malandain a jugé qu'il s'exprimait bien. Le score du PS, 13,5 % des voix, n'a pas été à la hauteur des espérances socialistes, le parti a perdu plus de dix points. Seule Pervenche Bérès a été élue derrière Harlem Désir, la tête de liste.

Harlem Désir ! L'ennemi juré de Malandain. Pendant les législatives de 1993, l'ancien président de SOS Racisme s'était présenté contre lui, et avec le soutien du PS, sous les couleurs de Génération Écologie. La fédé est rocardienne et voulait faire un mauvais coup à l'ancien mitterrandiste. Harlem Désir a échoué mais Malandain n'oublie pas. Le maire de Trappes fait de la politique à l'ancienne, naviguant entre coups fourrés et vengeances rentrées. À quelques mois de l'élection présidentielle et des législatives de 2012, il a donc pris son téléphone et appelé « Benoît » : « *Je garde la mairie tant que je peux, tu t'implantes aux législatives de 2012 et tu me succéderas quand je passerai la main.* »

De 18 heures à 20 heures, du lundi au vendredi, le candidat parachuté grimpe donc tous les escaliers des squares, et y revient parfois pour une seconde tournée. Les militants refont eux-mêmes le parcours, en équipe de deux, et avant de quitter l'immeuble tracent une croix à la craie devant l'entrée, pour prévenir les autres militants qu'ils sont passés. Sur leurs carnets, ils ont aussi noté les adresses ou les mails de quelques-uns, vieux communistes, présidents d'association, mais aussi bénévoles au français encore hésitant qui savent mener campagne en arabe, afghan ou wolof, et s'engagent auprès du candidat.

Benoît Hamon savait avant d'y mettre les pieds que Nicolas Sarkozy était devenu impopulaire dans sa circonscription. Dans les villes bourgeoises qui la composent, les électeurs de droite bien élevés tiquent devant les audaces et les manières bling-bling du président de la République. « *Vulgaire* », jugent les pavillons cossus de Montigny-le-Bretonneux. À Trappes, qui fournit un quart de la population de la circonscription, c'est pire encore, mais pour d'autres raisons.

Ce ne sont pas seulement les mots « *racailles* » et « *kärcher* » qui ont choqué les cités. « *Racailles, ça veut dire peuple méprisable. Et le kärcher, ça sert à nettoyer la merde* », résume Jamel Debbouze. Pour lui et beaucoup d'habitants des squares, le souvenir des émeutes de 2005 est encore vif et marque l'histoire des banlieues – et donc la leur – comme « *des signaux forts* ». « *Le couvre-feu, ça m'a rappelé 1955, le début de la guerre d'Algérie* », accuse le comique. En 2007, il a « roulé » sans se cacher pour Ségolène Royal, l'entraînant même à danser sur un rap de Diam's au Grand Journal de Canal+. Cette fois, il soutient François Hollande, et ne ménage plus du tout Nicolas Sarkozy.

Depuis ses années place Beauvau, le Président passe pour le champion d'une police de « cow-boys », et Benoît Hamon a trouvé là matière à sa plus belle promesse de campagne : si François Hollande est élu à l'Élysée et lui à l'Assemblée nationale, chaque policier devra délivrer un récépissé justifiant la raison du contrôle d'identité qu'il vient d'effectuer. « *Un Noir est contrôlé en moyenne 6 fois plus qu'un Blanc, un Arabe, 7,8 fois plus et vous avez raison de vous en plaindre* », s'indigne Benoît Hamon en brandissant le rapport de deux chercheurs du CNRS.

Ils ne sont pas si nombreux, au PS, à comprendre que la France de demain ne ressemble pas à celle que racontent les éléphants du parti, avec leurs chromos vieillots où les mineurs du Nord côtoient paysans rad-soc et bobos de grandes villes. À Évry, dans l'Essonne, dont il est maire et député depuis une dizaine d'années, Manuel Valls milite pour la sécurité et la laïcité. Benoît Hamon, lui, préfère dénoncer les contrôles arbitraires et les discriminations. Le droit de vote pour les étrangers, cette vieille promesse enterrée de François Mitterrand, est aussi à son programme, comme les « contrats d'avenir » de François Hollande, bel espoir pour une ville qui compte près de 20 % de chômeurs. Hamon a trouvé une formule qui « *sonne* » pour ramasser son programme : rétablir une « *égalité réelle* ».

Il n'oublie pas non plus « *la reconnaissance de la Palestine* », cette cause qui fédère la plupart des « Arabes » de banlieue et une partie de la gauche. Jamel Debbouze, par exemple, s'est engagé il y a quelques années dans l'opération humanitaire « Un avion pour Gaza », qui envoie des colis de matériel médical dans les territoires occupés par Israël. Il s'est d'abord méfié du cofondateur de l'opération, le Secours islamique, avant de se convaincre que l'association était « *professionnelle* ». « *Ils sont victimes de l'amalgame, les pauvres,* répète-t-il. *Islamique, ce n'est pas islamiste. Est-ce qu'on dit vinaigre balsamiste ? J'ai moi-même failli être victime de la propagande.* »

Soucieux de s'adresser à ses électeurs, le porte-parole du PS n'est pas venu seul à Trappes. Ali Rabeh l'accompagne partout. Hamon est allé chercher ce garçon, né vingt-sept ans plus tôt à Poissy, chez les jeunes socialistes des Yvelines et il est immédiatement devenu son allié le plus précieux et le plus doué. Trop jeune pour avoir rencontré la politique avec SOS Racisme, Ali a manifesté pour la première fois contre l'arrivée au second tour de la présidentielle de Jean-Marie Le Pen, le 21 avril 2002 : il n'avait pas dix-huit ans. Henri Emmanuelli est son idole, il est passé par l'Unef mais n'use pas de la même langue que les professionnels de ces syndicats étudiants. Il parle surtout à toute vitesse et pense à la même allure, comme Jamel et ces garçons vifs dont le débit signe l'enfance passée en banlieue.

C'est comme si Ali Rabeh connaissait Trappes avant même d'y avoir posé un pied. Son père, un Marocain d'El Jadida, au sud de Casablanca, a été embauché comme tant d'autres au « bled », à la fin de son service militaire, par des recruteurs de Chrysler à la recherche d'OS pour la chaîne de Poissy. Il est devenu un « présumé », lui aussi, un homme arraché à son village auquel l'état civil a attribué une date de naissance arbitraire, le 1er janvier 1947. Pendant trente-huit ans, à Poissy, il a monté des roues, des jantes et des portières, le dos cassé en deux, sans augmentation de salaire. Même à la retraite, il entend la presse taper dans sa tête, la nuit.

Le matin, avant même que son candidat n'ait débarqué du train, Ali a déjà enfilé son cuir et son casque pour gagner Trappes en moto depuis Paris. Il veille sur tout. Une attaque lancée par le député sortant de l'UMP Jean-Michel Fourgous, et il organise la réplique. Une affiche de campagne mal collée et les équipes se prennent une soufflante. Ali Rabeh sait que dans cette France où les élites et les élus restent « blancs », il est un sujet de débat, de jalousie aussi. En 2009, lorsqu'il a brigué la direction de la section socialiste de Saint-Quentin, on lui a rapporté ce mot d'une élue : « *Les Arabes vont prendre le pouvoir !* » À Trappes, ville qui compte alors au moins 60 % d'habitants d'origine étrangère et où le Front national n'a jamais réussi à percer, un vieux monsieur lui a lancé un jour : « *Il n'y a plus que des Noirs et des Arabes dans mon immeuble.* » Comme si devant lui ne se tenait pas un fils de Marocains.

Hamon et lui marchent sur une corde raide : ils doivent entretenir la proximité avec « la communauté » tout en gardant leurs distances avec la mosquée. « *Les discours républicains des sanglots dans la voix, plus personne n'y croit* », soupire Hamon lorsqu'il voit Manuel Valls mener campagne en faveur de la laïcité. Ali Rabeh est musulman pratiquant, Hamon un ancien élève de l'enseignement catholique qui a gardé l'habitude de dire « mon père » et non « monsieur » lorsqu'il salue un prêtre. Ce souci du religieux les unit face aux vieux laïcards du PS ou à un

Guy Malandain qui considère que les responsables des cultes ne sont pas des interlocuteurs légitimes pour les pouvoirs publics et les politiques.

« *J'ai fait mes communions et ma confirmation, et je considère que la religion est une richesse* », répond Benoît Hamon à ceux qui dénoncent la place prise par la mosquée dans la ville. Par prudence, il évite certains sujets comme le mariage homosexuel, pour ne pas froisser les musulmans, profondément hostiles à cette promesse de François Hollande. Au Maroc et en Algérie, d'où viennent beaucoup de Trappistes, l'homosexualité reste un délit pénal, et aucun couple gay n'oserait se promener dans les squares. « *T'imagines si j'avais dû apprendre à mon père que j'étais homosapien,* dit drôlement Jamel dans un sketch. *Rien que d'y penser, j'ai froid à l'intérieur...* »

C'est une douce année pour la gauche. Le 6 mai 2012, François Hollande est élu à la présidence de la République. Les banlieues ont voté massivement pour le candidat socialiste et balayé Nicolas Sarkozy. Dans la foulée, Benoît Hamon l'emporte aux législatives avec 55,38 % des voix, contre 44,62 % au candidat de l'UMP Jean-Michel Fourgous, et devient, dans la foulée, ministre de l'Économie sociale et solidaire. Ali Rabeh, lui, se prépare à entrer dans l'équipe du maire, mais aussi au cabinet du ministre. À l'aube de ce nouveau millénaire, Trappes deviendrait-elle enfin un tremplin ?

« Franchement, il y a des écoles qui ferment, des classes qui ferment, il y a moins de profs, il y a des hôpitaux publics qui sont surchargés, on se soigne de moins en moins bien (…), on ne trouve pas de boulot, on passe de contrat précaire en contrat précaire, et de quoi on parle ? De l'étiquetage de la viande halal ! C'est ça, le président de la République !

Nicolas Sarkozy veut agiter la menace de l'islam sur la société française. Nous serions, nous, Français, menacés par une communautarisation de la vie politique ? Mais cette menace n'existe pas ! (…) »

Benoît Hamon, point de presse du PS, 5 mars 2012.

23

Émeute au commissariat

La voiture de police glisse le long du square Albert-Camus. Il est près de 22 heures mais il fait encore chaud ce 18 juillet 2013. La piscine et le solarium de Trappes-plage, la nouvelle activité de la mairie, viennent de fermer. Personne, sur le trottoir, ne prête attention à la voiture qui roule doucement : les types des cités le savent, « *les flics, il ne faut pas les chercher, sinon ils vous contrôlent* ».

Les trois policiers en tenue n'ont pas actionné le gyrophare. En plein ramadan, une patrouille doit rester discrète et intervenir à bon escient, car faim et fatigue accumulées rendent parfois les habitants nerveux. Un des policiers a vu, derrière une poussette d'enfant, une silhouette noire. Une « *bâchée* », une « *fantomas* », une « *404 voilée* », un « *Belphégor* », une « *chauve-souris* », se moquent souvent les flics lorsqu'ils croisent des femmes en niqab dans les rues de Trappes. « *On va la contrôler !* » lance l'un d'eux.

« *Je ne le sens pas, là...* » Sur la banquette arrière, un de ses collègues a bien tenté de protester, mais la portière est déjà ouverte et les deux autres policiers dehors, sur le trottoir. Un procès-verbal, c'est une ligne de plus dans les statistiques d'action policière, et le 11 octobre 2010,

Nicolas Sarkozy a promulgué une loi interdisant toute dissimulation du visage dans l'espace public, texte sur lequel le nouveau président François Hollande n'est pas revenu. Un niqab dans la rue, c'est 150 euros d'amende. Alors, les voilà déjà devant la femme à la poussette. À cette heure, ils sont les seuls agents sur le terrain.

Depuis sa construction, en 1990, juste après la destruction de la tour du square de la Commune, le commissariat de Trappes vit comme un camp retranché au cœur du quartier des Merisiers. Il abrite 80 policiers, une moitié affectée aux enquêtes « *dans les bureaux* », pestent les îlotiers, l'autre à patrouiller dans les rues. Entre les congés et les récupérations, il est rare de trouver plus de deux patrouilles dans le secteur. « *On ne les voit jamais* », se plaignent les habitants dont les voitures, sur les parkings, sont régulièrement « visitées ». « *Toujours à nous contrôler* », s'insurgent au contraire les garçons qui traînent sur les trottoirs depuis que squares et immeubles sont protégés par des digicodes. Même s'ils sont en règle ou qu'ils n'ont rien fait, ils ont pris l'habitude de courir dès que les « keufs » approchent.

L'après-midi a été plutôt calme. Les jours de ramadan, lorsque la lumière baisse, chacun se hâte de rentrer pour la rupture du jeûne et on peut compter sur deux bonnes heures de tranquillité durant ces longs repas. Mais il y a cette mère, là, tout en noir, accompagnée d'un homme et de deux autres femmes… Les policiers se plantent maintenant sur le trottoir devant la petite famille et sa poussette. « *Vos papiers !* »

À vingt ans, Cassandra Belin n'en est pas à son premier contrôle d'identité. Après sa conversion, il y a cinq ans, la jeune Antillaise a adopté les signes les plus visibles de sa nouvelle religion : grande tenue noire et gants. Depuis qu'elle porte ce long voile qui la couvre entièrement, à l'exception des quelques centimètres qui laissent entrevoir ses yeux, elle a souvent dû présenter ses papiers à la police, en Seine-Saint-Denis où elle vit avec son mari et leur bébé, comme à Trappes, où s'est installée sa mère. Cela ne l'a jamais convaincue de renoncer au niqab. Au contraire, même.

Son mari Mikhaël, converti lui aussi, porte ses pantalons au-dessus des chevilles, à la manière des musulmans les plus rigoristes, et a laissé pousser une barbe sur ses joues pâles. Ces deux-là se sont mariés religieusement, une union sans valeur administrative mais seule cérémonie importante à leurs yeux. Lorsque Cassandra sort en niqab, il est rare que Mikhaël ne l'accompagne pas et depuis le vote de la loi « anti-burqa », comme disent les journaux, ces sorties sont une manière de manifester leur opposition à un texte « *islamophobe* ». Ce jeudi, le couple est parti rejoindre la mère de Cassandra et sa sœur, en pleines courses « *à Auchan* ».

Cassandra, c'est la version des policiers, a jeté la poussette dans les jambes de la patrouille. Cris, insultes, « *ferme ta gueule !* » lance-t-elle aux gardiens de la paix. « *L'un des policiers a tenté de m'arracher mon voile* » et « *poussé violemment ma mère* », raconte de son côté la jeune femme. Son mari Mikhaël, petit et plutôt frêle, s'avance à son tour. Tente-t-il de serrer le cou de l'un des policiers, comme le jurent les collègues en démentant toute violence sur Cassandra ? En quelques minutes, le malheureux contrôle policier tourne en tout cas si mal que le couple est menotté puis embarqué au commissariat. Mikhaël y passe la nuit en garde à vue avant d'être déféré en comparution immédiate à Versailles, comme le veut la procédure.

Cassandra est libérée le soir même, car elle allaite encore son bébé de trois mois. Dès le lendemain matin, la voilà qui file à la Grande Mosquée de Trappes raconter sa version de l'affaire : des policiers agressifs et violents l'ont menacée et ont arraché son voile. L'affaire paraît si grave qu'une délégation de l'UMT part au poste de police sans prendre auparavant rendez-vous. Elle y retrouve Cassandra, convoquée pour répondre de l'accusation d'« *outrage à agent* » et de « *dissimulation du visage sur la voie publique* ».

C'est la première fois qu'une trentaine de personnes envahissent ainsi le poste de police de la ville, et les forces de l'ordre comprennent aussitôt que cette prise en main des lieux par des religieux dépasse le simple problème d'ordre public. En ce mois de juillet, le commissaire est en vacances, mais les fonctionnaires de garde ont immédiatement repéré, aux côtés du président de l'UMT Béchir Lassoued, une bonne dizaine de salafistes qui réclament la libération de Mikhaël. La situation se tend. Le commandant craint les débordements. À Versailles, le procureur est prévenu.

En poste depuis 2012, Vincent Descloux n'ignore rien des difficultés de son département. Dans son vaste bureau, à côté d'un imposant portrait de l'avocat général du procès Landru, ce tueur en série de veuves trop naïves, il a épinglé une grande carte des Yvelines et y a disposé de petits aimants ronds. Sur les villes riches, Versailles, Rambouillet, un point doré ; il a choisi du bleu pour les commissariats et les gendarmeries, du rouge pour les casernes de pompiers, du noir pour « *les lieux à problèmes* ». À l'emplacement de Trappes, l'aimant est noir.

« *Prolongez la garde à vue de Mikhaël Khiri jusqu'à samedi*, réclame-t-il, *il sera ensuite transféré à Bois-d'Arcy et passera en comparution immédiate à Versailles, au lendemain du week-end.* » Mais dès le vendredi soir, des grappes de jeunes gens convergent vers le commissariat. « *Vite, vite, attrappe ton bouclier et ton casque, ils veulent rentrer !* » crient les policiers à leur collègue Yoann qui vient prendre son poste. Ce grand gaillard au crâne rasé et aux yeux bleus, venu du 77, était de la patrouille qui a contrôlé Cassandra. Ce soir d'été, il comprend tout de suite que la situation sort de l'ordinaire.

Depuis qu'en 2002 Yoann est arrivé comme adjoint de sécurité, trois ans avant de passer le concours de gardien de la paix, il ne s'est jamais ennuyé, et s'est toujours senti bien à Trappes. C'est une quasi-« *famille* », ce commissariat dont la plupart des agents n'ont pas encore quarante ans. Tous les amis de ce gardien de la paix et de sa femme, brigadier-chef et trappiste, sont dans la police ou presque. Le soir et les week-ends, ils se retrouvent pour un pot ou un barbecue chez les uns, chez les autres. Le couple a ainsi rencontré le policier d'origine tchadienne et l'officier venue du Bénin qu'il a choisis pour parrain et marraine de ses enfants. Chez eux, leurs uniformes trônent dans le salon. Yoann aime jouer les cow-boys, le holster accroché au ceinturon, comme s'il se vivait en « *mission* ».

Le commissariat vit pourtant de bouts de ficelle. Il a fallu six mois pour remplacer la chaudière et une partie de l'hiver s'est passée sans chauffage ni eau chaude. On manque de stylos, d'encre pour les imprimantes, d'ampoules pour les lampes. Les voitures ont 200 000 kilomètres au compteur et ont parfois oublié le contrôle technique. Lorsqu'ils patrouillent en véhicule utilitaire, les agents tournent à tour de rôle sur la banquette arrière, une simple planche qui vous esquinte le dos et les fesses. Les payes à 2 000 euros, même augmentées de 450 euros de prime les bonnes années, paraissent minables, comparées aux recettes des dealers qui friment en Mercedes. À ses débuts, Yoann ne savait même pas à quoi ressemblait la résine de cannabis. Dans le petit quartier de son enfance, à La Ferté-sous-Jouarre, il n'en avait jamais vu, pas davantage à l'école de police.

Les Bretons de la bande – ils sont nombreux à Trappes – attendent souvent avec impatience de repartir en province. Yoann, lui, se plaît bien dans cette ville. Même s'il croise dans la galerie commerciale de Saint-Quentin des jeunes qu'il a contrôlés la veille, il ne s'est jamais senti en danger. Par précaution tout de même, les agents en contact avec le public évitent de disposer des photos de famille sur leur bureau et en patrouille ont tous pris l'habitude, on ne sait jamais, de s'appeler par leurs surnoms. « *Gros* », c'est ainsi que ses collègues appellent Yoann.

Derrière les vitres grillagées du commissariat, « Gros » saisit que la situation est en train de dégénérer. Depuis que Cassandra a raconté son histoire à la mosquée, des textos circulent et appellent à un rassemblement devant le poste de police. Des dizaines de types en capuche et des salafistes barbus ont aussitôt déferlé sur la place, parmi lesquels Benyamina, le boucher. Un an auparavant, le contrôle d'une femme en niqab, à Jette, la commune belge voisine de Molenbeek, avait provoqué l'attaque du commissariat par l'organisation djihadiste Sharia4Belgium, et les sociologues avaient parlé d'« *émeutes communautaires* ». Se peut-il que Trappes connaisse à son tour les premières du pays ?

Le jour de l'an et le 14 Juillet, quand les squares se font la guerre, les tablighis ont pris l'habitude de « tourner » dans les quartiers et de jouer aux juges de paix. Ibrahim le libraire se rend immédiatement au commissariat, comme chaque fois que des quartiers s'enflamment, pour tenter une médiation. Il donne une leçon de tactique à la délégation partie de la mosquée : « *Vous vous prenez pour Malcolm X ou quoi ? Vous n'avez même pas demandé un rendez-vous au commandant. On ne "monte" pas comme ça sur un commissariat.* »

Habituellement, au premier tir de gaz lacrymogène, les bandes détalent. Cette fois, les gardiens de la paix, casqués et armés de boucliers, tirent gaz et flash-balls, mais les types à capuche reviennent aussitôt. Ils sont allés chercher des pierres sur le chantier de construction, de l'autre côté de la place où se niche le commissariat, et les lancent sur ses façades. Le préfet Erard Corbin de Mangoux a fait venir des renforts de Guyancourt et d'Élancourt, les deux villes voisines, mais les patrouilles ne parviennent pas à franchir le barrage de poubelles en flammes. Il a fallu tirer des grenades MP7 de désencerclement pour que les groupes s'éparpillent enfin et laissent passer les agents en tenue, transformés en vrais robocops. Les CRS repoussent les émeutiers rue par rue, jusqu'à 3 heures du matin.

Le samedi matin, lorsque le procureur se rend à Trappes, la place est jonchée d'ordures et de pierres. Pour tenter d'apaiser les tensions, il a décidé de libérer Mikhaël, le mari de Cassandra, jusqu'à sa comparution à Versailles, le lundi suivant. Benoît Hamon aussi a filé en ville mesurer les dégâts. « *Ne viens pas tout de suite* », a-t-il conseillé à Manuel Valls : il craint que la venue du ministre de l'Intérieur n'embrase davantage les squares. La veille, Salim, un garçon de quatorze ans qui courait dans la rue, a été touché par un tir de flash-ball et grièvement blessé à l'œil. Il risque de le perdre. Toute la journée, les téléphones ont sonné pour appeler les jeunes de la « communauté » à de nouvelles manifestations devant le commissariat qui ressemble désormais à un camp assiégé.

Et voilà que des associations et des sites musulmans s'emparent de l'affaire. Islamophobie.net, Al-Kanz.org, le Collectif contre l'islamophobie en France (CCIF) et surtout Islam&Info.fr se branchent sur Trappes le samedi après-midi. « *Nous aussi avons des mères, des sœurs, des femmes qui portent la tenue musulmane traditionnelle* », explique devant la caméra du site un homme qui se présente comme le « responsable du comité des habitants de Trappes », Samba Doucouré. Le maire connaît bien ce grand Noir imposant : Doucouré est chargé de l'accueil au service logement de la mairie. La police aussi. Quelques semaines auparavant, il participait aux incidents du supermarché Auchan de Maurepas, qui avait publié une circulaire interne demandant aux employées de ne pas travailler voilées.

« *Nous essayons de dialoguer avec la police, mais elle a tiré avec des flash-balls sur une foule avec des femmes, des enfants, des vieilles femmes...*, poursuit Doucouré. *Nous incitons toutes les communes victimes de ce genre d'injustices de caractère islamophobe à se mobiliser.* » Il fulmine : « *Les politiques ont une responsabilité dans ces drames, car c'est eux qui ont voté toutes ces lois islamophobes. Les femmes musulmanes ne sont plus en sécurité. Les agressions contre le voile intégral se répètent. Nos droits sont bafoués.* » Sous-titrée « Contre-enquête. Les médias vous mentent », la vidéo mise en ligne sur le site d'Islam&Info est visionnée plus de 670 000 fois sur YouTube et se conclut par cet appel : « *Qu'attendez-vous pour vous organiser ? Faites passer le mot, dorénavant, les musulmans se réapproprient leurs espaces. Éducation, défense des droits, culture, loisirs, médias, le chantier est ouvert…* »

La chaîne saoudienne Al-Arabiya s'en mêle à son tour. La voilà qui convie Mikhaël sur son plateau pour entendre le récit de son arrestation. Il s'y rend avec Elias d'Imzalène, l'animateur d'Islam&Info. Ce trentenaire au regard fiévreux et à la barbe noire n'est pas un inconnu des milieux islamistes, ni d'une certaine extrême droite antisémite. Ce nom d'Imzalène, « ce frère » l'a choisi en référence à un village hostile aux Français pendant la guerre d'Algérie. Un de ses cousins, membre du Parti socialiste, avait un jour voulu rencontrer Ali Rabeh. Le conseiller de Benoît Hamon avait patiemment écouté ses propos confus et ses références répétées à la théorie de Gramsci selon laquelle toute révolution réussie est avant tout culturelle, avant de l'éconduire poliment.

Quelques semaines avant les émeutes, Imzalène est monté sur la scène du Théâtre de la Main d'or, aux côtés d'Alain Soral et de Dieudonné, pour une conférence intitulée : « *Vivre ensemble face au choc des civilisations* ». Lors d'une perquisition chez lui, la police a trouvé un exemplaire de *Mein Kampf*, le livre programme d'Adolf

Hitler… Son site « *Pour le musulman, par le musulman* » est vite devenu populaire dans les banlieues et, ce samedi soir, il n'aide pas à rétablir le calme.

En cette seconde nuit d'émeutes, les bandes se sont mêlées aux religieux. Un hélicoptère tourne dans le ciel, les journalistes circulent avec des casques et des gilets pare-balles. 700 grenades et cartouches de flash-balls sont tirées, du jamais-vu, 18 personnes interpellées. Au commissariat, les policiers sont épuisés. Le Tour de France, qui doit passer à Versailles, s'inquiète, prêt à annuler l'étape.

Manuel Valls se rend finalement à Trappes le lundi, malgré les réticences de Benoît Hamon. Sans attendre la fin de l'enquête, il défend le « *travail remarquable* » des policiers et appelle au respect de l'ordre républicain. La ville reste sourde à ces mises en garde et les sites communautaires maintiennent la pression. Une semaine après les émeutes, ils « crackent » le compte Facebook de Yoann, l'un des « flics » de la patrouille, et postent la photo d'une femme voilée que le gardien de la paix avait relayée un jour avec cette légende : « *Trappes, la douceur de vivre.* » Une enquête administrative est ouverte contre le policier et le commissariat se replie un peu plus sur lui-même.

En décembre 2013, Cassandra est pourtant condamnée à un mois de prison avec sursis pour avoir insulté et menacé trois policiers lors du fameux contrôle. Son mari est lui aussi condamné à trois mois avec sursis et 1 000 euros d'amende par le tribunal correctionnel de Versailles pour s'être violemment opposé au contrôle d'identité de sa femme. Une amende de 150 euros pour le port du voile intégral est également infligée à Cassandra, conformément à la loi du 11 octobre 2010, récemment validée par un arrêt de la Cour européenne des Droits de l'homme.

« *Cette loi n'étant plus contestable, ma cliente en tire les conséquences* », cingle son avocat, soucieux de clore cet épisode qui a braqué tous les projecteurs sur sa cliente. « *Premières émeutes communautaires de l'Hexagone* » ? « *Première rébellion religieuse française de l'après-guerre* » ? Ali Rabeh se dit parfois que, s'il était étudiant en sociologie, il s'attellerait à décortiquer ces échauffourées qui ont embrasé sa ville et dont certains redoutent qu'elles n'annoncent de nouvelles violences.

« Stéphanie Djato, une jeune métisse convertie à l'islam, a refusé de se soumettre à un contrôle de police, à Molenbeek. Deux agents en civil ont aperçu la femme assise à un arrêt de tram revêtue d'un niqab et lui ont demandé ses papiers d'identité ainsi que d'enlever son foulard. Comme elle refusait d'obtempérer, elle a été emmenée au commissariat.

Elle a tenté de donner un coup de tête à l'un des deux agents, une femme, pendant que son compagnon organisait une mobilisation par SMS, provoquant un important rassemblement devant le commissariat. Le bourgmestre de Molenbeek, Philippe Moureaux, a dû se rendre sur place pour raisonner la foule.

À la manœuvre : Fouad Belkacem, le porte-parole de Sharia-4Belgium. Selon lui, l'interdiction du port du niqab en Belgique est une discrimination contre les musulmans. "Les serviteurs du diable qui ont contrôlé notre sœur veulent faire la guerre aux musulmans mais jamais ils ne gagneront en Belgique. (…) Si vous voulez atterrir en enfer comme tous les mécréants, c'est votre problème, mais laissez-nous vivre comme nous le voulons". »

Compte rendu des événements survenus à Molenbeek le 31 mai 2012 (un an avant les émeutes de Trappes) par la RTBF.

24

Charlie

« Charlie ! *C'est où,* Charlie ? » Jérémy Ganz est occupé dans la loge du concierge, 10, rue Nicolas-Appert, quand ces mots claquent dans le hall. Il lève la tête et aperçoit deux silhouettes noires, une grande et une plus petite, armées chacune d'un fusil d'assaut. Une ascendance corse mais surtout une vie passée à Trappes, même sans histoire, ont fait de Jérémy un familier des flics et de leurs descentes fracassantes. En apercevant ces hommes en noir, Jérémy se dit qu'il a affaire à des types du RAID ou au GIGN.

Le jeune homme a pris sa voiture à 4 heures du matin pour gagner les locaux parisiens de la Sodexo, une société leader dans la maintenance des immeubles. Frédéric Boisseau, son collègue et complice, lui a fixé rendez-vous le mercredi 7 janvier 2015 pour une « reconnaissance technique » dans un nouveau groupe d'immeubles du XIe arrondissement de Paris, pour lequel leur boîte vient de signer un contrat. D'Ormesson-sur-Marne, où il a passé la nuit, il roule dans le brouillard jusqu'à la capitale. Il fait très froid et Jérémy a enfilé un bonnet et sa grosse doudoune.

Copains de longue date, « Fredo » et « Djé » forment « *une équipe du tonnerre* ». Frédéric est un colosse de 110 kilos, un fou de krav-maga, le sport de combat de l'armée israélienne. À côté de lui, Jérémy, un blond au crâne rasé dont le collier de barbe lui donne un air de « *muster* », comme dirait Jamel, quelque chose entre un jeune hipster et un « *muslim* » converti. Les deux potes ont erré un long moment dans le dédale des caves en tentant de repérer les locaux de désenfumage, sans réussir à les ouvrir. Ils viennent de remonter par le rez-de-chaussée du 11, rue Nicolas-Appert, à la recherche d'un gardien et d'un trousseau de clés, et fouillent dans ce qui ressemble à une loge quand ils entendent : « *C'est où* Charlie Hebdo *?* »

Les deux types masqués sont face à lui et Jérémy Ganz plonge ses yeux clairs dans ceux de l'un d'eux quand une détonation lui déchire l'oreille. Le commando en cagoules a tiré dans leur direction. Quelques secondes plus tard, son copain Fredo s'effondre à ses côtés. Jérémy se recroqueville au sol et enfouit sa tête entre ses bras : « *Je sais pas*, répond-il avec son accent des banlieues aux deux tueurs. *On est de la maintenance, on vient d'arriver. C'est notre premier jour.* »

Jérémy a grandi « en pavillon », comme on dit à Trappes, mais cet ancien rappeur amateur ne parle pas comme les Parisiens bien nés. À trente-deux ans, c'est peu banal, Jérémy a déjà vu mourir une dizaine de ses copains : un « grand frère » et voisin retrouvé pendu avec la chaîne de son chien dans la « zone pavillonnaire » de Trappes, un « beau-frère » percuté – encore un – par le train qui quittait Versailles, des copains comme Benoît, dit « Beu-beu », tués sur la fameuse

N 10, si dangereuse... « *Trappes est construite sur un cimetière indien,* a-t-il l'habitude de dire. *Il y a un taux de mortalité incroyable. Parfois, quand je raconte tout ce qui s'est passé autour de moi, on me prend pour un mytho.* »

Est-ce sa voix venue des quartiers qui le sauve, ou encore sa dégaine de banlieusard cool ? Les tueurs sont-ils tout simplement trop pressés ? Les deux « ninjas » inspectent le rez-de-chaussée à la recherche de la salle de rédaction de l'hebdomadaire satirique en tenant Jérémy en joue de leur kalach fumante, mais finissent par monter quatre à quatre les marches des deux étages supérieurs en lui laissant la vie sauve. Il en a vu, Jérémy, mais le spectacle qui s'offre à lui, ce 7 janvier, alors que son copain Fredo agonise dans ses bras, n'appartient pas à son champ mental.

« *Djé, je suis touché. Je vais crever.* » Jérémy Ganz se rue sur son copain et tente de tirer les 110 kilos de Fredo jusqu'aux toilettes, paniqué à l'idée que les tueurs redescendent les trouver. « *Je te lâche pas, Fredo, je suis là. Fais pas de bruit* », supplie-t-il. Il appelle la femme du blessé. « *On s'est fait tirer dessus. Ça va aller. Il y a six pompiers autour de Fredo* », tente de rassurer Jérémy. Mais les secouristes remballent leur défibrillateur : « *On ne peut plus rien pour lui.* » Un long moment, « Djé » continue de masser lui-même le cœur de son copain avant de lui fermer les yeux, sans comprendre qu'il tient entre ses bras la première des dix-sept victimes des frères Kouachi.

Déjà les images de l'offensive terroriste tournent en boucle sur BFM, puis sur les réseaux sociaux de France, de Belgique, d'Europe. Le monde entier est hébété. À Los Angeles, où il s'est réfugié depuis l'extraordinaire succès d'*Intouchables*, Omar Sy a appris la nouvelle à son réveil, décalage horaire oblige. Il est parti il y a quelques mois en Californie, avec Hélène et leurs quatre enfants. À Hollywood, on rencontre facilement les producteurs qui comptent et on peut donner un nouveau tour à une carrière, si on ne veut plus « faire » qu'acteur.

À l'annonce de son départ, sa mère Diariatou n'avait eu qu'un cri : « *Tu ne vas pas partir en Amérique ? Là-bas, ils tirent sur les Noirs à coups de fusil !* » Mais dans le quartier chic de Plymouth où il s'est installé, on ne tire pas sur les Noirs et la vie est douce. Parmi les stars de Beverly Hills, il se fait même l'effet d'être une sorte d'« *ambassadeur de France à Los Angeles* ». D'ailleurs, ce matin de janvier 2015, après qu'il a emmené ses enfants à l'école, les autres parents d'élèves se sont tous pressés autour du plus célèbre d'entre eux. Tous ont les « *jambes coupées* ».

Jamel aussi est « *sonné, hagard* ». Fin 2013, la rédaction de *Charlie Hebdo* avait été « *effarée* » en découvrant, sur la bande originale du film *La Marche*, épopée de la Marche des beurs de 1983 où il tient un second rôle, une chanson des rappeurs Akhenaton, Disiz, Kool Shen et Nekfeu. « *D't'façon, y a pas plus ringard que le raciste/Ces théoristes veulent faire taire l'islam/Quel est le vrai danger : le terrorisme ou le taylorisme ?/Les miens se lèvent tôt, j'ai vu mes potos taffer/Je réclame un autodafé pour ces chiens de* Charlie Hebdo », scandait Nekfeu au dernier couplet. Dans un communiqué, l'hebdomadaire, furieux, avait rappelé à ces artistes que « *le journal numérique* Inspire, *édité par Al-Qaïda, a condamné à mort Charb* (le rédacteur en chef de *Charlie*) *en mars* ».

Jamel repense à tout cela, évidemment. « *Un dessin de deux prêtres qui s'enculent, je suis pas bien* », avait-il expliqué franchement à l'équipe de *Charlie.* Le voilà « *désemparé* », comme s'il humait déjà le mauvais air du temps chargé d'empoisonner les années à venir. Deux ans plus tôt, quand il défendait le film de Nabil Ben Yadir sur toutes les ondes, brillant et drôle comme à son habitude, il voulait croire que tout allait de mieux en mieux dans une France multiculturelle : « *Mes parents ont souffert, mes grands-parents ont souffert. Moi je souffre beaucoup moins et mon enfant ne souffrira plus du tout* », disait-il. Son optimisme communicatif vient de se prendre un sacré coup de massue.

Depuis l'attentat qui a décimé la rédaction de l'hebdomadaire, tué un policier et Frédéric, puis des clients de l'Hyper Cacher, un magasin juif attaqué deux jours après *Charlie* par Amédy Coulibaly, les médias sont déchaînés. Ils somment la communauté musulmane de se désolidariser des terroristes, cherchent des voix « responsables », comme ils disent, pour parler aux fils d'immigrés. Est-ce parce qu'il affiche régulièrement son admiration pour son « frère » Dieudonné, cet histrion antisémite si populaire sur les réseaux sociaux qui se sent aujourd'hui « *Charlie Coulibaly* » ? Personne ne sollicite Anelka qui, en 2013, avait choqué jusqu'à la fédération anglaise de football pour avoir esquissé en plein match une « quenelle », ce geste de ralliement à Dieudonné, bras tendu vers le bas et l'autre replié sur la poitrine, comme un salut nazi inversé.

Les journalistes veulent Jamel ou Omar Sy en plateau, ou au micro.

« *Les Français vous adorent...* », « *Vous êtes connus, vous avez une responsabilité...* » Les deux amis s'agacent secrètement que, dans ces moments troublés, la presse cherche toujours ses « bons Arabes » ou ses « bons musulmans ». Omar Sy décline : il n'a « *rien d'autre à dire que son effroi* ». Jamel, lui, consulte le petit cercle auquel il a pris l'habitude de faire confiance, sa femme, la journaliste Mélissa Theuriau, l'ancien producteur de Canal+ Bernard Zekri et surtout Mohamed Hamidi, le cofondateur du Bondy Blog, le plus proche d'entre tous, qui met en scène les spectacles du Comedy Club.

D'habitude trapéziste sans filet, Jamel Debbouze souffre de ces appels aux « musulmans » à se manifester, comme s'il n'y avait qu'une différence de degré entre un croyant et un djihadiste : l'amalgame est déjà présent dans ce désagréable soupçon de complaisance. Il s'exécute pourtant. Chaque terme de son message est pesé au trébuchet, comme s'il s'agissait d'un communiqué d'ambassadeur ou de chef d'État. Trois jours après l'assaut, son compte Facebook officiel affiche enfin ce post : « *Je ne trouve pas les mots pour décrire ma peine et ma douleur. Pour la première fois, je n'ai pas envie de rire, mais il va falloir se relever. À dimanche.* » On comprend qu'il sera au grand défilé prévu le lendemain place de la République.

Pour ne pas être assaillie, la star s'est cachée sous un chapeau de feutre bleu assorti à sa doudoune, et noyée dans le million et demi de personnes massées à Paris pour une « marche républicaine ». Sa femme se tient à ses côtés. La foule le reconnaît, l'embrasse, l'applaudit, lui demande de porter des messages aux banlieues qui, constate le comédien, n'ont pas fait le voyage jusqu'à Paris. Debbouze n'habite plus Trappes depuis quinze ans, mais il reste malgré lui l'ambassadeur de ces « quartiers ». « *Il faut qu'on récupère la République, qu'on soit tous main dans la main. Si la jeunesse se rend compte à quel point c'est important de faire une marche républicaine aujourd'hui, j'y suis demain matin !* » disait-il deux ans plus tôt lors de la « promo » du film *La Marche*. Comment aurait-il imaginé que la « marche » qu'il appelait de ses vœux se changerait en manif contre le terrorisme islamiste ?

« *Qu'est-ce qu'il fait, Jamel ? Pourquoi il parle pas ?* », « *Faut qu'tu balances, allez, va à la télé...* » La pression est telle que le comédien finit aussi par céder aux avances de TF1. Jamel n'a pas oublié les conseils de sa mère, rue du Moulin-de-la-Galette. Le 18 janvier, à l'antenne, devant des millions de téléspectateurs, il répète les mots que Fatima lui enseignait enfant : « *Rahbi rahfi l'qalb el mouminin, Dieu est dans le cœur des croyants.* » Il se dit « *français, musulman, artiste, né à Barbès, grandi à Trappes, père de deux enfants, marié à une chrétienne* », il répète que le blasphème le gêne, mais que l'attachement à la tolérance n'est pas négociable. « *La France c'est ma mère. On touche pas à ma mère.* » Tout est dit en quelques mots.

« On s'est retrouvés place de la République pour dire : "On n'a pas peur." Le problème c'est qu'on avait peur. Un ballon a explosé et tout le monde est parti en courant. Mais les gens disaient : "Il faut que tu descendes ! Il faut que tu dises que tu n'as rien à voir avec ces histoires !" Alors, on a fait une manif des innocents…

On n'a rien fait, on n'était même pas là ! Moi, en plus, j'adore la France, j'aime bien le rock and roll et même un jour j'ai mangé du cochon ! Attends, Aziz, t'es pas obligé… Moi, j'ai pas fait exprès, c'était à la cantine… »

Maintenant ou Jamel, spectacle 2017-2018.

25

La minute de silence

Trappes n'a pas pavoisé les balcons de ses squares comme Paris au lendemain du massacre de *Charlie Hebdo* et de l'Hyper Cacher : six drapeaux tricolores seulement, a recensé empiriquement une habitante de Paul-Langevin. Le soir de la tuerie, en revanche, un pavé a été lancé sur la vitrine de la librairie Nour Al Hidaya. La nuit était tombée et Ibrahim se trouvait en retraite au Bangladesh. À son retour, le prédicateur tabligh s'est réconforté en notant que la vitre ne s'est pas effondrée et a choisi de boucher le trou avec un large panneau blanc. Les voitures immobilisées au pied du pont de Trappes peuvent désormais lire la « *parole de sagesse* » inscrite en larges lettres noires : « *L'homme fort n'est pas celui qui domine autrui mais bien celui qui domine sa colère.* »

Une minute de silence a été décrétée partout en France en hommage aux douze victimes des attentats. À Versailles, la préfecture a mis les drapeaux de la cour d'honneur en berne et deux banderoles noires, « *Nous sommes Charlie* », sont accrochées à la façade de cet hôtel particulier qui, en 1870, pendant la Commune de Paris, hébergea la fuite d'Adolphe Thiers. Le préfet, Erard Corbin de Mangoux, a convié dans un salon des élus du département l'UMP Pierre Bédier et le socialiste Benoît Hamon, mais aussi des responsables religieux, catholiques, protestants, juifs et musulmans, comme Slimane Bousanna, ce directeur de l'école confessionnelle de Montigny qui a tant fait pour la construction de la mosquée, Laadi Benyamina, le frère de l'ancien boucher des Merisiers, qui représente la mosquée de Trappes, ou encore Mourad Dali, le responsable d'un lieu de culte musulman d'Élancourt, figure montante dans la « communauté » des Yvelines.

Dali, un trentenaire barbu, s'étonne de cette réunion qui ne semble avoir d'autre objet que de chanter *La Marseillaise* – « *le générique de la France* », dit Jamel – et de se retrouver autour d'un buffet dressé pour l'occasion. Ce religieux est le troisième enfant d'un couple d'Algériens, né en 1977 dix ans après sa sœur, d'où ce joli prénom de Mourad, « le désiré », donné par ses parents. Son père, Abdelali, un chauffeur routier aussi carré que Mohamed Ali, est une référence pour la communauté algérienne de Trappes, presque un grand ancien. À chaque élection, ce fils d'un fellagha tué par l'armée française lors de la guerre d'Algérie tient le bureau de vote de son square, Henri-Wallon. Sa femme, Hafida, oranaise comme lui, est arrivée à Trappes treize ans après son mari, avec le regroupement familial, et le couple s'est lié d'amitié avec Alban Lietchi, l'ancien réfractaire à la guerre d'Algérie.

À quinze ans, Mourad a rencontré Jamel lors d'une colo organisée par la maison de quartier à Saint-Marc-sur-Mer, près de Pornichet. Il a vite compris qu'il était le garçon happé par un train, un matin de janvier, dont la cour de Gagarine bruissait trois ans plus tôt. Ensemble, pendant le camp, ils ont appris à danser le break sur le parquet encaustiqué d'une villa, au bord de la plage où Jacques Tati traînait sa longue silhouette endimanchée. Qui aurait pu imaginer que ce jeune Mourad de quinze ans smurfant sur les solos de batterie des albums de James Brown deviendrait un jour « l'imam » de La Verrière, comme on l'appelle un brin abusivement ? Un « cheikh », tout du moins, qui refuse l'étiquette de « salafiste quiétiste » que le renseignement lui colle pourtant.

Mourad Dali est resté à Trappes et enseigne à Gagarine. Jamel, lui, vit à Paris, mais il sait ce qui se passe dans la ville de son enfance. Comme après le 11 septembre 2001, les attentats ont fait ressurgir cette frustration des cités qu'il connaît trop bien, leur complotisme, leur violence contre les « mécréants » et les juifs. Quelques mois plus tôt, il s'est rendu en Israël pour accompagner sa femme en reportage. Ensemble, ils ont gravi le mont des Oliviers, longé le mur des Lamentations. À l'entrée du monument sacré, on a demandé à l'acteur de poser une kippa sur sa tête et la photo s'est retrouvée une semaine plus tard dans *Voici,* puis sur les réseaux sociaux. Depuis, la rumeur court qu'il s'est converti au judaïsme et les attaques antisémites pleuvent sur lui.

S'il a réussi à Paris, c'est qu'il est de mèche avec les «*juifs qui tiennent les médias*» : voilà ce qu'on entend parfois en banlieue. Dieudonné est le plus virulent, rejoint par l'extrême droite. Dans le même temps, le mur de l'immeuble parisien où vit Jamel a été taggé d'un « *Ben Laden* ». Le comédien ne sait plus s'il doit rire ou pleurer. Sur TF1, on l'interroge sur ces salles de classe – Paris s'en effraie – où la minute de silence n'a pas été observée. « *C'est complètement débile. Ça ne se fait pas de ne pas respecter les morts.* »

Au lycée de la Plaine-de-Neauphle, à Trappes, plusieurs élèves ont refusé l'hommage décrété au sommet de l'État. « *Ils l'ont cherché, ils bafouaient le Prophète !* » lancent certains. « *On n'insulte pas la religion !* » ajoutent d'autres. Quand il tente de lancer la discussion, Didier Lemaire, le prof de philo, se retrouve face à « *des yeux qui ne disent plus rien, des bouches fermées* », des « *masques* », se dit-il. Des soupçons rôdent derrière chaque question. « *M'sieur, pourquoi le président Hollande est arrivé si vite ? Il devait savoir...* », entend le professeur. Ou encore : « *Pourquoi a-t-on retrouvé les papiers des frères Kouachi dans la voiture ?* »

Avec des collègues d'histoire et de lettres, le professeur a donc pris l'initiative de consacrer deux heures de cours à évoquer l'attentat contre *Charlie Hebdo*. Puis, quelque temps plus tard, il a pris son téléphone pour inviter Rachid Benzine à venir parler de cette tragédie dans son ancien lycée. Le professeur d'économie est un spécialiste du Coran, mais aussi l'une des rares personnalités locales à habiter la ville depuis qu'il y est arrivé, à l'âge de sept ans, et ces élèves y seront sensibles.

« *Ne soyons pas dans la morale. Dans un premier temps, il faut laisser les élèves s'exprimer* », a suggéré l'islamologue à Didier Lemaire. Beaucoup expliquent qu'ils ne se sentent « *pas Charlie* ». « *OK,* répond Benzine, *mais qu'est-ce que tu entends par Charlie ?* » Aux classes généralistes, il a choisi de parler du blasphème. « *Dans le Coran, le Prophète est insulté à la sourate 108 verset 3, il est traité de "châtré". "Celui qui insulte, c'est lui le châtré", dit la sourate. Ne confondez pas le Prophète et sa représentation* », tente-t-il d'expliquer.

« *La caricature critique une représentation, pas le Prophète lui-même. Si Dieu est Dieu, il est au-delà des représentations* », reprend-il. Quand il explique que le djihad est « *un mot qui préexistait au Coran, au IVe siècle* », les élèves tombent des nues. L'exercice est plus difficile devant les classes « technos ». La plupart des filles gardent le silence, mais plusieurs garçons interpellent l'orateur : ne leur sert-il pas un « *sermon téléguidé* », le discours d'un pouvoir qui déteste les musulmans ?

Quelques semaines plus tard, quand le prof de philo a suggéré d'inviter de nouveau Benzine au lycée, les élèves ont protesté : « *On sait déjà ce qu'il raconte !* » Alors, Benzine a proposé de faire jouer à la Merise, pour les lycéens, *Djihad*, une pièce d'un ancien policier, Ismaël Saïdi, qui a connu un vif succès en Belgique en se moquant de l'emprise des religions. Certains garçons ont traîné les pieds, mais après la représentation, la plupart des élèves ont été touchés.

La sortie ne s'est pas faite sans incidents. La proviseure avait prévenu : « *Les filles ne devront pas porter leur voile. C'est une sortie scolaire.* » Lorsqu'à la porte de la salle, après la pièce, les professeurs ont rappelé à l'ordre celles qui passaient outre, certaines ont protesté : « *Jamais je ne me promènerai sans voile à Trappes, c'est comme si j'étais toute nue* », a prévenu l'une d'elles. « *C'est une question de pudeur* », s'est fâchée une autre, et les profs ont dû céder.

Ce n'est pas ce qui inquiète le plus Didier Lemaire. Parfois, quand il tend l'oreille, le prof entend : « *Ah oui, mon cousin est à Raqqa.* » Lors d'un groupe de travail sur « l'emprise » qu'il mène avec sept élèves de seconde, la conversation dérive un jour sur les jeux vidéo. Tout à coup, un garçon fond en larmes, et raconte que son cousin « *est parti en Syrie et que sa famille est détruite* ».

En France, le djihad paraît bien loin, 4 500 kilomètres séparent Paris de Mossoul, un monde désincarné. À Trappes, la Syrie et ses « combattants » ne sont plus une planète inconnue.

Le 14 janvier 2015, on a d'ailleurs appris qu'Al-Qaïda au Yémen revendiquait les attentats perpétrés à Paris une semaine plus tôt. Ce même mercredi, un activiste de l'État islamique a posté sur son compte Twitter, @GAREB103, une vidéo de propagande appelée « *Les attaques bénies de Paris* », qui a vite fait le tour des réseaux sociaux. Dans ce qui ressemble à une rue animée de Raqqa, trois djihadistes armés de kalachnikovs y louent en français les attaques terroristes menées dans la capitale française.

Dans toutes les capitales européennes, les spécialistes de l'antiterrorisme se sont passé et repassé la vidéo, traquant les accents et les visages des trois combattants francophones dans l'espoir de les identifier. Il y a deux « Africains » parmi eux, sans aucun doute. L'un pourrait bien être issu de la « banlieue parisienne ». Ils n'ont guère d'autres indices. À Trappes, en revanche, on a déjà compris.

Plusieurs sont certains d'avoir reconnu sous le treillis de l'un des djihadistes un habitant du square Léo-Lagrange. C'est Ibrahim, le grand frère Ly, l'aîné d'une famille de quinze frères et sœurs d'origine sénégalaise, un temps vigile dans un supermarché d'Élancourt. À Léo-Lagrange, on se souvient qu'à l'été 2013 – il avait alors vingt et un ans – il était parti avec Mansour, son cadet de deux ans, faire la *oumra,* le petit pèlerinage de La Mecque. L'été suivant, il avait accompli le *hajj*, ce pèlerinage qui s'effectue uniquement pendant le dernier mois de l'année musulmane.

Depuis, se rappellent ses amis, il s'habillait comme un cheikh d'Arabie saoudite et ne quittait plus le Chicken Planet. Fin 2014, on l'avait aperçu devant la mosquée de la Commune. Il semblait faire des adieux, puis il avait brutalement disparu. C'est lui, avec sa kalach, sur la vidéo ! Le raccourci tourne au tragique : c'est un Trappiste, Jérémy, qui a vu mourir dans ses bras la première victime des frères Kouachi, dans le hall de l'immeuble de *Charlie Hebdo*. Une semaine plus tard, un autre habitant salue depuis Raqqa l'attentat meurtrier venu « *venger l'honneur du Prophète* ».

« *On a appris la bonne nouvelle,* dit un des trois djihadistes francophones et armés filmés dans une rue de Raqqa après l'attaque de *Charlie Hebdo. Ils ont défendu le Prophète et ceux qui l'ont critiqué ont tous été envoyés en Enfer. Continuez à les envoyer aux feux de l'Enfer.* » « *À vous mes frères, continuez, continuez dans cette voie-là,* enjoint un autre. *Allah va vous récompenser pour tout ce que vous faites. Vous voyez un policier, tuez-le, tuez-les tous, tuez chaque infidèle que vous voyez dans les rues mes frères, pour qu'ils soient terrorisés. Ne vous laissez pas marcher dessus par ces infidèles, je vous jure mes frères, vivez dans l'honneur, partout où vous allez.* » Il brandit alors sa kalachnikov : « *C'est ça le vrai chemin de la dignité, le chemin de la fierté, le djihad dans la voie d'Allah !* »

Extrait de la vidéo de propagande
appelée « Les attaques bénies de Paris »
postée le 14 janvier 2015 sur les réseaux sociaux.

26

En route vers le Shâm

Moins de 800 mètres séparent George-Sand du square où Ibrahim a grandi. Personne n'a repéré la Scénic rouge qui depuis quelques jours stationne sur un parking, et la Renault a attendu minuit pour démarrer discrètement. À la sortie du square, la conductrice s'arrête un instant pour embarquer deux ombres noires qui se glissent à l'arrière. Puis elle attrape la Nationale 10 et file à toute allure, laissant la mairie sur sa gauche, la librairie d'Ibrahim à droite. Prudemment, la jeune conductrice n'a pas noté la destination finale du voyage sur son Tom-Tom, cet ancêtre du GPS, mais chacun des quatre passagers a appris la leçon par cœur : s'ils quittent Trappes en pleine nuit, ce samedi gelé de janvier 2015, c'est pour se rendre à un mariage à Istanbul.

Sihem a pris le volant, quoiqu'elle allaite son nourrisson d'un mois et demi. À dix-neuf ans, elle est la seule à avoir passé le permis. Le bébé dort à l'arrière de la voiture, sur les genoux de l'un des deux jeunes passagers. Assis à sa droite, Bilal, son mari, est à vingt-deux ans le plus âgé de la petite bande. Son mètre soixante et sa petite corpulence lui donnent un air de gamin tout juste sorti de l'école, mais le ton de sa voix suffit pour comprendre qu'il est le chef de l'expédition. Elle l'aime et le suivrait jusqu'au bout du monde, c'est d'ailleurs un peu la destination de ces quatre jeunes gens issus de la troisième génération d'immigrés.

Sihem vivait il y a quelques mois encore avec sa mère, son petit frère et sa jeune sœur dans un F4 de Plaisir, à un quart d'heure de Trappes par la route de Dreux. Elle n'est pas tout à fait une jeune musulmane comme les autres. Son oncle, Ahmed, est un ancien des « filières afghanes », qui a séjourné en Syrie puis a été arrêté au Maroc, en 2014, juste avant la vague d'attentats. Après son BEP de secrétariat, entamé à la fin de sa seconde, elle avait trouvé un job de vendeuse dans une boutique de vêtements de fête du centre commercial des Merisiers, la Médina. Mais la Médina a fermé, comme beaucoup de boutiques de Trappes où tout désormais ou presque s'achète sur le marché, et où il est difficile de trouver du travail quand on est jeune et voilée.

Bilal Taghi, sur le siège passager, est un gamin de Paul-Langevin, un square jamais réhabilité depuis sa construction et qu'il n'a pas quitté, lui non plus, après son CAP de cuisinier, cinq ans plus tôt. Une grande famille, les Taghi. Le jeune garçon est le septième d'une fratrie de onze enfants, de deux mères différentes. Sa sœur aînée est handicapée. Son frère cadet a passé un an en prison pour faits de violence et travaille désormais comme préparateur de commandes chez Simply Market, à Parly 2. Le quatrième est tombé pour racket et le petit dernier, un adolescent difficile de quinze ans, vit depuis un an dans le foyer où il a été placé.

Mais ce sont ses demi-frères, plus âgés et nés au Maroc, qui fascinent Bilal. Abdelhafid, d'abord, qui a pris la route pour la Syrie en 2012, à trente ans, avant même « *qu'on entende tout ça à la télé* », raconte Bilal, admiratif, à ses copains du Chicken Planet, le kebab dont il est un habitué. Abdelhafid a laissé derrière lui la petite entreprise créée square Yves-Farge pour se battre avec les soldats de l'État islamique et a pris l'habitude de donner des nouvelles par téléphone.

« *Ici, en fait, les groupes te donnent les armes* », raconte-t-il à ses frères depuis « *les pays alaouites* », comme il dit. « *Tu t'achètes une bonne kalach russe* », et puis « *on attaque directement, on tire dans les maisons* ». On tue en vrai, pas comme dans *Call of duty* et ces jeux vidéo où chacun tient une arme et arrose tout ce qui bouge, pour faire le plus de victimes possible. Il ne sait pas encore que dans quelques mois il sera visé à son tour.

Khalid, un autre demi-frère, a suivi Abdelhafid juste après la proclamation du Califat, en juillet 2014 – l'année des grands départs. Il a entraîné dans son aventure sa toute jeune femme, Jessica, une Française convertie qui a abandonné le petit salon de coiffure qu'elle avait ouvert en 2013 à Trappes pour le suivre avec leur petite fille. La vie de ce jeune couple fascine Sihem. En épousant Bilal – religieusement du moins, devant un imam –, elle est devenue la belle-sœur de Jessica, et les deux jeunes femmes se sont liées d'amitié.

Sihem rêvait d'un vrai musulman qui connaisse les piliers de l'islam ; Bilal, d'une femme qui partage ses prières et ses rêves de famille pour vivre loin des *kouffars*. Le « *bouche à oreille* » et l'entregent de quelques âmes pieuses de Trappes et Plaisir ont permis leur rencontre. Textos, coups de téléphone, longues heures passées sur Skype… « Sissi-du-78 » est tombée folle amoureuse de

« Bilal, 78 ». Elle le rejoint parfois chez lui, square Paul-Langevin, l'accueille dans sa chambre d'adolescente, entre ses deux télés et sa déco de fille. Leur petit garçon naît en novembre 2014, comme vient de le rapporter dans son numéro de janvier *L'Essentiel*, le mensuel municipal de la ville de Plaisir, à la veille de cette folle équipée vers Raqqa.

Les attentats sanglants de *Charlie Hebdo* et de l'Hyper Cacher, le 7 et le 9 janvier, ont précipité l'expédition. Le 14, Bilal a reconnu le combattant à la kalachnikov qui, dans une rue de Raqqa, saluait les « *attaques bénies de Paris* » sous le drapeau noir de l'État islamique. Ibrahim Ly est le frère aîné de son copain Mansour, celui qui est monté à l'arrière de la voiture. « *Wah ! Ibrahim est parti, il faut y aller. Après, les frontières vont se fermer* », explique-t-il à ceux qui caressent aussi le rêve de partir au « Shâm », ce paradis où ils pourront enfin vivre comme de vrais musulmans.

Grâce aux allocations familiales, 700 euros par mois venus s'ajouter au RSA de Sihem et au « chômage » de Bilal, le couple a pu dénicher la Scénic « d'occase » à 1 500 euros sur le site du Boncoin. Le soir du réveillon, pour ne pas mettre la puce à l'oreille de leurs familles, Bilal et sa jeune femme Sihem ont aussi sous-loué un T3 à George-Sand, un premier étage juste en face de la base de loisirs. Ils y ont entreposé les sacs qu'ils destinent à leur expédition.

Une mauvaise nouvelle obscurcit leur projet d'installation. En novembre 2014, Khalid, le demi-frère de son mari, a trouvé la mort lors de la grande bataille livrée par l'État islamique contre Kobané, la troisième ville turque de Syrie. Sur Facebook, Jessica racontait sa vie à « *Disneyland* », le nom de code pour parler de Raqqa :

on y trouvait tout, des restaurants, des coiffeurs, et même des crèches pour les enfants, protégées des drones américains par des champs magnétiques organisés par l'EI, écrivait-elle à sa belle-sœur. A-t-elle été remariée après la mort de Khalid à un autre « combattant », comme c'est la règle chez les islamistes de l'EI ?

Dans le coffre de la voiture rouge, Sihem a fourré des tas de vêtements pour la jeune veuve et des habits neufs, taille 4-5 ans, pour sa nièce. Il fallait bien une Scénic pour transporter tous ces sacs, les couches, les boîtes de lait en poudre, sans oublier le Coran en cuir vert, les lampes frontales, des bananes Quechua, mais aussi de drôles d'accessoires qui ressemblent à des lunettes de visée pour sniper. Tandis que la Renault file sur l'autoroute, les deux passagers, coincés sur la banquette arrière au milieu de ce barda, se relaient pour endormir le nouveau-né.

Fayçal, le benjamin de la troupe, a tout juste dix-huit ans. C'est un vrai Trappiste, lui aussi, mais un gamin élevé par un couple uni et vigilant : lorsque le père de Fayçal a obtenu une promotion dans son entreprise, il y a quelques années, lui et son épouse ont quitté leur square pour le vieux Trappes, de l'autre côté du pont, afin d'éloigner leur fils des squares malfamés. Fayçal est entré quatre mois plus tôt en première année d'éco à la fac de Saint-Quentin-en-Yvelines, le pôle universitaire de la ville nouvelle toute proche, qui attire les étudiants les plus doués du coin. Ses parents s'étaient saignés aux quatre veines pour qu'il intègre une école privée à Versailles, et cette année d'études supérieures est pour eux une belle récompense.

Hélas ! Tout a dérapé à l'été 2014, après que le jeune

garçon a obtenu son bac ES. Pour l'occuper avant la rentrée universitaire, son père lui a trouvé un job de nuit. Mais le jour, Fayçal oublie d'aller dormir et zone dans Trappes avec ses anciens copains de collège, Mohamed Djitte, employé à la mairie pour surveiller les sorties scolaires, et son inséparable copain, Sofiane. Il se laisse convaincre de suivre ses potes à la Boissière, un quartier tranquille bordé par la N 10, où, dans le secret d'un pavillon, un Marocain donne « *des cours d'arabe* ». Parmi eux, Bilal Taghi et Mansour Ly, les deux garçons assoupis à côté de lui dans la Scénic.

La petite bande se retrouve durant tout l'été au Chicken Planet : c'est là, entre un kebab-frites et un Tropico, sur les trois ou quatre tables installées au-dessus des marches de cette rue sans issue, que s'est monté le projet d'un voyage en Syrie. Mansour a adhéré le premier : il veut changer de vie. Il a tenté un bac pro électrotechnique après son CAP commerce, qui l'a vite ennuyé. Il s'est ensuite inscrit à la mission locale de Trappes, a décroché un contrat de huit mois chez Metro, le grossiste des commerçants, et passé son Bafa. Mais depuis, il se cherche. Il songe à se marier religieusement avec une fille très pieuse du square George-Sand, raconte-t-il. Il surfe sur Internet, Viber, Skype, Whatsapp, change de surnom et de mot de passe comme de chemise : Mansourbg, pour « beau gosse », Sourman 78, Sourman le surdoué et, tiens, depuis janvier 2014, Mansour Islamiya.

« Samir d'Inter » explique à ses jeunes clients les vertus de la charia, du radicalisme religieux, salue le courage des combattants de l'EI. Il dénonce les *kouffars*, ces infidèles, explique qu'il faut faire la *hijra*, cette remigration dans un pays musulman. « *Là-bas, en Syrie, avec l'État islamique, on peut apprendre gratuitement la religion.* » Bilal, Fayçal, Sofiane, Mohamed, il y a toujours dix personnes pour l'écouter, parfois une bonne partie de la journée. Samir leur explique aussi qu'il ne faut pas croire les médias, « *mes amis sont là-bas, ils n'ont pas été forcés à porter les armes* ». Et pour finir, il offre volontiers une canette ou un sandwich aux plus jeunes avant de les accueillir le surlendemain par ces mots : « *Alors, tu as réfléchi depuis deux jours ?* »

La petite troupe a réfléchi, elle est même pressée. Le départ se fera deux par deux, en réservant un vol pour Istanbul via différentes capitales européennes, afin de ne pas éveiller les soupçons. Sofiane et Mohamed ont trouvé sur le site edreams deux places pour Milan et Istanbul. Mansour et Fayçal, eux, devaient passer par Madrid, mais leur carte bancaire a été refusée pour la deuxième partie du voyage, Madrid-Istanbul. Voilà pourquoi le tandem se retrouve finalement à l'arrière de la voiture qui file vers l'Allemagne, ce 17 janvier 2015, avec les jeunes parents et le bébé.

« L'Émir » – c'est ainsi que les passagers appellent Bilal – a confisqué les passeports. Il les garde en lieu sûr avec le cadeau de noces soigneusement empaqueté : un stylo en or, l'objet qui signe la *takîya*, leur dissimulation. Il serre aussi contre lui les quatres cartons d'invitation du mariage, soigneusement calligraphiés par Sihem : « *Ton écriture est féminine et plus jolie que la mienne* », lui a expliqué son mari. Par sécurité, chaque bristol porte deux des huit chiffres que compte le numéro de téléphone du « passeur » confié par un « barbu », la veille, dans une crêperie halal des Yvelines où ils ont avalé en vitesse un tiramisu.

La voiture a passé la frontière et marque une première halte dans une station essence allemande. Pour la première fois depuis le départ de Trappes, les quatre jeunes gens respirent un peu. « *Dieu merci, on a quitté la France* », souffle Bilal. « *Notre vie était trop pourrie là-bas, à cause de la religion* », ajoute Mansour, qui a expliqué à sa mère qu'il s'en allait quinze jours « *visiter la Grande Mosquée de Constantinople* ». Fayçal reste silencieux, comme s'il se demandait déjà ce qu'il fabrique là, loin de ses parents et de sa chambre douillette. Sihem profite de la pause pour donner le sein à son enfant et dormir un brin. Elle a besoin de sommeil, la route est longue jusqu'à Gazantiep.

« Je sais combien cette lettre va te faire du mal. Pourtant, je veux te dire combien je t'aime. Papa, je t'ai demandé l'autorisation de passer quelques jours chez tante Safia. Je n'y suis pas allée. Pardonne-moi : je t'ai menti. Avant-hier soir, je suis arrivée en Irak pour rejoindre mon mari. Nous nous sommes connus sur Internet. Il est formidable. Je suis sûre que tu l'aimeras. C'est un responsable régional de l'État islamique, tu sais, cette armée de volontaires qui s'est constituée pour défendre l'islam et les pauvres. Il s'appelle Akram. Il est très instruit en religion et très courageux. Il dirige la police, ici à Fallloujah. Ça me fait rougir de te dire ça, mais il est aussi très beau. Et très fort. (...) Ici, nous allons recréer la cité radieuse, un monde humain enfin à l'image d'Allah, gloire à Lui, et du Prophète, paix et salut sur lui. Nous allons chasser les mécréants (...). Nous allons libérer l'Irak. Porter notre message à la Syrie. Chasser le dictateur qui martyrise son peuple et méprise l'islam. Et un jour proche, nous libérerons aussi nos frères et sœurs palestiniens. (...) Tu me l'as toujours dit : "Nous sommes responsables de ce qui se passe dans le monde. J'ai accompli ton vœu, papa ! »

Rachid Benzine, *Nour,*
pourquoi n'ai-je rien vu venir ?, 2016.

27

L'hécatombe

Un tonneau, deux tonneaux, les air-bags explosent, et la Scénic rouge s'immobilise sur le toit, comme une grosse coccinelle sur le dos. Le 21 janvier 2015, vers 7 heures du matin, un énorme nid-de-poule a surpris Sihem sur la route cahoteuse qui file du sud de la Turquie vers la frontière syrienne. Son mari peine à extraire la jeune maman coincée par la ceinture de la portière enfoncée par le choc. Plus de peur que de mal, Sihem est la seule blessée, quelques bleus seulement. Le bébé est indemne. Mais chacun craint que, quatre jours après leur départ du square George-Sand, à Trappes, l'accident ne signe la fin du voyage vers le « Shâm ».

Ils y étaient presque, pourtant, à « Disneyland ». Après l'Allemagne, ils ont traversé l'Autriche, la Croatie, la Serbie. Leurs passeports ont été tamponnés en Bulgarie puis, le 20 janvier 2015, à la ville frontière gréco-turque d'Edirne. Bilal, meneur du groupe, a pu joindre son frère en Syrie. Il lui a recommandé de jouer les touristes dans un hôtel d'Istanbul, en attendant que le « contact » les appelle pour le top départ vers Gazantiep, dernier point de passage des candidats au djihad, la ville dont les parents – et les policiers – guettent le nom sur les relevés bancaires des enfants disparus, parce qu'il signe leur voyage vers Daech.

La Scénic venait d'enjamber le Bosphore et de traverser Nigde en trombe quand la conductrice a perdu le contrôle de la voiture. De la station-service, posée de l'autre côté de la route, les pompistes appellent gendarmes et ambulance, qui mènent les quatre jeunes gens et le bébé à l'hôpital. Quel hôpital ! « *Un truc de malade. Pour les prises de sang, ils mettent une aiguille avec un tube en dessous et ils attendent que les gouttes de sang coulent. J'ai cru que c'était pas de vrais médecins* », raconte Bilal à ses copains après sa visite. Le moral est atteint. Fayçal, le jeune étudiant en première année d'éco à la fac de Saint-Quentin, voit les noms de son père, de sa mère, de son oncle, de ses amis s'afficher sur son portable. Le benjamin de l'équipe se retient de pleurer, de peur de passer pour un trouillard ou une baltringue. Il rêve tellement de rentrer en France…

Les quatre faux touristes n'ont jamais fui aussi loin de Trappes. C'était ça, aussi, la part de rêve de leur aventure : s'en aller. Ils espèrent que leur passage au commissariat turc marque le prélude à leur libération et, qui sait, qu'ils seront à l'heure pour retrouver le passeur. Dans un anglais approximatif, ils baragouinent leur histoire de mariage en exhibant le cadeau pour les époux, le stylo en faux or. Leurs sacs remplis de vêtements et de médicaments ? Leur bon cœur, expliquent-ils aux policiers. Ils sont abonnés à « *la page Facebook* » de l'ONG humanitaire islamique Barakacity et profitent de ce « *circuit touristique* » pour faire la « *zakat* », l'aumône. La police turque leur tend un papier sur lequel il est noté « *tomorrow free* », « *la procédure habituelle* », dit-elle, et expédie les Français sous escorte dans l'énorme camp de rétention administratif d'Aydin.

D'un hôtel, juste avant l'accident, Mansour Ly avait envoyé quelques mots rassurants à sa mère : « *Je suis bien arrivé.* » Son message vient trop tard. À Trappes, l'une de ses sœurs s'est inquiétée de sa disparition. Un de ses frères se trouve déjà en Syrie, alors elle est allée trouver la police. C'est dans le centre de rétention que les quatre accidentés apprennent la mauvaise nouvelle : le prénom de Mansour est « *passé* » dans *Le Parisien* du 31 janvier 2015 au milieu d'un article titré « *Jihad, le désarroi des proches* ».

Depuis la grande vague des départs vers la Syrie, entre 2013 et 2014, Trappes est la ville d'Europe qui comptabilise le plus grand nombre de candidats au djihad. *Valeurs actuelles* parle du « *Trappistan* », sans savoir, ironie du sort, que ce nom n'a pas été inventé par la droite identitaire. C'est une trouvaille de Kaci Ouarab, l'ancien artificier du « groupe de Trappes » emmené par Safé Bourada, condamné en 2008 à neuf ans de prison. À Trappes où il vit de nouveau, Kaci est désormais un vétéran de l'époque algérienne, comme il y en a de Bosnie ou du premier djihad irakien, la mémoire de cette première génération de soldats lorsque, sur la mappemonde terroriste, Raqqa et Mossoul n'existaient pas.

Combien sont-ils à avoir pris la route ? C'est un sujet tabou pour Guy Malandain, obsédé par la réputation de sa commune. Le recensement est difficile à établir, et chacun tente de tordre les chiffres. Le maire parle d'« *une trentaine* » de départs, l'ancien juge antiterroriste et député de droite Alain Marsaud en évoque « *une cin-*

quantaine », sur la foi d'un rapport consacré aux Yvelines que le procureur de la République de Versailles a rédigé pour le ministre de la Justice. Seule la préfecture tient les chiffres à jour. Entre 2013 et octobre 2016, date du dernier départ, ils sont 97 du département des Yvelines à avoir pris la route de la Syrie, dont 67 de Trappes. Très rares sont ceux qui, comme Bilal, Sihem, Mansour Ly et le jeune Fayçal trouvent le chemin du retour.

Le 7 mars 2015, à 21 h 15, un avion en provenance de la Turquie se pose à Roissy. Les derniers passagers à sortir de l'avion sont les quatre gamins de Trappes et un bébé, tous sales et épuisés par six semaines passées au centre de rétention turc. Au terminal 2 E, des policiers les accueillent avec des menottes, direction la prison en attendant le procès – y compris pour Sihem qui, durant quatre mois, confie son enfant à sa sœur. Bilal Taghi est transféré à Bois-d'Arcy, Mansour Ly à Fleury-Mérogis, Fayçal à Villepinte. Les parents du jeune étudiant en économie comprennent, sidérés, qu'un accident de voiture a sauvé leur fils de Daech, et sans doute de la mort.

Ses deux copains, Mohamed et Sofiane, avaient pu prendre, eux, un billet d'avion avec leur carte bleue. Ils sont arrivés à destination. Leur vol vers Istanbul via Milan s'est déroulé sans encombre ; un passeur les a ensuite menés en Syrie. Tout le monde l'ignore, mais Sofiane a échangé plus de mille coups de téléphone avec un autre Trappiste, détenu au Liban à son retour de Syrie alors qu'il allait commettre un attentat-suicide contre des chiites. « *Sachet que je suis au Shaam, cette terre bénie par Allah.* » La lettre bourrée de fautes que Sofiane a laissée dans l'appartement familial du square Paul-Verlaine ne laisse guère de place au doute.

« *J'ai rejoins l'État islamique, un État qui ne juge que par la charia, qui suit la voie des salaf,* écrit-il. *Ne croyer pas qu'on m'a laver le cerveau, j'ai appris ma religion, j'ai vue les hadith pour le Shaam, je suis grand, j'ai réflechis longtemp et le mieu pour moi est de faire la hijra.* » Sa mère lui répond. C'est une femme connue dans la ville, qui figurait sur la liste du maire aux élections municipales. « *Tu m'as dit au revoir ce soir,* écrit-elle sur Facebook, *tu ne sais pas si on se reverra, si on pourra se reparler, j'ai compris, mon Sofiane, ne t'inquiète pas, Dieu est grand.* » Une semaine après sa disparition, elle finit par prévenir le commissariat et veut coller des avis de recherche sur tous les murs de Trappes.

Mohamed, lui, a expliqué à sa famille, rue Anatole-France, qu'il allait passer le Bafa. On l'a cru : Mohamed aime le rap, les filles et a été recruté quatre mois plus tôt par la mairie pour rejoindre l'équipe périscolaire en charge de la garde des enfants. Une photo du *Parisien* l'a même immortalisé, gilet fluo sur son kamis, lors d'une sortie de groupe. Quelques jours après son départ, son père commence à s'inquiéter. Il se souvient que Mohamed avait cessé de se rendre à la mosquée quelques semaines avant son départ, un signe fréquent de *takîya*, de ruse, pour tromper la famille.

« *Trappes est une petite ville. Tout le monde se connaît* », même si la commune compte 32 000 habitants, dit souvent Kaci Ouarab. Les squares sont les premiers avertis de ce qui se passe à Mossoul, à Kobané, à Raqqa. Ils comptent les morts mieux que le commissariat, et comprennent avant les services de renseignement que les deux jeunes garçons sont arrivés en Syrie. Sofiane y est devenu « *un vrai chef de district* » et s'est marié. « *Il a un gros poste* », siffle-t-on admiratif au kebab proche de la mosquée.

Le gamin n'a pas résisté à exhiber à distance son bureau – une pièce pour lui tout seul – à ses copains de Trappes et, quatre mois après son départ, il a posté deux autres vidéos sur son compte Facebook. Il pose devant une kalachnikov et un holster se devine sous son kamis. « *Walla les frères de la dogma sont des lions* », fanfaronne-t-il, exalté. « *Moi jsui dans un des endroits les plus dangereux du monde. Qadar Allah. On va tous mourir !! Qu'Allah nous accorde une bonne fin dans son sentier... amin.* »

Mohamed, l'ancien petit éducateur de la mairie, a lui aussi donné quelques nouvelles. Fin avril, ses parents découvrent deux photos. Sur l'une, il pose avec son copain Sofiane. Il est donc là-bas, en Syrie ! Mais quelques jours plus tard, sa mère reçoit un coup de fil de son fils, qui n'arrive plus à faire le fier : « *Maman, c'est chaud ici, je ne m'attendais pas à ça. Maman, j'ai les boules...* » Et puis, tout à coup, plus rien. Le compte Facebook de Mohamed se fait dormant. Plus de messages, plus de likes, plus de pokes : « MDCdu78 » reste désespérément silencieux.

Les messageries « *du78* » s'affolent. Et s'il était tombé sous les coups de l'EI ? s'interrogent certains Facebook de la ville. À Raqqa, l'accusation des réseaux sociaux met Sofiane hors de lui. Le 15 mai, sur sa messagerie électronique, il confirme la mort de son ami, mais tient à honorer sa mémoire en racontant qu'il a succombé en martyr. « *À tous ceux qui disent des mensonges sur [Mohamed], wallah, j'ai envie de vous tirer dessus. C'est pas les frères qui l'ont executer mais il et tué au combat comme un bonhomme, dans le sentier d'Allah il a chahade alors vos rumeurs, vos mensonges etc. Craigner Allah Azzawajel wallahi. Craignez votre seigneur. Trappes la ville de 1 000 rumeur subhan' Allah la ville du mensonge !!* »

Comment être certain qu'on a perdu un enfant, quand le corps du défunt n'existe pas ? Pour tout faire-part de décès, la police et les parents du jeune Mohamed doivent se contenter du post Facebook de Sofiane. On assiste à Trappes à des scènes insensées, comme cette visite de deuil rendue par le grand frère d'Ibrahim Ly à l'oncle de Mohamed. Dans la famille du jeune « Momo », on redoute et on fuit les Ly. Le père du jeune disparu interdisait à son fils de fréquenter ces gens qui, « *c'est quand même bizarre* », portent « *la djellaba en pleine journée, comme les terroristes* », raconte-t-il aux policiers qu'il vient d'aller trouver. Pour permettre à la famille de Mohamed de célébrer à la mosquée la cérémonie de deuil dans la tradition de l'islam, les Ly ont pourtant tenu à envoyer l'un des leurs confirmer lui-même la terrible nouvelle : Mohamed est mort à Raqqa, kalachnikov à la main.

Tout s'emballe, en cette année 2015. Le 13 novembre, trois commandos-suicide attaquent le Bataclan, à Paris, alors que mille cinq cents amateurs de rock assistent au concert des Eagles of Death Metal. Ils tirent aussi en rafales sur des terrasses de restaurants et dans des rues du Xe et du XIe arrondissements alentour, et songeaient à se faire sauter au Stade de France, devant François Hollande, pendant un match France-Allemagne. Parmi les 130 morts et les 413 blessés de la soirée, quelques musulmans. Dans les banlieues, l'émotion est bien plus vive qu'après les attentats de *Charlie* et de l'Hyper Cacher.

Le grand coordinateur de ces attentats sanglants s'appelle Abdelhamid Abaaoud, un Belge parti à Raqqa en 2013, où il se faisait filmer dans un pick-up, traînant derrière lui les corps de quatre cadavres. Parmi ses lieutenants, un enfant de Trappes, Walid Hamam. On connaît mal son nom, car la police n'a cessé de le rater – et donc évite de le mettre en avant : il est l'un des plus grands loupés des services de renseignement européens. Le jeune Kabyle est né à Gonesse, dans le Val-d'Oise, le 4 octobre 1984, mais a grandi square George-Sand, aux côtés d'un frère handicapé. Il a fréquenté le lycée professionnel Henri-Matisse, avant de se faire connaître pour trafic de stups – entre autres. Dans le monde secret du djihad, il exerce un métier à part. Pas exactement un responsable de filières chargé d'acheminer de futurs terroristes, non. Walid Hamam, alias Nord el Din.t ou Nordine, est à la fois un intermédiaire et un passeur, capable de trouver des « appartements conspiratifs » et des faux papiers, mais aussi d'acheminer de l'argent, par exemple à la cellule de Molenbeek, en Belgique.

Walid Hamam est parti s'entraîner au Liban, en 2013, et y a échappé à la police. Puis il s'est réfugié en Grèce. Comme la mafia, il a compris qu'il faut pénétrer les zones poreuses des États vacillants et anticipé qu'Athènes allait devenir un « hub ». Il s'y installe en janvier 2015, comme avant lui Salah Abdeslam, le convoyeur de kamikazes du Bataclan, et se fait passer pour un réfugié syrien : comme beaucoup de terroristes, il a transité par un camp de migrants. Dans la capitale grecque, il partage un appartement avec Abaaoud, une arrière-base logistique où traînent des tas de passeports abandonnés par des djihadistes partis en Syrie, et qui servent à ceux qui s'en vont en Belgique préparer des attentats.

Le 15 janvier, une semaine après les attaques contre *Charlie Hebdo* et l'Hyper Cacher, une cellule terroriste est démantelée dans la ville ouvrière de Verviers, à l'est de Bruxelles. Pilotée par Abaaoud depuis la Grèce, elle s'apprêtait à attaquer des commissariats pour tuer des policiers belges. Dans les différentes planques, des explosifs, des uniformes de police, des fusils AK 47 et une boîte à chaussures remplie d'une dizaine de photos d'identité, sans doute destinées à la fabrique de faux papiers. Ces hommes en pull noir sur fond blanc, liés aux attentats du Bataclan, viennent tous ou presque de l'Hexagone voisin, et forment « *le groupe des Français* ». En vérité, les « *Français* » viennent de Trappes, ou des environs.

Walid Hamam est le plus capé. Il y a aussi Mohamed Diallo, qui déployait des drapeaux de Daech dans l'appartement du square Gérard-Philipe, un certain Mansour Niang, Karim et Badis, dont le père gère une salle de « muscu » à Trappes… Un cinquième vient de Montigny-le-Bretonneux, juste à côté : Wissem El-Moktari, qui a fait les quatre cents coups avec Rachid Marghich, le dernier de la bande, au lycée Henri-Matisse de Trappes. Ainsi naissent les filières. L'amitié des deux garçons explique le petit « nid » djihadiste apparu dans cette ville opulente des Yvelines, la seule autour de Trappes à connaître des départs vers le « Shâm », à la plus grande stupéfaction des élus.

Deux jours après la découverte de la cache de Verviers, Walid Hamam est arrêté à Athènes. Le petit Trappiste possède des faux papiers au nom de Mahmoud Mohamed et se fait donc passer pour un migrant syrien. La police grecque le retient pour un simple contrôle et le libère, sans imaginer qu'il est l'un des piliers de la cellule terroriste tout juste découverte en Belgique. Le caïd s'est déjà évanoui dans la nature lorsque, dans une seconde planque d'Athènes, on découvre une photo de lui dans l'ordinateur d'Abaaoud, à côté d'un croquis représentant un attentat à la bombe à l'aéroport de Zaventem, plus d'un an avant les attentats de Bruxelles et quelques mois avant ceux du Bataclan.

Qu'est devenu Walid Hamam ? Durant des mois, à Trappes, les enquêteurs guettent les moindres indices qui pourraient signaler un décès de djihadiste : les *Salât Janaza*, bien sûr, ces prières mortuaires rituelles où seuls la famille ou les proches sont conviés, un repas de famille, un tweet imprudent, une petite amie qui pleure dans la cour d'un lycée, comme ce fut le cas pour « Momo » de la mairie… Mais certains rusent et se font passer pour morts, une bonne manière de poursuivre ses projets tranquillement. C'est le cas de Walid Hamam, que la police, y compris à Trappes, croit décédé.

Il est en réalité bien vivant, et gagne sans doute la Syrie pour passer sous les ordres de Boubakeur El-Hakim, un vétéran djihadiste franco-tunisien, l'un des commanditaires des attentats contre le Bataclan, puis contre l'aéroport et le métro de la capitale belge, le 22 mars 2016 : 32 morts, 340 blessés, sans compter les trois kamikazes. Depuis la Grèce, qui a l'avantage de se trouver en zone euro, le Trappiste Walid Hamam a aidé financièrement la trop fameuse équipe franco-belge. Et notamment son « colocataire » d'Athènes, Abaaoud, qui tenait la mitraillette devant Le Carillon, Le Petit Cambodge ou La Belle Équipe, le 13 novembre 2015 à Paris.

L'hécatombe

À l'hiver 2016, le Pentagone annonce que trois djihadistes ont été visés lors d'un raid aérien au-dessus de Raqqa. Selon les Américains, Walid Hamam, condamné par contumace à cinq ans de réclusion, en mai 2016, lors du procès de la cellule de Verviers, était l'une des cibles des drones, ce 4 décembre. Les autres Français visés ont aussi grandi dans les squares alentour. Cette fois, la mauvaise publicité vient de l'autre côté de l'Atlantique : la petite ville de Trappes est citée trois fois dans les rapports confidentiels du département de la Défense américain.

« Il était 15 heures, dimanche 4 septembre 2016, lorsque Bilal Taghi est invité à quitter l'aile de l'unité de prévention de la radicalisation qui abrite sa cellule pour rejoindre la cour de promenade. Le détenu s'avance alors avec une serviette, sous laquelle il dissimule un poinçon dont la longueur oscille, selon les sources, entre quinze et vingt-cinq centimètres. Étonné, un surveillant somme Taghi de reposer la serviette dans sa cellule. Moment choisi par ce dernier pour planter le poinçon dans le dos du fonctionnaire. Malgré sa blessure, le surveillant tente de s'échapper mais Taghi le rattrape et lui transperce la gorge. Un second agent se précipite alors pour lui porter secours. Il sera blessé au bras et au visage. C'est finalement l'intervention des équipes régionales d'intervention et de sécurité qui conduira à la neutralisation de Taghi, cible d'un tir de balle en caoutchouc en pleine poitrine. Détail glaçant : l'agresseur a alors dessiné un cœur avec leur sang sur la porte de sa cellule avant de se mettre à prier. »

Tentative d'assassinat d'un gardien par Bilal Taghi, l'un des passagers de la Scénic rouge accidentée à la frontière turque et détenu à la prison d'Osny, dépêche AFP.

28

Le prêtre et le migrant

« *Va par là-bas, vers Mantes, Trappes.* » Voilà deux nuits qu'Oumar dort dehors, par terre, devant la gare de Lyon. L'adolescent est arrivé à Paris sans un sou en poche, avec pour tout bagage son acte de naissance : « *10 novembre 1998, Bamako, Mali* ». Il a pris le train trois jours plus tôt à Vintimille, à la frontière italienne, sans billet évidemment, la peur au ventre à l'idée que le contrôleur force la porte des toilettes où il s'est réfugié. Le 19 janvier 2016, il pose enfin le pied en France. Il est ce qu'on appelle depuis quelques mois un « migrant », un mot qui désigne pêle-mêle ceux qui fuient leur pays en guerre ou traversent les continents pour échapper à la pauvreté.

C'est le cas d'Oumar. Ce petit jeune homme musclé par la pratique intensive du football n'a pas dix-huit ans mais il a appris la débrouille. Avec son français timide, il a réussi à trouver le train de Montparnasse qui s'est arrêté à Trappes. « *Va par là-bas, ils sont gentils* », lui ont conseillé les sans-papiers croisés à Paris. Nouvelle nuit dans le froid, dans un abri proche de la gare. Cette fois, il ne reste pas seul longtemps. Solide réflexe des villes pauvres, il y a toujours des « assoces » en maraude pour repérer les sans-abri. Un « éduc spé » aperçoit ce « mineur isolé », comme on dit dans le jargon administratif, le conduit jusqu'à l'église. Un nouveau prêtre a pris en charge la paroisse quatre mois plus tôt, après avoir officié à Mantes-la-Ville et comme aumônier de la prison pour mineurs de Porcheville.

Grand gaillard taillé en rugbyman, cheveux ras et sourire large, le père Étienne Guillet est un garçon de bonne famille, né à Louveciennes, l'une des communes les plus chics des Yvelines, et a connu le parcours des enfants de la bourgeoisie – bac au lycée de Saint-Cloud et école de commerce à Lille. Un jour qu'il campait à Châteauroux avec les scouts, on lui a distribué comme aux autres enfants une enveloppe avec une page photocopiée de la Bible. Le jeune Étienne a hérité du chapitre 25 de l'évangile selon saint Matthieu. À la lueur de sa bougie, il a lu ces versets du Nouveau Testament : « *J'avais faim, et vous m'avez donné à manger ; j'avais soif, et vous m'avez donné à boire ; j'étais un étranger, et vous m'avez accueilli.* » Sa vocation date de ce jour-là, il avait dix-huit ans, se souvient-il alors qu'il a atteint la quarantaine.

Le dimanche, à la messe, il accueille des fidèles venus du monde entier. Trente-sept nationalités se mêlent aux vieux Bretons arrivés à Trappes au temps de la ville cheminote. Le calendrier et le cérémonial s'en trouvent un brin bousculés. Chaque 13 mai, les Portugais de la paroisse célèbrent Fatima. Les autres jours, des Indiennes en sari dansent devant l'autel, couronnes de fleurs sur la tête, des Congolais fervents chantent l'évangile en lingala, des familles venues du Cap-Vert prient en portugais. Le père Étienne a parfois très chaud lorsqu'il finit les plats épicés des Tamouls venus de Pondichéry qui l'invitent à dîner. Alors que les églises se vident un peu partout en France, la sienne est toujours pleine.

Lorsqu'il est arrivé à Trappes, en septembre 2015, il a découvert un monde fascinant. L'ancien curé fêtait chaque année son anniversaire avec l'ex-maire communiste Bernard Hugo. L'un accueillait dans sa paroisse les pauvres, les immigrés, les sans-abri, l'autre continuait à organiser quelques classes de soutien scolaire. Lorsque le prêtre est mort, à quatre-vingt-treize ans, c'est le communiste athée qui a prononcé son hommage funèbre. Le vieux curé lui avait laissé un cadeau, à remettre après son décès : *Nour, pourquoi n'ai-je rien vu venir ?*, le dernier livre de Rachid Benzine, ce musulman lettré grand copain de Jamel.

Mosquée, associations, familles... À Trappes, les portes restent rarement fermées à celui qui a faim. « *J'étais un étranger, et vous m'avez accueilli...* » Le père Étienne se doute que l'adolescent est clandestin. Le pape François n'a pas encore appelé « *chaque paroisse d'Europe à accueillir une famille de réfugiés* », mais dans la jungle de Calais, dont les télévisions montrent chaque soir les baraques de tôle et la boue, les associations chrétiennes sont déjà nombreuses à s'occuper des familles de migrants venues de tous pays, et le prêtre écoute Oumar raconter dans un français hésitant son périple insensé depuis Bamako.

Le jeune homme n'avait pas trois mois lorsque son père a été emporté par « *une maladie* », c'est ce qu'on lui a raconté. Sa mère a dû partir travailler dans le village de Banankoro avec ses trois aînés, un garçon et deux filles, et a laissé son petit dernier, Oumar, chez une amie, soucieuse qu'il suive l'école dans la capitale malienne. L'école, les études, c'est le grand projet de cette mère pour son petit dernier. Chaque matin, elle quitte la case et parcourt sept kilomètres à pied dans la brousse pour aller travailler dans une mine d'or. Les hommes creusent, les femmes passent la terre au tamis, à la recherche de quelques traces du précieux métal. À la fin des vacances, Oumar entend toujours les mêmes mots : « *Travaille bien...* »

Oumar rêve de devenir mécanicien, mais son projet s'évanouit en 2014 lorsque la femme qui l'héberge explique qu'elle ne peut plus l'héberger. Il a quinze ans et doit quitter l'école. Alors le garçon part travailler dans une mine de Kayes, à 500 kilomètres de Bamako, sur le fleuve Sénégal. Six mois plus tard, sa mère tombe malade, « *sans doute à cause de la mine* », raconte-t-il au père Guillet. Elle n'a pas encore quarante-cinq ans mais Oumar comprend qu'elle est en sursis. « *Je suis fière de toi mais je n'ai pas eu le temps de m'occuper de toi* », souffle-t-elle avant de mourir.

Des histoires comme celle-là, le père Guillet en a déjà entendu plusieurs. Depuis quelques mois, l'État se voit obligé d'organiser en urgence des mises à l'abri pour les milliers de migrants qui ont échoué à Paris, à Calais, à Grande-Synthe, ou qui ont passé la frontière italienne. La préfecture de la région Île-de-France et l'Office des migrants les orientent vers des gymnases ou des centres de vacances réquisitionnés, mais surtout vers des hôtels miteux où ils se retrouvent livrés à eux-mêmes, espérant une régularisation souvent aléatoire, craignant surtout une expulsion.

Comme de nombreuses communes des banlieues pauvres, Trappes recueille ceux dont les villes riches se déchargent avec bonne conscience. On croirait que c'est le destin de la petite cité : quarante ans auparavant, lorsqu'on évacuait le bidonville de Nanterre, c'est à Trappes que se trouvaient les logements sociaux. Cette fois, c'est encore elle, et non Élancourt ou Montigny-le Bretonneux, qui voit arriver les migrants. L'État choisit les villes les moins chères, dont les hôtels sont peu fréquentés. « *Versailles n'en reçoit pas*, disent souvent les Trappistes, *et c'est toujours aux pauvres d'accueillir les pauvres.* »

Ils sont nombreux – musulmans, catholiques, protestants ou athées – à apporter nourriture, vêtements et un peu de conversation à ces étrangers regroupés dans un Formule 1 ou au Pavillon bleu, un hôtel qui borde la Nationale. Des bénévoles font la tournée des boulangers qui mettent de côté des croissants et du pain pour les migrants, ou convainquent des restaurants amis de réserver quelques tables pour des repas gratuits. Des femmes, souvent d'origine marocaine ou algérienne, passent leurs dimanches à porter des colis et des vêtements à des réfugiés afghans. Ces bénévoles tiennent la ville debout. Les squares le savent : quand Valérie Rodriguez, la directrice de la Miss' pop' arrive le matin à son bureau du square Langevin, sa voisine Fatima la guette au balcon et lui apporte crêpes et thé à la menthe.

Oumar est parti tenter sa chance à Gao, la deuxième ville du Mali, raconte-t-il au père Guillet, puis en Algérie, comme journalier dans un squat, près de Tamanrasset, où des camions passent ramasser les jeunes Guinéens, Sénégalais, Maliens. Les contremaîtres y inspectent les hommes et tâtent leurs muscles, un peu comme Mora, cinquante ans plus tôt, lorsqu'il recrutait des travailleurs dans les villages marocains avant de les envoyer dans les houillères ou les usines automobiles des Yvelines. Éternel marché entre riches et pauvres…

La rumeur court qu'en Libye la situation est meilleure, ou plutôt moins pire. Oumar et trois copains ont quitté leur abri et gagné la Tunisie, à la recherche d'un passeur. Un homme les a fait courir trois kilomètres en pleine nuit : « *Allez ! Vite, vite !* » Ils ont posé enfin le pied à Ghadamès et découvert un pays sans État, sans lois. À chaque fois qu'il arrive à ce point du récit, Oumar se tortille les mains, cherche l'air, ferme les yeux. Le prêtre comprend que le séjour dans ce pays déchiré par la guerre civile, après la chute de Kadhafi, a eu le goût de l'enfer.

Ce sont de vieux Maliens d'un foyer de Tripoli qui lui ont trouvé un passeur et Oumar a embarqué en pleine nuit sur un canot gonflable, au milieu de 70 autres passagers. D'Europe, le père Guillet a vu à la télévision ces hommes, ces femmes, ces enfants qui, depuis 2013, traversent par milliers la Méditerranée au péril de leur vie. En cette année 2015, ils sont déjà 500 000 arrivés sur les côtes européennes, mais près de 3 000 se sont noyés avant d'avoir atteint la terre. Oumar a vécu le même périple, sans gilet de sauvetage, dans un mélange d'eau et d'essence. En pleine mer, l'un des boudins du Zodiac « *a commencé à se dégonfler* », mime le jeune homme. Personne n'a songé à crier : les passagers clandestins se sont mis à prier. « *Et alors ?* » s'inquiète le père Étienne. Alors un cargo russe est apparu à l'horizon. Sauvés…

Île de Lampedusa. Longues journées dans une plantation d'oliviers. Traversée jusqu'à Vintimille en bus, puis Paris et la gare de Lyon, donc, et enfin l'église en meulière de Trappes, dans l'ancien village, dont seul le clocher originel, du « pseudo-roman » du XVIIIe siècle, est resté debout après les bombardements du 1er juin 1944. C'est la fin du voyage et du récit d'Oumar. Dans le hall du presbytère, le petit musulman découvre le grand planisphère affiché par le prêtre. Un jour de fête, le père Étienne a proposé que chaque membre de cette paroisse de 650 fidèles plante une aiguille à l'endroit de son lieu de naissance. Une moisson de têtes d'épingle recouvre la petite île du Cap-Vert, d'où vient le gros de la communauté chrétienne de Trappes, Pondichéry, Saint-Pierre-et-Miquelon, et bien sûr l'Afrique subsaharienne. Lui plante son épingle sur Bamako.

Dans les années 90, on célébrait encore une messe dominicale à 8 heures pour les Portugais et une autre en fin de journée pour les Italiens. Le prêtre a décidé de réunir tout le monde autour d'une célébration unique à 10 h 30. Un quart d'heure plus tôt, quand sonnent les cloches de l'église Saint-Georges, les fidèles sont déjà arrivés sur le parking en covoiturage, pour être certains de trouver une place dans la nef. L'assistance rassemble chaque dimanche plus de 300 personnes, sans compter la cinquantaine perchées à l'étage, et le père Guillet s'est vite adapté à cet auditoire qui prie dans toutes les langues.

Chaque dimanche matin, il articule soigneusement la messe, en français, pour que chacun comprenne. Ses paroles sont relayées par un écran géant, à gauche de l'autel, où l'on peut lire « *la parole de Dieu* ». Dans quelle église française, en dehors de ces banlieues mosaïques et hormis chez les protestants évangéliques, comme à L'Épée de l'esprit – la petite église fondée par les Congolais dans la zone industrielle, entend-on encore chanter des

« alléluia » aussi enthousiastes ? Quand il donne la communion, le prêtre aperçoit tous ces visages qui chantent approximativement les cantiques et que le concert de guitare électrique, basse, synthétiseur et batterie, dirigé par un chef d'orchestre à boucle d'oreille et coiffure rasta, recouvre et enchante à la fois.

« *La communauté chrétienne de Trappes est jeune, dynamique et minoritaire* », résume à ses amis le père Guillet. Elle est aussi la plus pauvre des Yvelines et l'évêque vient souvent encourager le prêtre. Il ne se contente pas de transmettre la parole du Christ. Comme le fait depuis quarante ans la Mission populaire, d'obédience protestante, et aussi désormais la mosquée, la paroisse a organisé un soutien scolaire pour les enfants, les mardis et jeudis. Il faut voir ces enfants sages, pour la plupart musulmans, arriver avec leur goûter et leur cartable de l'école privée Sainte-Marie mais aussi de l'école publique Jean-Jaurès, accompagnés par des retraités bénévoles, s'asseoir silencieusement à leur table de travail et faire leurs devoirs, encadrés par ces jeunes en « emplois aidés » que subventionne l'État.

L'été, quand ils ne sont pas au centre de loisirs, le père Étienne emmène lui-même les enfants en colonie à Rocamadour, près du sanctuaire accueillant des pèlerins. La présidente de la Miss' pop' a, elle, choisi Saint-Nectaire pour ces familles, souvent musulmanes, qui fréquentent les cours de l'association. Un jour qu'elle faisait visiter l'église, certaines mères de famille ont refusé de rentrer, et un gamin a demandé : « *C'est qui le mec en slip ? – C'est aussi un prophète du Coran* », a gentiment répondu Valérie Rodriguez.

La mosquée n'est pas en reste, et propose elle aussi soutien scolaire, conseil d'orientation, éveil culturel pour les petits, activités après l'école. C'est un peu comme si ce maillage musulman succédait pièce pour pièce à soixante ans de patronage « rouge » et reprenait une à une toutes les activités de l'éducation populaire laïque aujourd'hui moribonde mais si présente jusqu'aux années 90, quand le communisme municipal fabriquait ses plus belles réussites : La Fouine, Anelka, ou Jamel.

Fervent œcuménique, le père Étienne a étudié la Torah au séminaire et s'est intéressé au Coran. Ce grand homme en col romain qui conduit sa voiture comme Fangio et fait crisser ses pneus au pied des tours en sait parfois plus que ceux qu'il invite pour expliquer l'islam. Le 24 décembre 2016, alors qu'Hanouka tombait le jour de Noël, le prêtre a proposé au rabbin et à deux associations musulmanes d'organiser une collecte de lait pour la cinquantaine de familles réfugiées du Pavillon bleu. Le père Guillet avait aussi accepté l'invitation de la mosquée, qui souhaitait organiser un match de foot entre catholiques et musulmans. Monsieur le maire a mis aussitôt le holà : « *Il veut rejouer les guerres de religion ou quoi ?* »

Oumar aide aussi les migrants. Tous les samedis matin, il se rend au Pavillon bleu avec le Secours catholique, avant de retourner terminer ses devoirs. Il travaille dur. Le père Guillet n'oubliera jamais ce jour où, un an et demi après son arrivée, le garçon est venu le trouver au presbytère avec son premier bulletin de notes. Le père Guillet avait fait des pieds et des mains pour lui trouver une place au lycée professionnel de Rambouillet, où il est interne. Oumar s'est accroché à sa formation « hôtellerie », dans laquelle on l'a inscrit faute de place.

Ce jour-là donc, le jeune migrant a posé la feuille sur la table et est allé s'asseoir sur le canapé, sans un mot. Le prêtre a lu, ligne à ligne, les résultats du premier semestre. « *Bravo pour votre investissement dans la formation* », « *Très bon travail* », « *Élève motivé qui progresse à vive allure, agréable, poli, respectueux et reconnaissant* », « *Très bon trimestre* », « *Élève moteur dans la classe par son comportement exemplaire* », « *Excellent état d'esprit* »...

Oumar a même reçu les « *félicitations* ». « *Moi, je ne les ai jamais eues !* a ri le père Guillet. *La seule chose que je regrette, c'est que le Mali se soit privé de quelqu'un comme toi.* » Pour marquer le coup, il l'a emmené chez Decathlon et lui a offert des crampons pour l'entraînement à l'Étoile sportive de Trappes, le club du « président » Larbaoui où le réfugié joue deux fois par semaine comme milieu de terrain, grâce à la licence offerte par l'assistante sociale.

« *Va du côté de Trappes...* » Chaque jour, Oumar remercie Dieu pour ce conseil glissé par un autre migrant, gare de Lyon : les cinq prières balisent ses journées, dans la chambre des familles qui l'hébergent le week-end, ou au foyer de son internat. Il voudrait « *vivre à Trappes* », qui l'a si bien accueilli. « *Cette ville est dans mon cœur. Je connais le Secours populaire, le Secours catholique, la mission locale, SOS-solidarité, les Restos du cœur...* » Il vient de s'apercevoir que La Fouine, désormais triple disque de platine et quadruple disque d'or, avait grandi dans cette ville qu'il chérit tant. Le rappeur est son idole. À Bamako, il écoutait en boucle « *quand j'partirai, j'aurai p'têt un seul remords : ne pas revoir l'public du Mali* », sur sa petite radio. « *Maman tu me manques* » : Oumar connaît aussi par cœur les paroles de sa chanson préférée, celle que La Fouine a dédiée à sa mère décédée : « *Je regarde là-haut.* »

« "J'avais faim, et vous m'avez donné à manger ; j'avais soif, et vous m'avez donné à boire ; j'étais un étranger, et vous m'avez accueilli ; j'étais nu, et vous m'avez habillé ; j'étais malade, et vous m'avez visité ; j'étais en prison, et vous êtes venus jusqu'à moi !" Voici ce que dit le Christ dans l'évangile selon saint Matthieu. Cette parole nous interpelle : nous ne savons rien de ce blessé, de cet étranger, de cet affamé... Est-ce un homme ou une femme ? Est-il croyant ou non ? Serait-il aujourd'hui chrétien, musulman, athée ? Quelle est sa nationalité, sa couleur ? Son âge et son histoire ? En règle ou sans papiers ? Nous n'en savons rien... Seule une chose compte : sa fragilité, qui me bouscule et appelle ma solidarité. Portés par la foi, nous ne pouvons aujourd'hui détourner le regard et oublier cette parole de Jésus : ce visage fatigué, apeuré, est celui d'un frère à aimer. »

Extrait d'un sermon du père Étienne Guillet.

29

« Ali Juppé » et « Bilal Hamon »

La mairie d'Élancourt a été réquisitionnée pour servir de bureau de vote au second tour des primaires de la droite. Dans ce « petit Neuilly » du coin, comme dans toute la France, se joue la première manche de la présidentielle de 2017. Nicolas Sarkozy a été disqualifié au premier tour, et il faut maintenant départager François Fillon et Alain Juppé avant la longue course vers la présidentielle. En cette fin d'année 2016, Emmanuel Macron n'est pas encore le favori des sondages, et tout le monde parie que le futur vainqueur de la sélection interne à la droite sera le prochain chef de l'État.

Le maire d'Élancourt, Jean-Michel Fourgous, est un sarkozyste de cœur, qui a disposé dans son bureau une photo où il pose avec l'ancien président. Après la défaite de son champion, il s'est clairement engagé en faveur de François Fillon. Il ignore qu'un sms s'est affiché, quelques jours avant le scrutin, sur certains téléphones portables des fidèles des Yvelines – Trappes, Élancourt et ailleurs. « *Salam'alaikoum, chers frères et sœurs, ce dimanche 27 novembre se tiendra le deuxième tour des primaires de la droite opposant Alain Juppé à François Fillon.* »

Le message qu'ont rédigé les responsables du Collectif d'associations musulmanes, le Cam 78, ne donne pas formellement de consigne de vote mais, derrière ses circonvolutions et ses fausses négations, il n'est pas tendre pour Fillon. « *Alain Juppé prône un APAISEMENT SOCIAL et le vivre-ensemble* », explique le texto en notant en majuscules les mots importants. « *François Fillon, quant à lui, affirme très clairement que L'ISLAM EST UN PROBLÈME pour la France.* » Pour ceux qui hésiteraient encore entre les deux candidats, les préférences du Cam 78 sont claires.

Comme partout en France, la communauté musulmane des Yvelines est à la fois très désorganisée, traversée de rivalités sourdes, et divisée devant les élections. « *Préserve ta foi, ne vote pas. Allah est notre seul législateur, ni député ni maire* », disent dans les « quartiers » certains tracts salafistes à l'approche des scrutins législatifs ou municipaux. D'autres en profitent au contraire pour pousser leurs revendications.

À Trappes, les plus politiques des religieux ont déjà tenté de monter des listes, comme Slimane Bousanna, l'ingénieur qui avait œuvré pour la construction de la mosquée et qui dirige désormais sa propre école privée confessionnelle, un rêve de toujours. Il y reçoit plus d'une centaine d'enfants, dont des petites filles voilées dès le primaire. Le programme est respecté et l'Éducation nationale, qui est venue deux fois inspecter l'école, lui a octroyé l'agrément de l'État pour le niveau de la sixième. « *Faisons entendre notre voix* », s'intitulait la liste qu'il a menée aux élections municipales en 2014, montrant ainsi clairement sa volonté de s'adresser aux musulmans. Il a peiné à trouver des candidats et enrôlé en dix-neuvième position, sans se douter qu'il partirait quelques mois plus tard en Syrie, l'un des passagers de la Scénic rouge en route vers le « Shâm », Mansour Ly. Son score de 8,23 % des voix ne l'a pas découragé ; Slimane Bousanna s'est de nouveau présenté aux cantonales l'année suivante, sans plus de succès puisqu'il n'a rassemblé que 4,51 % des suffrages.

Les électeurs de Trappes n'ont jamais choisi de candidats sur des seules bases « communautaires » mais, sans être dupes, ils apprécient les messages en leur direction. Il n'est pas rare, avant les élections, d'apercevoir les têtes d'affiche des partis de droite comme de gauche devant la mosquée, parce que dans une ville qui compte tant de musulmans, on ne sait jamais… Ibrahim le libraire les traque, impitoyable, et n'a pas de mots assez durs pour ces fidèles d'un jour. Il les accuse de « *proxénétisme électoral* », même lorsqu'ils sont de culture musulmane.

Deux camps se mènent cependant la guerre. D'un côté, les musulmans de la Grande Mosquée de Trappes, l'UMT, dont le président, Tahar Benhaddya, arrivé en 1992 d'Algérie, tente de contenir les salafistes qui veulent en prendre le contrôle. Il vient tout juste de parvenir à écarter du bureau Adelhafid, le frère de M'hamed Benyamina, sympathisant du GIA algérien. De l'autre côté, Mourad Dali, l'ancien copain de colo de Jamel. Le responsable de la mosquée d'Élancourt siège aussi au Cam 78, ce concurrent de l'UMT qui a pris l'initiative du texto.

En cet automne 2016, Mourad Dali n'imagine pas davantage la victoire de Macron que la qualification de

Benoît Hamon à la présidentielle. Il a pourtant sympathisé avec le député après les attentats du Bataclan, lorsque Hamon avait convié tous les responsables religieux pour une réunion publique à la Maison des familles de Trappes. Pour sa part, Mourad Dali est favorable à des listes confessionnelles aux élections municipales. En 2014, il plaidait pour que le divers gauche Mohamed Kamli, fils d'une « grande famille » de Trappes, l'UMP Othman Nasrou, un jeune diplômé de Sciences Po au look versaillais que la droite a envoyé à Trappes dans l'espoir de prendre la mairie, et Slimane Bousanna s'unissent, « *puisqu'ils étaient tous musulmans* ». Mais il tente aussi de peser sur la présidentielle. Il faut absolument éviter que la France porte au pouvoir François Fillon.

« *Il est plus que temps de dire : ÇA SUFFIT !*, dit encore le texto. *Et le moyen de manifester ceci est d'aller voter MASSIVEMENT ce dimanche 27 novembre pour le candidat de votre choix.* » Lui-même prend la tête d'une petite délégation et retrouve une soixantaine d'autres personnes qui patientent sur l'esplanade de la mairie d'Élancourt.

Mourad Dali est en civil, mais d'autres portent des djellabas, et ce sont eux que Jean-Michel Fourgous aperçoit les premiers. La Citroën C6 du maire UMP, qui a été prévenu par des habitants d'Élancourt, est arrivée juste au moment – « *Dieu ne fait pas les choses au hasard* », assure Mourad Dali – où la petite troupe s'apprêtait à entrer dans l'hôtel de ville. « *Tous ces hommes en robe* », quelle mauvaise publicité pour sa commune, peste l'élu. Il a surtout compris que la petite foule s'apprête à voter aux primaires de la droite, et sûrement pas pour son candidat.

« *Vous n'avez pas le droit, c'est contraire à l'article 2 de la Constitution !* » s'insurge Fourgous, tandis que l'« imam » le filme. Il oublie un peu vite qu'en 2007, en Seine-Saint-Denis, l'Union des associations musulmanes avait rempli des cars pour assister à un meeting de son champion, Nicolas Sarkozy. Le texto a-t-il eu son petit effet ? Nul ne le saura. Le soir même, quand tombent les résultats, François Fillon arrive en tout cas largement en tête dans toutes les Yvelines, mais à Trappes comme à La Verrière, les deux villes où les musulmans sont majoritaires, Alain Juppé écrase son adversaire avec plus de 64 % des voix.

La France entière vit une drôle de campagne. Au lendemain des attentats du Bataclan, François Hollande a décrété l'état d'urgence sur tout le territoire national, une première en France depuis la guerre d'Algérie. Sa décision se heurte à la vive hostilité de la gauche radicale et déchire les socialistes eux-mêmes. La police a déjà effectué de nombreux contrôles dans tout le pays pour prévenir de futures attaques. À Trappes, la première perquisition administrative a été pour Kaci Ouarab, l'artificier du groupe terroriste initié par un ancien du GIA. Les policiers se sont réjouis de pouvoir intervenir sans s'embarrasser de détails horaires ou de mandat judiciaire, mais une partie de la ville a eu l'impression de revivre les heures sombres de son histoire.

L'islam fait peur et c'est la première fois dans l'histoire de la Ve République qu'on affuble des candidats à la présidentielle de surnoms arabes pour mieux les dénigrer. « *Ali Juppé* », « *Bilal Hamon* » et même « *Farid Fillon* » : la « fachosphère » diffuse ces sobriquets pour dénoncer une complaisance supposée des prétendants à l'Élysée avec « les musulmans ». Discours tronqués, photomontages montrant les candidats devant des minarets, il y a toujours quelqu'un, sur les réseaux sociaux, pour trouver un signe d'allégeance à un « pouvoir musulman » aussi occulte que dangereux sous chaque mot, derrière chaque geste.

Hostile à l'état d'urgence, Benoît Hamon est accusé d'« *islamo-gauchisme* », l'insulte à la mode dans cette campagne qui ne ressemble à aucune autre. Son suppléant, Jean-Philippe Mallé, un ancien chevènementiste devenu député lorsque Hamon est entré au gouvernement, affirme désormais qu'il votera pour Henri Guaino ou Nicolas Dupont-Aignan plutôt que pour son ancien partenaire socialiste. Il le juge trop soumis à « *la doxa européenne* ». « *Il coche toutes les cases du communautarisme,* soupire-t-il aussi, *soutient la Palestine et le footballeur Karim Benzema.* » À l'été 2016, Mallé a remarqué que le candidat socialiste avait posté sur Facebook une photo où il posait avec Mourad Dali. « *Tu ne t'es jamais affiché avec aucun représentant religieux et tu poses avec un imam !* » a protesté Mallé. Depuis, les deux hommes se sont éloignés.

Voilà un moment que Benoît Hamon est accusé par ses adversaires de « *communautarisme* ». En pleine campagne pour les élections départementales de mars 2015, alors qu'une polémique enflait sur les menus « différenciés » dans les cantines scolaires, il avait posté une vidéo : « *Voilà deux visions de la solidarité et du monde. Une vision de droite, qui trie les familles, qui considère qu'au nom de sa vision dévoyée de la laïcité on pourra interdire les menus de substitution, et la gauche, qui refuse de trier les familles et qui a une vision constructive de la laïcité.* » Les candidats UMP avaient fait remarquer que jamais la droite locale n'avait proposé de suivre la proposition de meetings de Nicolas Sarkozy : « *Si, à la cantine, il y a jambon-frites et que le petit ne mange pas de jambon, il prendra une double ration de frites.* »

Manuel Valls, son adversaire socialiste battu à la primaire du PS, refuse d'ailleurs de soutenir Hamon à cause, dit-il, de ses positions sur la laïcité. Lorsqu'il l'a lu affirmer dans *Le Journal du dimanche* : « *Il faut revenir à la loi de 1905 qui protège aussi bien la fille habillée en short que celle qui veut librement porter le foulard* », il a estimé qu'ils n'appartenaient plus à la même gauche.

À Trappes, le jour de l'Aïd est le plus beau de l'année. Les garçons ont demandé des tatouages au henné sur leurs biceps et sorti leurs « *petits habits* », les petites filles ont peint leurs ongles de toutes les couleurs grâce au vernis halal acheté au marché et ressemblent à des fées. Les habitants de Trappes ont décidé de donner davantage de lustre à la fête, et depuis quelques années les squares se cotisent pour installer des trampolines, organiser des promenades à dos d'âne, inviter des vendeurs de barbes à papa... Benoît Hamon y emmène sa fille et poste sur les réseaux sociaux des photos de « *la fête du quartier* ». « *Le meilleur couscous ? Celui de ma mère* », tweete aussi le Breton. Il donne un entretien à StreetPress depuis un kebab, comme d'autres dans un café. Peu lui importe qu'on le surnomme « Bilal Hamon », il en rit même dans les réunions publiques : « *Dis-moi, Rachid,* ironise-t-il en se tournant vers son ami Benzine, membre de son comité de soutien, *Bilal, c'était bien le premier muezzin de l'islam ?* »

Mais il a beau faire, la gauche ne séduit plus. Dans

les « quartiers », on ne pardonne pas à François Hollande la guerre au Mali contre les islamistes armés qui tenaient le nord du pays. Une partie de la « communauté » y voit des relents coloniaux, comme l'extrême gauche et le Parti communiste. Quant à l'état d'urgence, il est vécu comme une « chasse aux musulmans ». Les plus politisés de la communauté n'ont pas digéré non plus ces mots du premier ministre Manuel Valls à l'Assemblée nationale, une semaine après les attentats contre *Charlie* et l'Hyper Cacher : « *Je ne veux pas qu'il y ait des juifs qui puissent avoir peur, ou des musulmans qui puissent avoir honte.* » Au premier tour de la présidentielle, Trappes place Jean-Luc Mélenchon en tête avec 32,6 % des voix, huit points devant Benoît Hamon. Puis, au second tour, face à Marine Le Pen, offre 80,6 % à Emmanuel Macron. Le candidat du PS dont Trappes était si fière s'est effondré : 6,36 % des voix.

C'est aussi ce qui redonne espoir à Jean-Michel Fourgous, à un mois des législatives. Il y a quelques années, l'élu de droite avait multiplié les gestes à l'égard des musulmans. C'était lui, notamment, qui avait autorisé en 2010 l'installation d'un abattoir mobile afin de procéder dans de bonnes conditions sanitaires à l'abattage des milliers de moutons de l'Aïd. L'abattoir était installé à Élancourt, au pied de la colline de la Revanche, une grande butte – la plus haute d'Île-de-France – élevée avec la terre extraite lors de la construction de la ville nouvelle, dans les années 60 et 70. Deux ou trois jours avant la fête, des centaines de familles venaient choisir parmi les 1 400 moutons d'un enclos la bête à sacrifier : de 175 à 200 euros le mouton. Le jour dit, des bouchers venus du

Royaume-Uni égorgeaient l'animal d'un geste sûr devant des enfants impressionnés par le sang éclaboussant leur tablier blanc.

Sa défaite face à Benoît Hamon, cinq ans plus tôt, a laissé à Jean-Michel Fourgous un goût amer. Il ne veut plus financer l'abattoir. Officiellement, il invoque l'épreuve de VTT qui pourrait avoir lieu sur la colline, lors des prochains Jeux olympiques, en 2024. En privé, il joue une autre scène : « *Zgouik !* » mime-t-il avec sa main, comme s'il tenait un couteau sur un cou qu'on égorge. « *Le geste des sacrificateurs, c'est celui des assassins du père Hamel, à Rouen. Celui aussi des deux policiers de Magnanville. Alors non, terminé !* » 70 % des électeurs de la 11e circonscription des Yvelines vivent dans les communes riches qui entourent Trappes. Fourgous a fait ses calculs : ce « non » à l'abattoir ne lui enlèvera aucune voix, ou presque. Les attentats ont « *neutralisé la communauté* », répète-t-il triomphant devant ses militants.

Face à lui, la gauche est partie à la bataille des législatives en ordre dispersé. Dans son comité de soutien, Benoît Hamon est parvenu à enrôler Faïza, l'ancienne bachelière de la Commune, mais aussi le théologien Rachid Benzine et même Papy, le prof d'impro de Jamel, qui, après quelques années au Maroc, est revenu à Trappes. Le candidat a repris ses fameux porte-à-porte, quoique avec moins d'allant : il traîne sa défaite magistrale à la présidentielle. Il trouve face à lui un communiste, Luc Miserey, l'un de ceux qui entraînaient autrefois le jeune Nicolas Anelka au FC Trappes.

« *Islamo-gauchiste* », médisaient certains de Hamon. À Trappes, c'est pourtant le candidat de la France insoumise, Mathurin Levis, qui tient ses réunions de campagne dans la librairie d'Ibrahim, au milieu des portants d'abayas et de kamis. Le jour, le Tabligh distribue des tracts en faveur de Jean-Luc Mélenchon ; le soir, il colle les affiches du candidat de son cœur à côté de celles du candidat socialiste. Le prêcheur tabligh en profite pour mener sa propre bataille contre la couverture de la N 10, qui doit amener à l'expropriation de sa librairie, Nour Al Hidaya, posée au pied de cette nationale si bruyante. Cette fois, l'État a enfin décidé de recouvrir la « deux fois deux-voies » et monsieur le maire a trouvé dans ces travaux de terrassement un bon prétexte pour raser l'immeuble abritant la librairie religieuse.

C'est à peine si, tout occupés à se répondre, les candidats ont prêté attention à la candidate d'En Marche !. Pour sa campagne, Nadia Hai avance sur un fil. Trappiste et parisienne, musulmane et laïque, fille d'un ouvrier immigré et cadre d'une banque privée, on ne saurait mieux appliquer le « *et en même temps* » cher à Emmanuel Macron. Obsédé par la revanche à prendre sur Hamon, Jean-Michel Fourgous a d'abord vu arriver cette jeune femme sans une once d'inquiétude. Sa première prestation sur une télé locale des Yvelines l'a persuadé qu'elle n'avait aucune chance : « *Elle est nulle !* » Née à Trappes trente-sept ans plus tôt, la jeune femme a quitté la ville dix ans auparavant. Elle vit dans le XVIe arrondissement de Paris. « *Personne à Trappes ne se souvient d'elle !* » se rassure Fourgous.

Nadia Hai parle sans fard de sa « *belle carrière* », et quand elle voit ses anciennes copines de classe se débattre entre les enfants, les jobs aux horaires décalés et un mari au chômage, elle mesure sa chance. La candidate d'Emmanuel Macron se souvient très bien de la manière dont la directrice du personnel de Valeo l'a accueillie, quelques années plus tôt, alors qu'elle postulait avec un BTS pour son premier contrat d'alternance : « *Mais vous êtes blonde !* » Oui, elle est blonde, d'une blondeur qu'elle entretient soigneusement, convaincue que sa chevelure et « *l'absence d'un accent des quartiers trop prononcé* » ont été sa chance « *pour compenser le handicap de venir de Trappes* ».

Toute sa famille, domiciliée à Trappes, bat la campagne pour son compte. Benoît Hamon s'aperçoit-il seulement que le climat a changé ? Autour de lui, les militants qui tractent sur les marchés comprennent que les plus religieux se sont détournés, mais que les plus laïcs se méfient aussi. Dans les rues de Trappes, les électeurs ne leur réservent plus l'accueil chaleureux d'il y a cinq ans. Le soir du premier tour, l'ancien candidat à la présidentielle du PS s'avoue vaincu : arrivé en tête à Trappes, il lui manque 80 voix dans le reste de la circonscription pour se qualifier au second tour de la législative. Même le Parti communiste, qui avait dominé la ville pendant soixante-dix ans, semble avoir disparu. « *Il n'a fait que 320 voix dimanche* », note avec satisfaction Guy Malandain, comme s'il avait enfin réalisé son vieux rêve mitterrandiste.

La candidate d'En Marche ! l'emporte avec près de 53 % des voix et, le 20 juin, c'est elle que reçoit Mourad Dali, au nom des associations musulmanes des Yvelines, pour son iftar, le dîner de rupture du jeûne du ramadan. Il ne comptait dans son téléphone que les numéros de Benoît Hamon et de Jean-Michel Fourgous, mais il s'est vite débrouillé. On a fait venir un traiteur pour préparer la harira et les bricks, cuisiner le veau halal, et c'est comme si ce repas scellait la victoire définitive de la nouvelle députée : à la table d'honneur, autour de l'élue, le père Guillet et son col romain, le fils de l'ancien rabbin de Trappes, le sous-préfet de Rambouillet, malgré les réticences du préfet des Yvelines, des socialistes locaux et enfin Pierre Bédier, le patron du département.

Un peu plus tôt, madame la députée a visité la mosquée de La Verrière toute neuve, et foulé sa moquette épaisse au milieu d'hommes en costume et en kamis blanc. Moustapha Bouchicar, le président de l'association islamique de La Verrière, a été prié de rester en retrait : quelques mois auparavant, il avait refusé de serrer la main de la sous-préfète des Yvelines, Noura Kihal-Flégeau, et l'incident s'était su dans le département. Seules six femmes – deux religieuses catholiques, deux journalistes, la maire communiste de La Verrière et la députée – ont pris place dans cette assemblée d'une centaine d'hommes.

Pour dîner, Nadia Hai a enlevé le foulard noué un peu plus tôt dans la mosquée – où quelques adversaires de gauche et de droite l'avaient photographiée, on ne sait jamais… – et salué l'assistance masculine de ces mots inattendus : « *Je me suis engagée à En Marche ! parce que je voulais défendre l'égalité hommes/femmes, un thème qui m'est cher. Je crois en la laïcité, qui offre la liberté de croire ou de ne pas croire et de vivre en paix.* » Dans cette assemblée d'hommes, personne ne semble relever cette petite subversion.

« Salam'alaikoum chers frères et sœurs, (...) ce dimanche 27 novembre, se tiendra le deuxième tour des primaires de la droite opposant Alain Juppé à François Fillon.

Alain Juppé prône un APAISEMENT SOCIAL *et le vivre-ensemble. À ce titre, il est en désaccord avec ceux "qui considèrent que la religion musulmane est par essence incompatible avec la République" et affirme "qu'il ne faut pas faire d'amalgame. Un musulman n'est pas un terroriste. Je l'ai dit, la majorité d'entre eux est prête à respecter les règles de la République".*

*François Fillon, quant à lui, affirme très clairement que l'*ISLAM EST UN PROBLÈME *pour la France. Il a écrit (...) que "l'invasion sanglante de l'islamisme dans notre vie quotidienne pourrait annoncer une Troisième Guerre mondiale !".*

Nous sommes des êtres humains méritant le TOTAL RESPECT *de notre* DIGNITÉ DE CROYANTS ET DE CITOYENS FRANÇAIS. *Il est plus que temps de dire :* ÇA SUFFIT ! *Mobilisons-nous* TOUS : HOMMES, FEMMES, ENFANTS ! *Jeunes et Anciens ! Pour voter, c'est très simple : il suffit de vous rendre au bureau de vote rattaché à votre lieu de résidence muni d'une pièce d'identité et de verser 2 €. »*

Texto envoyé aux fidèles
du Collectif des associations musulmanes des Yvelines.

30

Le café des hommes

Faïza se régalait d'une glace avec sa fille, sur un trottoir du quartier des Merisiers, et elle n'a pas tout de suite aperçu l'homme s'approcher de son mari. Depuis qu'elle est revenue vivre à Trappes, après quelques années passées à Paris, l'ancienne bachelière de la Commune se promène souvent en famille dans les rues de la ville. La plupart des passants connaissent sa petite silhouette brune. À Trappes, on se croise toujours au hasard des courses, dans les rares boutiques ou au marché de la place des Merisiers, l'endroit le plus vivant de la ville. Même lorsqu'elle passe en trombe dans sa petite voiture, Faïza voit souvent sur le trottoir des voisins, des amis qui l'ont repérée au volant et qu'elle doit saluer de la main, à la volée. Mais ce jour-là, l'homme qui s'est planté devant son mari n'a pas eu un regard pour elle.

« *Dis à tes femmes qu'elles ne doivent pas manger dans la rue* », a lancé le « *barbu* », comme Faïza appelle désormais ces salafistes qui semblent passer leur temps à faire des rondes, dans le quartier des Merisiers. Son mari n'a pas eu le temps de réagir que l'homme avait déjà tourné les talons, laissant la famille furieuse et désemparée. C'est une de ces algarades odieuses qui crispent chaque jour davantage cette déléguée des parents d'élèves du lycée de la Plaine-de-Neauphle, soutien de Benoît Hamon. L'atmosphère de la ville a changé.

L'air y est plus lourd, les relations sont contraintes par de nouvelles règles qui s'imposent à la petite communauté trappiste, chassant l'ambiance naguère si chaleureuse. Au marché, plus de musique indienne, celle des films de Bollywood dont plusieurs étals proposaient les DVD. Désormais, des enceintes diffusent des psalmodies et des vendeurs de plantes médicinales en kamis abordent les femmes seules avec mille conseils de bien-être, qui finissent toujours en recommandations religieuses.

Plus de boucherie qui ne soit pas halal non plus. « *C'est la loi de l'offre et de la demande* », explique la mairie à ceux qui notent qu'à Élancourt, mitoyenne de Trappes et beaucoup plus riche, n'existe aucune boucherie musulmane. Comme partout, les habitants des petites communes périphériques font désormais leurs courses dans les grandes surfaces et les hypermarchés. Pour des « *entrepreneurs de l'islam* », comme dit Rachid Benzine, les interdits alimentaires, à Trappes, sont devenus un « *marché* ».

Quand les Mirleau, des Tourangeaux qui, depuis trente ans, tenaient une boucherie-charcuterie proche de la gare, ont pris leur retraite en 2015, ils n'ont trouvé personne pour racheter leur affaire. À la grande époque, cent à deux cents clients faisaient pourtant la queue sur le trottoir, rien que pour leur choucroute, leur coq au vin ou, le mercredi, leurs tomates farcies. Lorsque Rémy et Sylviane ont voulu vendre, la clientèle avait fondu. « *Il y a encore des Gaulois, à Trappes ?* » a demandé ironiquement le marchand de fonds qui visitait leur boutique.

Le changement d'ambiance tient à mille petits signes. Il ne se perçoit pas au premier coup d'œil ni au détour d'une simple promenade. Il faut lever la tête dans les squares pour apercevoir une silhouette féminine qui grille sa cigarette dehors, sur le balcon. « *Une femme de chez nous ne peut pas fumer dans les rues de Trappes* », disent ces filles de Marocains et d'Algériens nées en France au début des années 60. Elles-mêmes fuient désormais le square de leur enfance pour vivre « *librement* » à Maurepas ou Élancourt.

« *Salope* », « *beurette à chicha* »… Voilà les insultes réservées à Shy'm sur les réseaux sociaux chaque fois que la chanteuse, née à Trappes et animatrice de la Nouvelle Star, poste une photo d'elle en tenue de soirée transparente – aux NRJ Awards – ou en culotte et débardeur. Sa mère, une danseuse venue de Normandie qui élevait seule son enfant, avait fait des pieds et des mains pour la scolariser à Montigny-le-Bretonneux plutôt qu'à Trappes. Fille d'un père martiniquais, elle a fait ses premiers pas d'artiste avec la compagnie de hip-hop Black Blanc Beur, à Saint-Quentin. Depuis, on l'a vue embrasser sur la bouche l'une de ses musiciennes pour soutenir la loi sur le mariage pour tous, alors que l'homosexualité reste un tabou dans les quartiers. Jamel ou Omar ont tiré de leur enfance une part de leur légende, elle a rompu avec ce passé : « *À part le parking de l'immeuble, je ne me souviens de rien.* »

Sortir demande une bonne connaissance des nouveaux codes de la ville. Celles qui travaillent, les plus audacieuses et les plus aisées, vont parfois déjeuner à l'Équipe de choc, le restaurant tenu par des Portugais, rue Jean-Jaurès, dans le vieux Trappes. Les autres choisissent le

Léon de Bruxelles d'Élancourt ou la zone commerciale, parfois encore une auberge champêtre de Maurepas. Mais certaines n'ont pas d'autre choix que de se rendre dans un restaurant « *de la communauté* », comme on dit à Trappes.

Le tout nouveau Jame's diner, à Coignères, plaît beaucoup aux enfants. Il a été ouvert par des Trappistes nés au milieu des années 80, qui possèdent aussi les auto-écoles Major, où les monitrices sont voilées. Dans la vaste salle trône une américaine décapotable rouge. Au-dessus des fauteuils en plastique rose, des écrans plasma diffusent des dessins animés et les serveuses passent commande avec un talkie-walkie. Le menu est halal et sans alcool, mais sur les burgers, entre les graines de sésame, flotte un mini-drapeau américain.

Les femmes issues de la deuxième génération – les plus émancipées – s'installent parfois aux terrasses des cafés parisiens, entre copines, mais aucune ne se risque au bar des Merisiers. Du temps de Bernard Hugo, on y trouvait quelques pochtronnes et même des prostituées. La drogue s'y est ensuite installée, avant que le café ne soit démoli puis reconstruit lors de la rénovation de la place, il y a une dizaine d'années, avec de grandes baies vitrées donnant sur le marché. La journée, des femmes chargées de courses ou d'enfants se pressent devant les dizaines d'hommes chômeurs ou retraités, tranquillement attablés dans « *ces temples de l'ennui masculin* », écrivait Paul Morand en voyage à Tanger.

Autrefois, on y servait de l'alcool et Mohamed Zerdhy, le propriétaire, y accueillait tout le monde. Mais Mohamed est mort. Sa femme et ses deux fils ont renoncé aux bières et aux « p'tits blancs » du comptoir pour s'éviter des bagarres d'ivrognes. La terrasse n'est plus occupée désormais que par une population masculine qui, les mois de ramadan, « fait » la fermeture, sans consommer.

Aucune interdiction n'est faite aux femmes : « *Bienvenue* », lancent les employés aux « Franco-Françaises » – c'est ainsi qu'on dit drôlement dans cette ville où tant d'habitants ont la double nationalité. Les femmes musulmanes, elles, ne s'y aventurent pas. Nadia refuse d'y donner rendez-vous un mois de ramadan. Les mères divorcées n'ont aucune envie d'y essuyer « *un regard noir* ». Un samedi, Khadija doit parler à son frère, attablé avec des hommes : elle reste à distance et c'est lui qui vient jusqu'à elle, dans un ballet savamment codifié.

Lors de la campagne pour les législatives, Souad, une militante marocaine de l'équipe de Benoît Hamon, y est entrée distribuer les tracts du candidat socialiste. Aussitôt, quelques tables l'ont hélée : « *Tu n'as pas à venir ici, ce n'est pas correct pour une femme !* » Elle est sortie en pestant : « *Au Maroc, je vais au café !* » Quelques semaines plus tôt, « Benoît », qu'on interrogeait sur un reportage réalisé par France 2 dans un café de Sevran dont les femmes seraient exclues, avait répondu : « *Historiquement, dans les cafés ouvriers, il n'y avait pas de femmes.* » Quelques jours plus tard, il avait rectifié : « *Il existe aujourd'hui une pression faite sur certaines femmes par un certain nombre de fondamentalistes religieux, ils existent, je ne le nie pas et la République, là, doit être forte.* »

Pense-t-il aux Merisiers ? Le « café des hommes », comme on appelle le grand café de cette place du centre-ville, est devenu un sujet de préoccupation. Non qu'il soit salafiste. Les fils de l'ancien cafetier, l'un cheminot, l'autre étudiant, rêveraient, disent-ils, d'une clientèle « *mixte* ». Un après-midi ensoleillé, la sous-préfète Noura Kihal-Flégeau, celle à qui le président de la mosquée de La Verrière avait refusé de serrer la main, a proposé de s'y rendre en groupe, afin de montrer que les femmes peuvent aussi s'asseoir en terrasse. Aucune « Marocaine » ou « Algérienne » n'a osé l'accompagner.

Même Faïza a renoncé. L'ancienne première de la classe repense souvent à sa première journée de travail, au début des années 2000. Après avoir réussi tous les examens de passage et les entretiens, elle était arrivée dans le service où on l'avait embauchée. On l'avait « *tout de suite prise pour la femme de ménage* ». Et voilà que les préjugés viennent maintenant de « la communauté » elle-même, prenant en tenaille ces femmes nées en France au début des années 60.

Si, malgré la pauvreté, les bandes et toutes ces morts violentes, la ville laisse des souvenirs heureux à ceux qui y ont vécu, c'est souvent grâce aux mères – « les mamans », comme les appellent les responsables associatifs –, ces héroïnes anonymes des banlieues françaises. Ce n'est pas un hasard si Fatima Debbouze hante les sketches de Jamel. Fatima est d'ailleurs le second prénom de sa petite-fille et celui de la fille de La Fouine, après avoir été celui de sa mère, enterrée dans le carré musulman de Trappes. « *Aucune médaille d'honneur pour une femme d'honneur, juste un cimetière, quelques larmes, quelques potes et quelques fleurs* », dit l'une de ses plus belles chansons.

Chez Hanouna ou Cauet, Issa Doumbia, lui, a fait de sa mère un personnage, « Mama Conakry ». Au Mali, Aminata Doumbia était secrétaire au ministère de la Santé, et son mari, instituteur. Elle a encore la tête pleine de souvenirs de cocktails et de salons remplis d'officiels, de journées chargées de rendez-vous importants. Quitter Bamako n'a jamais été le souhait d'Aminata. Lorsque son mari a voulu s'installer en France en 1976, elle l'a laissé partir avec les trois premiers enfants de la famille avant de le rejoindre deux ans plus tard « *pour voir* », sa petite Fatoumata de deux ans dans ses bagages. Elle est restée. C'est à Versailles, en 1982, qu'est né Issa, « *chez les bourgeois* », rit sa famille.

Il a vu sa mère s'épuiser en menus travaux et ménages avec celle de Jamel Debbouze. Le soir, dans le séjour du F5 du square Daumier, autour d'une tisane ou d'un chocolat, il l'écoutait raconter des histoires de lions et de princesses, mais pas n'importe lesquelles. Madame Doumbia, en effet, est une griote. C'est elle qu'on convoque pour les baptêmes, les décès, les mariages. Issa Doumbia a lui aussi croisé la route de Papy. Dans ses spectacles, il campe sa mère en matrone africaine autoritaire et vorace, devant laquelle les garçons filent doux.

Nelly Robin, la sociologue venue étudier la vie dans les barres du square de la Commune dans les années 80, avait remarqué que ces mères de famille arrivées des campagnes algériennes, marocaines ou maliennes « *encourageaient leurs filles à étudier et, souvent, les soutenaient dans leurs désirs de s'habiller à l'européenne, sans voile* ». C'était il y a trente ans, mais tout est allé si vite dans ces banlieues françaises, si proches des grandes villes et pourtant tellement étrangères à leurs préoccupations. Voilà aujourd'hui que leurs petites-filles réclament un foulard et entendent dicter ce qui est « *halal* » ou « *haram* »...

Au marché, on croise de moins en moins « *de filles dont on voit la tête* », comme dit Jamel dans son tout dernier spectacle – un sujet qu'il n'abordait jamais auparavant. Autour du maire, dans les associations, chacun interprète le nouveau phénomène. À la sortie du lycée, dans les magasins, beaucoup se sont mises à porter un voile et parfois même cette burqa qui isole et interdit tout emploi hors de la communauté. « *Vous ne connaissiez pas l'islam authentique, on vous l'a mal appris au bled, et vous ne vouliez pas faire de vagues* », expliquent désormais les jeunes gens à leurs parents. « *Plus les prédicateurs interdisent de choses et plus ils sont écoutés* », s'inquiète Rachid Benzine. L'islamologue a beau rappeler à chaque réunion publique que « *le Coran contient très peu de prescriptions précises* », il doit convenir qu'à Trappes ces normes « *finissent par créer une communauté virtuelle qui enferme les individus* ».

Dans cette ville qui compte 19 % de chômeurs, près de deux fois plus que le reste de la France, et dont les familles gagnent en moyenne 5 000 euros par an de moins qu'ailleurs, les principales sollicitations financières viennent de la mosquée. Il faut sans cesse l'agrandir, aménager son sous-sol. « *Mais où passe l'argent ?* » murmurent certains fidèles, lassés de cette quête sans fin depuis quinze ans. Au milieu de la grande salle recouverte de moquette épaisse, et réservée aux hommes, un curieux panneau accueille les fidèles : « *100 euros = un carreau* » pour achever de paver le sous-sol, « *100 euros*

= *100 euros de dette effacée* » pour finir de rembourser les emprunts de l'UMT.

À Trappes, en 2013, certains ont même vu des Saoudiens en kamis blancs débarquer dans la ville. Des « cheikhs doctorants » donnaient des conférences dans la Grande Mosquée, mais ont vite renoncé devant le maigre public : ils ne parlaient que l'arabe littéraire. Ils se contentent d'envoyer des régimes de dattes que l'UMT revend, conservant les bénéfices réalisés pour l'entretien de l'édifice religieux.

Ces femmes voilées, ces hommes en gandouras, ces restaurants sans alcool ou encore l'engouement pour l'école à domicile sont-ils les preuves d'une nouvelle sujétion ou simplement une passade « néo-identitaire », réplique religieuse ou islamique du « Black is beautiful » des Noirs américains des années 60 ? Dans la ville, chez les élus, les avis divergent. Certains voient dans ces signes une emprise religieuse inédite en Europe – mais devenue la norme de l'autre côté de la Méditerranée. Pour les autres, ce serait une rébellion adolescente contre des parents qui, dans les années 60, marchaient docilement, baissant la tête et répétant le soir à leurs enfants : « *On n'est pas chez nous* », de peur qu'on renvoie la famille au bled.

Juste avant l'été 2017, l'école de musique et de danse de la ville a accueilli « Trappes épopées », une exposition imaginée par l'artiste Thierry Payet pour la municipalité. Le projet est né après les attentats de janvier 2015, afin de « *recréer des liens entre habitants et institutions de la ville de Trappes* », comme dit le jargon culturel. On a confié le projet à un artiste « *intéressé aux situations de conflit, au Cambodge, au Zaïre, au Rwanda et au Guate-*

mala ». Il recueille depuis un an les mots des habitants. Parmi les petits papiers épinglés sur les murs, il y avait cette phrase, très courte, d'un enfant de l'école Maurice-Thorez : « *C'est un autre monde ici, tu vois, et je trouve que de plus en plus.* »

Épilogue

Un demi-siècle s'est écoulé depuis que les premières tours ont poussé au milieu des champs de blé de ce bout de campagne française. Les souvenirs de cette époque commencent à s'estomper. La cité ouvrière des « Dents de scie », qui abritait les cheminots de la SNCF, est désormais inscrite à l'inventaire des Monuments historiques.

En octobre 2017, plus de 1 500 personnes ont assisté, émues, à la prière mortuaire de Jalal Kamalodine, l'un des premiers imams du square de la Commune. Le vieil Afghan était l'une des mémoires de Trappes, dernier témoin de ces grandes migrations qui ont façonné les banlieues françaises.

Après six ans d'absence, Jamel a eu envie de remonter sur scène. En janvier 2018, il est parti en tournée avec un nouveau spectacle, « Maintenant ou Jamel ». S'est-il souvenu du mauvais accueil que lui avait réservé une partie du public de la Merise, le 1er février 2000, lorsqu'il était venu donner le coup d'envoi du premier road show de sa carrière ? Il se produit cette fois à Amiens, Brest, Marseille, Toulouse, Lille, Bruxelles et Genève, mais sa tournée ne s'arrête pas à Trappes.

« *La réussite, ça génère des inimitiés, ça crée des ennemis. Ton succès se retourne contre toi* », chante La Fouine. Après un séjour à Miami, la ville de Scarface, son idole d'autrefois, le rappeur partage sa vie entre une banlieue chic de Paris et le Maroc, le pays de ses parents.

Omar Sy a appris la prudence auprès des agents d'Hollywood. La star peut s'engager pour les Rohingyas, ces musulmans massacrés et chassés de Birmanie, mais pèse chaque mot dès qu'il s'agit de la banlieue. Il reste un donateur prodigue et un observateur attentif des causes de la ville de son enfance, mais la vie de l'acteur est désormais à Los Angeles, où il prend chaque jour deux heures de cours d'anglais avec un « coach de dialecte », pour effacer ses traces d'accent « frenchie ». Il a interrompu sa tournée à Paris lorsqu'en octobre 2017, en pleine promotion de *Knock*, film adapté de la pièce de Jules Romains, Éric Zemmour l'a traité de « *guignol* » et ajouté avec un mépris blessant : « *Je sais bien que de Trappes à Hollywood il n'a pas eu le temps de maîtriser la langue française.* » Lorsque ses cachets ont été plus confortables, l'acteur a voulu installer ses parents à Élancourt, dans un quartier plus bourgeois. Mais les Sy revenaient toujours à Trappes, où ils ont finalement fait leur vie, loin du Sénégal.

Nicolas Anelka s'est exilé à Dubaï où il possède plusieurs propriétés ; après son conflit avec Raymond Domenech et le Mondial catastrophique de l'équipe de France, il était régulièrement pris à partie par des supporters déçus. Les anciennes gloires du football sont nombreuses dans le petit émirat qui dispense de payer impôts sur le revenu et sur les sociétés. « Nico » adore dîner au restaurant panoramique Burj al-Arab, perché à 321 mètres au sommet de l'un des hôtels les plus spectaculaires du monde. « *Il n'a pas eu la carrière qu'il aurait dû avoir, on n'a pas voulu le comprendre* », plaide Omar Sy quand on l'interroge sur son copain d'enfance.

L'islamologue Rachid Benzine est l'un des derniers de la petite bande de « footeux » de la rue du Moulin-de-la-Galette à habiter la ville. Engagé contre le radicalisme, il est régulièrement invité en Belgique, notamment à Molenbeek, cette ville qui, comme Trappes, a fourni troupes ou logistique aux djihadistes du Bataclan. Partisan d'un « *islam des Lumières* », il rêverait d'une lecture « *plus philosophique et allégorique du Coran* », et a écrit un livre avec le rabbin Delphine Horvilleur.

Après une phase de découragement, Papy, cette « *sage-femme de l'humour* », comme il dit, a fondé une société qui produit tout ce que les banlieues recèlent de talents. Il est resté le premier spectateur des sketches de Jamel, mais son nouveau protégé est Issa Doumbia, le « petit dernier » de la sympathique famille malienne du square Honoré-Daumier. La mère d'Issa, Aminata, a créé une association pour aider les villages à creuser des puits au Mali.

Sophia Aram, la jeune fille qui brillait en « impro », a quitté Trappes à l'âge de vingt ans, et n'y remet qu'exceptionnellement les pieds. Comédienne et chroniqueuse à France Inter, elle est aujourd'hui très engagée dans la défense de la laïcité.

Thomas Deltombe, le sociologue qui avait suivi pas à pas le lobbying en faveur de la mosquée, n'a jamais publié son travail sur Trappes. En 2011, il a rejoint les vingt signataires d'une pétition « contre le soutien à *Charlie Hebdo* », lancée au lendemain d'un attentat au cocktail Molotov dans les locaux de la rédaction.

En juin 2017, pendant le ramadan, un jeune militaire en

permission a perdu la vue dans un règlement de comptes entre deux squares, Albert-Camus et Léo-Lagrange. Deux ans plus tôt, Moussa Konté, un collégien qui s'entraînait à l'Étoile sportive de Trappes et siégeait au conseil municipal des jeunes, avait été tué d'une rafale de pistolet-mitrailleur tirée par des hommes cachés sous une burqa. Les deux drames semblent liés à une rivalité vieille de vingt ans, ravivée par les réseaux sociaux, entre « Camus » et « Lagrange », les deux gros points de vente de cannabis, pilier de l'économie souterraine de la ville.

Après la mort de Moussa, le gouvernement a décidé de mutualiser toutes ses forces (police judiciaire, renseignement, services douaniers, fiscaux) pour neutraliser les figures les plus inquiétantes de Trappes. Préfet, procureur, fisc et police aux frontières mènent régulièrement des opérations-surprises dans les kebabs, crêperies, auto-écoles et autres commerces communautaires : la « méthode Al Capone », s'attaquer à l'ennemi par l'argent. À peine élu, Emmanuel Macron a souhaité prendre pour modèle la mini « task force » de la petite ville, qu'il cite désormais régulièrement dans ses discours.

Le chiffre de 67 djihadistes partis de Trappes – un record européen – n'a pas échappé au nouveau président de la République et la première visite de Gérard Collomb a été pour la petite ville des Yvelines, le jour même de sa nomination au ministère de l'Intérieur. Chargé de surveiller l'étendue des phénomènes de radicalisation islamiste, Pierre de Bousquet de Florian, l'homme qui dirigeait entre 2002 et 2007 la DST, alors visée par les terroristes trappistes d'Ansar al-Fath, a lui aussi l'œil rivé sur la ville. Au cœur de l'été 2017, trois islamistes radicaux dont les deux demi-frères de Bilal Taghi, le djihadiste mis en cause dans une tentative d'assassinat à Osny, ont été expulsés au Maroc sur arrêté ministériel.

Déchirées entre deux univers, les familles dont les enfants sont partis en Syrie ont suivi à l'automne 2017 la chute de Raqqa et l'effondrement de l'État islamique. Elles ont compris, terrifiées, que la France avait opté pour une ligne dure. « *S'il y a des djihadistes qui périssent dans ces combats, je dirais que c'est tant mieux* », a crûment expliqué la ministre de la Défense Florence Parly. À l'Élysée, les conseillers d'Emmanuel Macron ont confirmé que la France espérait « *qu'ils soient tous tués avant d'avoir pu rejoindre un camp ou l'autre* ».

Les quatre jeunes Trappistes dont l'équipée au « Shâm » s'est terminée par un accident en Turquie ont tous été condamnés en mars 2016 : Bilal Taghi et Mansour Ly à cinq ans de prison, Fayçal, le jeune étudiant, à quatre ans et Sihem, la seule à comparaître libre, à trois ans dont un an avec sursis. Après l'agression de son gardien, le 4 septembre 2016, dans la maison d'arrêt d'Osny – l'une des cinq unités de prévention de la radicalisation de France, installées sept mois plus tôt –, Taghi a été transféré en Bretagne. Cette attaque terroriste à l'intérieur même d'une prison, une première dans l'histoire pénitentiaire, a sonné le glas des « unités dédiées » aux djihadistes.

M'hamed Benyamina, l'ancien boucher des Merisiers condamné à trois ans d'emprisonnement en 2008, a été expulsé à deux reprises en Algérie : en 2014, il avait été intercepté par le RAID, pour son rôle supposé lors des émeutes contre le commissariat, puis en 2015 par la BAC, alors qu'il était revenu clandestinement square Yves-Farge.

Son complice Kaci Ouarab a retrouvé la liberté. Il se rend régulièrement à la Grande Mosquée de Trappes, mais n'y reste jamais longtemps : il dit qu'il est « *interdit de moquette* » et qu'il ne peut plus diriger les *salat*, comme avant. Sur Twitter, sous le pseudo de @SheikhKassKass, ses followers disent qu'il est « *le roi de la punchline* ».

Son cousin Achour tient la crêperie halal, juste en face de l'hôtel de ville. De son fast-food, on peut lire ces mots de Jean Jaurès dessinés sur l'esplanade de la mairie : « *Je n'ai jamais séparé la République de l'idée de justice sociale, sans laquelle elle n'est qu'un mot.* »

Le père Guillet est catastrophé par la suppression des contrats aidés et songe à écrire à l'Élysée : pour lui, c'est la fin du soutien scolaire dans sa paroisse, où cent dix enfants étaient sur liste d'attente à la rentrée 2017. L'Épi vert, l'association de la mosquée qui encadre les enfants avec des bénévoles, n'est pas touchée par cette mesure.

La proviseure Aline Peignault est morte, alors qu'elle venait juste de prendre sa retraite. À l'orée des années 2000, elle avait fini par demander sa mutation du collège Gagarine et le ministère la lui avait aussitôt accordée, comme on rapatrie à l'arrière un soldat qui a fait preuve au front d'un immense courage. Hormis Papy et deux ou trois profs de Trappes, les anciens du « collège fou, fou, fou » étaient rares à son enterrement. Aucun élève n'avait fait le déplacement.

Au printemps 2017, la mère de John Ibrahim est décédée, elle aussi. Elle repose au carré musulman du cimetière de Trappes, pas très loin de la tombe toute simple de Fatima Mouhid, la mère de La Fouine. Le libraire se plaint que les « *wahhabo-djihadistes* », comme il dit, empêchent les familles de fleurir les tombes.

Yoann, le gardien de la paix qui avait contrôlé Cassandra en niqab, a été muté au commissariat de Versailles, où il s'ennuie. Il rêve de revenir à Trappes. « *Au moins, j'aurais l'impression de servir à quelque chose* », dit-il. La mère de Cassandra, elle, s'est convertie à l'islam.

Didier Lemaire, le prof de philo du lycée de la Plaine-de-Neauphle, s'inquiète de plus en plus du « *quadrillage de la ville par les salafistes* ». Membre de Paroles à cœur ouvert, une association qui lutte auprès des lycéens contre les recrutements djihadistes, il aurait voulu que ses membres affirment plus nettement leur hostilité aux « *organisations fondamentalistes et sectaires sur le territoire local* ». Mis en minorité, il a fini par démissionner.

Othman Nasrou, que la droite avait parachuté dans l'espoir de prendre la ville, a abandonné Trappes. Il ne s'imaginait pas, dit-il, vivre avec la « *pression des intégristes* » et a choisi Paris. La députée Nadia Hai, elle, a fini par installer sa permanence dans la zone industrielle de Trappes. Pompiers, médecins, policiers, l'élue d'En Marche ! a multiplié les rencontres dès son arrivée à l'Assemblée nationale, afin de persuader l'Élysée qu'elle est une bonne connaisseuse de la politique de la ville. Quant à Mathurin Levis, le jeune candidat de la France insoumise qui faisait campagne dans la librairie d'Ibrahim, il est désormais conseiller principal d'éducation en Guyane.

Le maire, Guy Malandain, a fêté ses quatre-vingts ans. La couverture de la N 10, sous les fenêtres de sa mairie, débutera en 2018. Il se flatte, alors qu'approche la fin de son troisième mandat, d'avoir transformé et embelli la ville, rénovant ou détruisant « *à la pelle qui mord* » la plupart des grands ensembles qui la défiguraient. Il semble curieusement incapable de prononcer le mot « djihadiste », mais ferraille devant le conseil d'État pour rebaptiser sa ville Trappes-en-Yvelines, nettement plus champêtre, comme ces vergers bio des environs où les Parisiens viennent le week-end acheter leurs fruits et leurs légumes.

Le 1er juillet 2017, Benoît Hamon a quitté le Parti socialiste pour lancer son mouvement politique. Le candidat du PS à la présidentielle continue de se rendre à Trappes, où il veut aider Ali Rabeh, son ami et ancien conseiller, à devenir maire de la ville. Qui l'emportera, de l'adjoint aux sports à la mairie ou de Mustapha Larbaoui, l'ancien président du club de foot, qui s'est mis en congé de l'association sportive ?

Pour faire pièce au fameux « café des hommes », place des Merisiers, Ali Rabeh souhaite installer rue Jean-Jaurès un établissement « *sympathique et qui veillera à être ouvert à tous* ». En attendant, les propriétaires du bar veulent ouvrir juste derrière une petite brasserie où l'on servira de l'alcool et où ils espèrent voir revenir des femmes.

Le Chicken Planet, ce kebab où se sont forgées tant de vocations djihadistes, a changé de nom. Pilier de l'établissement, le fameux « Samir d'Inter » a fui la ville et s'est réfugié en Algérie, juste après l'état d'urgence. Plusieurs parents lui reprochaient d'avoir influencé ses jeunes clients. La communauté s'est rebellée, lasse de compter ses morts et d'être montrée du doigt. Elle ne voulait pas ressembler à Hamelin, cette ville de la légende allemande dont le joueur de flûte avait séduit et enlevé tous les enfants.

Remerciements

Trappes est une ville chaleureuse et nous remercions infiniment tous ceux qui ont accepté de nous la raconter, souvent pendant des heures. Parmi ceux qui nous ont beaucoup aidées, Bilel Ainine, John Airès alias Ibrahim, Farid Amraoui, Khadija Amraoui, Sophia Aram, Tahar Benadya, Mustafa Ben Lassen, Rachid Benzine, Rogatien Bouchereau, Slimane Bousanna, Frédéric Brunnquell, Franck Chaumont, Saïda Chouaki, Erard Corbin de Mangoux, Mourad Dali, Alain Degois, Jean-Baptiste Del Amo, Thomas Deltombe, Abdel Djiar, Julien Dray, Aminata Doumbia, Fatou Doumbia, Abdelaziz El Jaouari, Jean-Michel Fourgous, Claude Fressonnet, Jérémy Ganz, Bruno Gaston, Marie-Pierre Grandin-Degois, Étienne Guichard, Étienne Guillet, Nadia Hai, Benoît Hamon, Bernard Hugo, Violaine Jaussent, Jean Jourdan, Thomas Klotz, Mustapha Larbaoui, Didier Lemaire, Vincent Lescloux, Thierry Macaque, Guy Malandain, Jean-Philippe Mallet, Alexandre Marqué, Michel Martinez, André Merelle, Nadia Mesloub, Hugo Micheron, José Miguel, Philippe Mimouni, Rémy et Sylviane Mirleau, Serge Morvan, *Hajj* Moulay, Othman Nasrou, Ali Rabeh, Patricia Raclot, Arnaud Ramsay, Nelly Robin, Valérie Rodriguez, Marie-Laure et Jacques Segal, Sylvie Sohier, Dominique Sopo,

Frédéric Trautmann, Bernard Zekri, Merouane, Zoulikha et Ichem Zerhdy, et aussi Faïza, Souad, Zohra, Inès, Saïda, Yoann et Oumar (les prénoms d'Oumar et de Faïza ont été modifiés).

Merci aussi à Laure, Olivier, Pierre, Yassin, Jean, Vincent et tous les autres.

La biographie de *Jamel Debbouze*, de Marie Jocher et Alain Kéramoal (Seuil), nous a été vraiment très précieuse, comme *Drôle de parcours* (Flammarion), l'autobiographie écrite par Laouni Mouhid, alias La Fouine, et *Anelka par Anelka* de Nicolas Anelka et Arnaud Ramsay (Hugo et Compagnie).

Nous avons lu avec intérêt *L'École, les belles et la bête*, d'Aline Peignault et Marie-Pierre Grandin-Degois (préfacé par Jamel Debbouze), aux éditions Chronique sociale, ainsi que *Made in Trappes*, de Papy, alias Alain Degois (chez Kero).

Nous avons aussi tiré profit et anecdotes de *Villes nouvelles et intégration spatiale des familles maghrébines* de Nelly Robin (Orstom), *L'Islam imaginaire* (La Découverte) de Thomas Deltombe et *Le Plein emploi de soi-même*, de Bernard Zekri et Michel-Antoine Burnier (éditions Kero).

Nous avons enfin regardé sans nous lasser *La Smala* de Jean-Loup Hubert, *Trappes à l'heure de la prière*, le reportage de Frédéric Brunnquell, le documentaire *L'Entrée des Trappistes*, de Melissa Theuriau, et bien sûr les spectacles et les sketches de Jamel Debbouze, Omar Sy et Issa Doumbia. Parfois, nous avons écrit en écoutant les albums de La Fouine, autre poète de Trappes.

Table

DES MÊMES AUTEURS

La Femme fatale, Albin Michel, 2007.

Les Strauss-Kahn, Albin Michel, 2012.

RAPHAËLLE BACQUÉ

Chirac président, les coulisses d'une victoire, avec Denis Saverot, Éd. du Rocher/DBW, 1995.

Chirac ou le démon du pouvoir, Albin Michel, 2002.

L'Enfer de Matignon, Albin Michel, 2008.

Le Dernier Mort de Mitterrand, Grasset, 2010.

Richie, Grasset, 2015.

ARIANE CHEMIN

La Promo, Stock, 2004.

Une famille au secret, Le Président, Anne et Mazarine, avec Géraldine Catalano, Stock, 2005.

La Nuit du Fouquet's, avec Judith Perrignon, Fayard, 2007.

Fleurs et couronnes, Stock, 2009.

Le Mauvais Génie, avec Vanessa Schneider, Fayard, 2015.

Mariage en douce, Gary et Seberg, Équateurs, 2016.

Composition Nord Compo
Impression CPI Bussière en décembre 2017
Éditions Albin Michel
22, rue Huyghens, 75014 Paris
www.albin.michel.fr
ISBN : 978-2-226-31910-4
N° d'édition : 21880/01 – N° d'impression : 2031244
Dépôt légal : janvier 2018
Imprimé en France